AINSI SOIT-ELLE

BENOÎTE GROULT

AINSI SOIT-ELLE

BERNARD GRASSET
PARIS

IL A ÉTÉ TIRÉ DE CET OUVRAGE
TRENTE-QUATRE EXEMPLAIRES SUR VERGÉ
DE LANA, DONT VINGT EXEMPLAIRES
DE VENTE NUMÉROTÉS VERGÉ DE LANA
1 A 20 ET QUATORZE HORS COMMERCE
NUMÉROTÉS HC I A HC XIV, CONSTITUANT
L'ÉDITION ORIGINALE.

Ce livre est dédié

à Olympe de Gouges qui crut, l'une des premières, que les droits du citoyen devaient être ceux de la citoyenne et qui paya son erreur sur l'échafaud,

à Mary Wollestonecraft, surnommée « l'Hyène en jupon »,

à Hubertine Auclert qui en 1889 refusa de payer ses impôts puisqu'elle ne votait pas,

à Maria Deraismes, fondatrice de la Société pour l'amélioration du sort de la femme en 1876,

à Marguerite Durand, première femme à lancer un quotidien féminin en 1897,

à Louise Michel,

à Margaret Sanger, pionnière à New York du Birth Control,

à beaucoup d'autres encore qui renoncèrent à la sécurité de leur foyer et se battirent pour que d'autres femmes puissent s'épanouir, c'est-à-dire pour un besoin aussi vital et brûlant que le besoin d'aimer,

à Simone de Beauvoir bien sûr,

à des hommes aussi, à Ambroise Paré, à Condorcet, à Stuart Mill, à Charles Fourier, à Prosper Enfantin, au Stendhal de *Lamiel*, qui furent des féministes avant la lettre,

à Léon Richer, à Victor Duruy, à Victor Blanqui, à Jules Ferry qui ouvrit les écoles aux filles pour « fournir des compagnes républicaines aux hommes républicains »,

à Léon Blum et à bien d'autres précurseurs moqués, incompris ou ignorés,

à Paul Guimard... à plus d'un titre,

et puis à un État du Far West, le Wyoming, qui fut le premier au monde, en 1869, à accorder le droit de vote aux femmes.

PRÉFACE

Je pars chez moi pour écrire un livre dont le sujet ennuie d'avance bien des gens... qui le plus souvent ne lisaient déjà pas mes romans ! Ayant vécu à Paris plus de quarante ans, habitant le Var depuis cinq ans, c'est toujours à la Bretagne que je pense quand je dis : chez moi. Je lui suis reconnaissante de tout : de l'enfance qu'elle m'a donnée, de son odeur qui me ferait la reconnaître les yeux fermés comme Napoléon le disait de sa Corse, de cette impatience délicieuse que j'éprouve toujours en m'approchant d'elle, de cette mélancolie quand je m'éloigne, de sa capacité à me guérir et à me faire oublier. Je ne vois pas quel malheur ne serait adouci par le fait de pouvoir me dire : « Heureusement, j'ai la Bretagne. » C'est tout de suite vers elle que j'ai couru quand Pierre, le mari de ma jeunesse, est mort à vingt-quatre ans.

Chaque fois que j'entends l'accent breton, dont on se demande pour quelles raisons il n'a jamais eu les honneurs du cinéma ou de la littérature, comme l'accent du Midi aussi obsédant et inévitable que l'ail, je souris

de tendresse. Mon amour pour ce pays est injuste et
merveilleux. Comme l'amour.

Toute l'année j'écoute Inter-Service-Mer à neuf
heures dix. J'ai toujours envie de savoir quel temps il
fait à Dogger Bank, à Fisher Bank ou à Fladden Ground,
ces points mythiques perdus en mer d'Irlande, en mer
du Nord ou dans le canal Saint-George, qui sont le décor
quotidien des marins bretons.

— Tu entends ça? Coup de vent force 7 chez nous,
dis donc! dis-je à Paul tandis que nous prenons notre
petit déjeuner à force 2 dans notre jardin hyérois.

A partir de 5 je hais le vent du Midi. En Bretagne,
quand il « s'établit », on sait où il va, on peut compter
sur lui pour le meilleur ou pour le pire. En Méditer-
ranée, c'est un fou, un être à frasques, indécis, excessif,
agressif pour le plaisir. C'est en vivant dans le Var
que j'ai compris les vers de Montherlant :

Le vent, stupide vent, bête comme un vivant
Et il faudra mourir sans avoir tué le vent...

Il parlait du mistral sûrement, violent et buté, de ces
rafales imbéciles qui jaillissent de rien et retombent
sans raison. Pas de l'humide suroît qui sent bon l'iode,
ni du noroît qui fait la lumière si brillante, ni du suet.
Du vent d'est à la rigueur, si peu marin. L'Atlantique
n'a pas de ces caprices... j'allais dire féminins. A quel
point le langage nous contraint à mal penser : le caprice
est féminin comme l'orme est séculaire.

En Bretagne, la terre fait son riche métier de terre.
Elle sent bon le pourri en hiver et meilleur encore
la germination au printemps. Ici, les feuilles meurent
pour quelque chose : c'est à ce prix qu'elles remonteront

dans les feuilles prochaines. Dans mon jardin du Var, ce cycle ne veut pas s'accomplir. La terre est malingre et sent la poussière et les arbustes conservent jalousement leur raide verdure puisqu'ils savent que le sol ne pourra rien en faire. Tout ce qui tombe est perdu, desséché, emporté par le stupide vent.

En Bretagne, quand nous changions de train à Rosporden, ma sœur et moi, en route pour la vraie vie, ça sentait déjà l'algue à 15 km de la mer. Grand-mère venait nous chercher à la gare de Concarneau et tandis que nous nous installions sur les strapontins de la Hotchkiss, elle nous avertissait invariablement.

— J'espère que vous serez plus raisonnables que l'année dernière, mesdemoiselles, sinon, je vous renvoie chez vos parents.

Je n'imaginais pas pire disgrâce que d'être à Paris au mois d'août sinon d'y être en juillet ou en septembre. Ce respect des mois d'été, je n'ai jamais pu le perdre et c'est à cause de lui que j'ai choisi pour métier l'enseignement. Nous partions toujours le soir même de la distribution des prix et je considérais mes amies que la désinvolture de leurs parents maintenait en ville parfois jusqu'au 14 juillet, comme des enfants martyrs.

Nous traversions Concarneau comme des promesses émues, guettant les étapes familières, la Mercerie-Alimentation où nous achetions des canifs pour jouer « au couteau » sur le sable, la crêperie où officiait la Bigouden coxalgique, la coiffe toujours penchée pour ne pas heurter la cheminée, l'ancienne criée aux poissons près du phare qui préludait au quartier des plages et enfin l'hôtel *Beau Rivage* qui, comme son nom l'indique, s'ouvrait sur une ruelle sans vue derrière chez nous. Pauvres enfants qui allaient à l'hôtel, une année à Beg-Meil, une année à Bénodet ou, pire, à Cannes ou Juan-les-Pins, et qui devaient chaque année se lier avec de nouveaux arbres, apprivoiser des rochers inconnus! Nous, nous REvenions chaque année, nous REtrouvions notre chambre avec son odeur de moisi et de cretonne à fleurs après le long entracte de l'hiver, nous REconnaissions le crissement du gravier dans la grande allée et le claquement des sabots des sardinières sur la route. Les enfances profondes se font avec des RE...

On arrivait à *Ty Bugalé* « par-derrière », du côté nord et ingrat de la maison, en ces temps où l'on ne se croyait pas obligé de réserver aux automobiles une chambre en façade et la vue sur la mer. Avant même d'embrasser les cousins, nous courions voir par-dessus le mur hérissé de tessons de bouteille chers aux propriétaires français si les récifs de Bass Crenn et de Pen ar Vas Hir étaient fidèles au poste. Ils nous faisaient toujours la joie d'être là, juste où l'œil exercé par une amoureuse habitude les cherchait. Cette année encore nous irions à grande marée y pêcher des bichichis — il s'agit comme chacun sait de l'*Acanthocottus bubalis* —, ou le mythique hippocampe, si beau et qui s'obstinait à vivre dans les mares à portée de l'homme, ce qui lui aura coûté les siècles de vie, les millénaires peut-être, encore inscrits dans son devenir.

Guérit-on jamais de ces vacances-là?

Je n'ai de mon existence passé un été sans la Bretagne. C'est comme d'aller voir sa mère : ça ne se discute pas.

Et cette route du Finistère, c'est mon artère coronaire :
elle mène tout droit au cœur.

De ces trajets heureux, j'ai gardé un goût enfantin
pour les voyages. Pas à Mach 2 ni à 30 000 pieds. Les
voyages-leçons de choses comme j'en faisais avec mon
père; ma mère et ma sœur s'installaient derrière, ravies
d'être ensemble, d'échapper à la lecture des cartes et
aux commentaires paternels sur la géologie, la botanique
ou l'histoire ancienne.

— Campus Eneacus, répétait Pater avec un plaisir
toujours neuf en traversant Campénéac. Nous sommes
sur une ancienne voie romaine, tu vois : elle est toute
droite.

— Il est vilain(e) au roi de maltraiter la reine, Ille-
et-Vilaine, chef-lieu Rennes, poursuivait-il chaque fois
que nous entrions dans le premier des 5 départements
bretons.

— Finis c't'air, ô ténor, où je vais décamper(e),
ajoutait-il un peu plus loin. Finistère, chef-lieu Quimper !

Celui-là, je l'ai toujours haï. De cet apprentissage
des départements date sans doute mon allergie aux
calembours.

Dans les cas favorables, nous allions jusqu'aux sous-
préfectures. L'Yonne était l'occasion de son triomphe.

— Un jour que j'avais une soif de lionne, je vis à
quoi l'eau sert. J'y joignis en homme de sens une goutte
de rhum, et me dis : Tonnerre, avalons! (Yonne,
Auxerre, Joigny, Sens, Tonnerre, Avallon.)

J'ai tenté d'appliquer la recette pour mes filles en la
mettant au goût du jour : 29, chef-lieu 29000, sous-
préfecture 29200, 29210 et 29220. C'est le progrès.

Maintenant je voyage souvent seule mais je ne traverse jamais Campénéac sans dire à l'ombre de mon
père : « Campus Eneacus, papa. Tu vois, c'est une
ancienne voie romaine... »

J'ai seulement renoncé à le dire tout haut. Mes filles
sont saturées et se moquent des voies romaines. Paul
observe un silence indulgent. Il faudra attendre l'âge
du radotage pour ressortir enfin tout ça. Ou bien la
solitude qui permet aussi de radoter en paix.

Aujourd'hui je pars seule justement. Paul n'a pas
voulu voyager en compagnie de la tondeuse électrique,
du buddleia bleu, des 3 rosiers grimpants et de l'inci-
nérateur de jardin. Et encore, je ne lui ai rien dit pour
les six tasses à petit déjeuner, mes 2 kilos de papier de
toutes les couleurs pour écrire, la toile cirée unie et
les tuteurs en bambou du *B.H.V.* achetés pour échapper
au vert impie des tuteurs de plastique sculptés façon
bois. Tout cela dissimulé dans une honnête valise à
vêtements, mais Paul flaire ces choses-là...

— On ne trouve donc pas de tasses à Concarneau ?
va-t-il me dire en m'aidant à remplir le coffre, la répro-
bation peinte sur son visage.

Je ne répondrai même pas. Nous savons tous les deux
que c'est incurable : il aime les voitures qui brûlent
14 litres aux cent et qui ne transportent que du vent
et je ne suis satisfaite qu'avec 6 chaises sur mon fixe-
au-toit... qui déshonore selon lui une carrosserie.

Il faut toujours huit heures pour aller de Paris au
bout du Finistère (ô ténor...). Jusqu'ici l'autoroute
ne dépassait pas les résidences de banlieue, main réti-
cente tendue vers la Bretagne à la mesure de l'intérêt

de l'État français pour cette province délaissée. Délaissée mais aussi dépossédée. « Défense de cracher par terre et de parler breton », enjoignait délicatement le ministre de l'Instruction publique sur des affiches que chaque maître devait placarder dans les écoles de ce pays qui s'obstinait à baragouiner [1]. Depuis un an, chichement, la main s'est avancée jusqu'à Chartres. Mais en cette année 1974 les ponts provisoires, les toboggans improvisés, les itinéraires de délestage et les grands échangeurs pas finis font de la sortie de Paris une épreuve dont le technocrate sort vainqueur et l'usager fourbu. Depuis trente ans, c'est en rêvant que je prenais la route de la Bretagne, après avoir branché mon pilote automatique. L'implosion de ce fidèle serviteur vient de m'apprendre brutalement que je n'avais plus les moyens de rêver au volant. Passé un certain âge, il est en effet dangereux de changer d'automatismes... Je commence à entrevoir comment on meurt, comment on accepte de mourir plus exactement : on est tout simplement éjecté du manège et l'on s'enfuit sans demander son reste parce qu'on ne se sent plus capable de tourner avec les autres. Je détecte déjà les signes avant-coureurs de mes incapacités à venir, car dans nos civilisations techniques, il existe mille et une façons de présenter le cocotier...

Les nouveaux francs m'ont cueillie de justesse, je n'en étais pas encore à la moitié de mon âge (je prévois en effet de vivre cent ans). Bien sûr, je regrette les anciens, les vrais ! Dix mille francs ne feront jamais autant pour

---

1. Seul mot français à étymologie bretonne · bara veut dire pain et gwin, vin.

moi qu'un million. Quand j'annonce à Paul le prix
d'un nouvel arbuste que je viens d'acheter pour mon
jardin, qui est déjà plein à craquer mais cela n'a jamais
été une raison pour moi de me refuser un arbre, je dis
d'un air détaché.

— Il ne vaut que 94,50 F!

Mais quand Paul s'offre un nouveau moulinet alors
que tous nos tiroirs sont pleins de moulinets désaffectés,
mais cela n'a jamais été une raison pour lui de se refuser
un engin de pêche, je remarque.

— Il coûte tout de même 9 450 F, ton truc!

Mais enfin dans l'ensemble, au prix d'une intense
gymnastique mentale, je parviens à rester dans le circuit... à condition que les sommes ne dépassent pas
6 chiffres. Au-delà, je n'intègre plus. Je compte comme
les Balubas, 1, 2, 3, beaucoup.

Deuxième cocotier de la vie moderne : les grands
échangeurs précisément. Au-delà de 5 panneaux de
signalisation dont les indications, sigles et symboles
sont à déchiffrer simultanément sous peine de mort,
j'atteins le seuil de saturation. La main sur le changement de vitesse, le pied suspendu entre l'accélérateur
et le frein, un œil sur le rétroviseur pour savoir dans
quelle mesure je pourrai tourner s'il faut tourner, l'autre
œil, celui de Champollion, sur les panneaux pour
décrypter leurs hiéroglyphes, le troisième sur les mul-
tiples rubans qui s'entrecroisent devant moi, je ne suis
plus qu'un rat de laboratoire stressé par des signaux
contradictoires. L'expérience montre que deux solutions s'offrent au rat : devenir fou et échapper ainsi à
l'angoisse, ou bien assumer et développer un eczéma

géant. Je n'ai pas d'eczéma. Mais déjà je grommelle
toute seule au volant et j'insulte l'univers.

— A13... C'est Chartres ou c'est Rouen, A13?
Avec cette manie des chiffres à la place des mots, quels
imbéciles... Ah bon : SERREZ A DROITE. Alors allons-y.
Flûte! VOIE RÉSERVÉE AUX VÉHICULES LENTS... Quatre
15 tonnes à remorque, qui soi-disant roulent pour moi,
me bloquent le passage! Quels emmerdeurs, ces mecs!...
Ah! DIRECTION PONT DE SÈVRES, ça doit être bon pour
moi, ça... Crrric, passons en troisième. Et merde, me
voilà enfilée sur MEUDON-CENTRE VILLE. Comment j'ai
fait mon compte? Et la voilà ma belle autoroute, qui
s'éloigne à gauche dans une gracieuse et ironique
volute, déjà séparée de ma rocade par un terre-plein
infranchissable qu'on a mis là uniquement pour empoisonner les gens, c'est évident. Il aurait fallu prendre à
temps la file de gauche pour l'embouquer. A temps,
c'est-à-dire où et quand? « Avec le temps, va, tout s'en
va... » C'est rudement vrai, Léo. J'ai bien une carte
des autoroutes sur le siège voisin, mais le temps de
mettre mes lunettes, car, je l'ai dit plus haut, j'entame
la mauvaise moitié de mon âge, le feu rouge, ce salaud,
est passé au vert. Je pose vite la carte et je démarre dans
un monde étrangement flou où je ne distingue pas
l'adversaire à 10 mètres. Tiens? La brume. Pauvre
gourde! C'est toi qui as oublié de retirer tes lunettes...
Je les pose rapidement sur mes genoux perdant ainsi
le dixième de seconde qu'il m'aurait fallu pour repérer
entre deux camions géants le panneau enfin en langage
clair : AUTOROUTE DE CHARTRES, et je suis inexorablement ramenée vers Meudon-Centre! C'est le jour du

marché bien sûr et je ne me dégagerai de la pittoresque
localité que quinze minutes plus tard.

— Tu iras jusqu'au pont de Sèvres, après c'est indiqué, m'avait dit cette brute de Paul pour qui les problèmes des autres sont toujours très faciles à résoudre.

Oui, mais TOUT est indiqué : les ponts, la vitesse à
respecter, la file à ne pas prendre, les travaux en cours,
les projets de travaux, qui finance les travaux, la ville
ou le Fonds d'aménagement routier, qu'est-ce qu'on
s'en tape, les itinéraires recommandés (qu'il ne faut
prendre à aucun prix, m'a dit Paul)... tout cela défilant
à 60 à l'heure parmi la cacophonie des poids lourds,
Orangina à la pulpe d'orange et le Mammouth qui
écrase les prix et toutes ces voitures particulières avec
un seul passager par voiture, c'est tout de même hon-
teux, ils ne pourraient pas s'entendre, tous ces gens?...
Bref, je fibrille.

Il est vrai que j'ai un cerveau de femme, j'aurais dû
vous l'avouer plus tôt. C'est un ordinateur plus rudi-
mentaire, dame! Et qui comporte peu de circuits et
absorbe moins de données. Je suis née comme ça et
j'ai beau avoir fait des études dites supérieures, parce
que j'ai eu la chance de naître au XXe siècle où, par
suite du relâchement des mœurs, on a fini par nous
ouvrir les portes des lycées et des facultés, comme on
permet de guerre lasse à l'enfant qui vous a enquiquiné
toute la journée de jouer avec la boîte à outils de Papa,
je ne parviens pas à me sentir l'égale de l'homme.
L'homme conduit bien. Vite, mais bien, par définition.
Ce n'est pas celle des assureurs, mais peu importe. Peu
importe aussi que je n'aie jamais eu une aile enfoncée

en vingt-cinq ans de conduite : il ne peut s'agir que d'un heureux hasard. Si je me range dans un créneau difficile, il est clair que je le fais moins bien que l'homme puisque les conducteurs derrière moi me traitent immédiatement de connasse. Dans la vie civile, ils s'effaceraient galamment pour me laisser passer, mais assis dans une voiture, la politesse ne les étouffe plus, ils redeviennent eux-mêmes, et sous prétexte que je n'ai pas la même chose qu'eux entre les jambes je ne suis plus qu'une débile congénitale à laquelle on a été fou de confier une voiture ; en d'autres termes, une femme au volant !

Dans un dîner ou dans un train par exemple, on n'oserait jamais me dire que j'ai gagné mon manteau de fourrure avec mon derrière. En voiture, c'est différent. Un chauffeur de taxi, qui représente une opinion très répandue, m'a clairement fait savoir un jour que « sans mon cul » je ne serais pas en mesure d'encombrer la chaussée, chaussée que le gouvernement devrait bien réserver aux travailleurs.

Pendant des mois, j'ai pu contempler dans mon hebdomadaire favori un vendeur complice qui présentait à un mari une voiturette renforcée qui conviendrait spécialement à une femme, parce qu'elle ne coûterait pas trop cher à réparer chaque fois que Madame aurait essayé de la rentrer au garage.

Imagine-t-on le contraire ?

— Votre mari est une brute : il conduit trop vite. Conseillez-lui donc la Volvo, elle résiste mieux à l'enfoncement.

Impensable. Pour combien de temps encore ?

Quand on quittait Paris autrefois par « le Bois », la
ville lâchait pied en douceur, envoyant des tentacules
élégamment maçonnés çà et là. On a peu construit de
zones industrielles de ce côté, les réservant pour le nord
et l'est où c'était déjà foutu et où vivaient les ouvriers.
Vers l'ouest, un nouvel espace est né qui n'a pas encore
de nom, une « zone » où tout est factice, les villes nouvelles, les faux villages, parfois jolis d'ailleurs, les ver-
dures sur mesure. Plus un hectare de « campagne » au
sens bête et ancien du mot. On est surpris, presque
choqué, par l'apparition dans le champ visuel d'une
ou deux fermes oubliées avec leurs rangées de choux,
cultivés sans doute par des Indiens Oglala. La nature
est réduite autour des constructions et sur le dévers de
ce qu'on nomme aujourd'hui des axes routiers, à des
piquets surmontés d'un maigre panache, alibis des
bétonneurs, minables végétaux qui ne ressembleront un
jour à des arbres que si les émondeurs les oublient.
Espoir insensé. On nous a déjà escamoté le mot JARDIN!
Un ESPACE VERT se construit docilement, comme une
H.L.M., et se meuble au GARDEN CENTER, tout se tient.
Le GARDEN CENTER prédispose à l'ESPACE VERT, qui
annonce le SUPPORT DE VERDURE, grisante abstraction
conçue par des technocrates qui ne savent plus distinguer
un hêtre d'un frêne et qui n'attendent qu'un moment
d'inattention de notre part pour remplacer ces arbres
ridiculement sensibles aux saisons et à l'oxyde de carbone par la verdure éternelle du polystyrène.

Pour justifier ces nains mutilés qui n'ombragent
même plus nos routes, on entend beaucoup dire qu'une
taille sévère fait du bien aux arbres. Il suffit de les voir

dans le Massif central par exemple, où on les a laissés vivre sans chercher à leur faire du bien. On reste saisi d'admiration devant ces patriarches intacts. On avait oublié que c'était ça, un arbre!

Puis on se réhabitue aux cyprès Lawson des haies familiales, aux fruitiers bien taillés, pour le rendement, et au saule pleurnicheur des jardinets trop léchés.

En revanche sur les axes routiers, le jacquesborel pousse mieux que les arbres. Et il se reproduit de lui-même, chaque jacquesborel donnant naissance à deux jacquesborel exactement semblables! On n'y sert pas d'alcool entre les repas, la morale est sauve. La beauté, la qualité, le charme, qu'ils aillent se faire voir ailleurs. Sur les petites routes par exemple.

C'est à partir du beau Perche vallonné que l'on retrouve un vrai paysage. Mais il reste une pénitence encore : la morne plaine de Beauce encore aggravée par la monoculture. Peut-on avoir la vocation agricole en parcourant ces champs démesurés? D'homme d'affaires, oui. D'exploitant, peut-être. De paysan, c'est autre chose. Pendant un mois seulement le pays s'adoucit sous l'or vert des blés. Sinon, c'est Péguy qui a du talent.

Dès qu'on découvrait les deux clochers de Chartres, nous nous mettions à réciter du Péguy dans la C6 des parents, c'était un automatisme. « Ma Citron » disait mon père avec tendresse... Les Français ont adoré leurs Citroën. Péguy est heureusement interminable et réussissait à nous mener jusqu'à Nogent-le-Rotrou. Le plus dur était fait et je commençais à respirer l'air de la liberté. Car plus les années passaient et plus j'avais hâte de me retrouver en Bretagne parce que les vacances marquaient une pause de trois mois dans cet autre voyage où j'étais embarquée malgré moi et qui allait me conduire de la liberté indifférenciée de l'enfance à la dépendance de la femelle.

— C'est merveilleux d'être une jeune fille et d'avoir du succès, disait maman, tu verras.

Moi je trouvais cela épouvantable, à cause du succès justement. C'est pourquoi j'ai été si laide à l'âge ingrat, pauvre maman! Je crois que toutes les filles qui ont eu peur de leur féminité devenaient très laides quand elles se sentaient chassées de leur enfance et obligées d'afficher les stigmates de leur nouvel état. La notion d'âge ingrat a pratiquement disparu aujourd'hui et c'est bien réconfortant. Le mien fut interminable. L'idée que mon honorabilité future, ma réussite en tant qu'être humain, passaient par l'obligation absolue de décrocher un mari, et un bon, a suffi à transformer la jolie petite fille que je vois sur mes photos d'enfant en une adolescente grisâtre et butée, affligée d'acné juvénile et de séborrhée, les pieds en dedans, le dos voûté et l'œil fuyant dès qu'apparaissait un représentant du sexe masculin.

La commisération et la cruauté avec lesquelles on considérait alors les vieilles filles, les rejetant dans le non-être, me terrorisaient pour mon avenir, alors que la pire mocheté, la dernière des imbéciles, mais mariée, ne faisait pas rire d'elle. Qui n'a connu dans nos milieux bourgeois le pauvre professeur de piano dont les enfants étaient presque autorisés à se moquer, la modeste répétitrice, vêtue comme une souris, ou la vieille servante dont la maîtresse de maison disait avec fierté : « Elle ne s'est jamais mariée pour rester avec nous ! »

Pourtant, par orgueil sans doute et par inaptitude sûrement, je me dérobais à ces indispensables manigances où je voyais s'épanouir avec grâce ma sœur cadette et tant de mes amies. Je ratais régulièrement mes mises en plis ; on m'avait pourtant fait faire une indéfrisable pour mes seize ans.

— Mais enfin regarde-toi, disait maman accablée, tu t'es encore fait des frisettes de demoiselle des Postes !

J'enviais les demoiselles des Postes qui pouvaient se friser tranquillement. Je ne voulais pas me maquiller, le mot me paraissait humiliant. Je n'osais pas remuer les fesses en dansant la rumba ce qui fait qu'on ne m'invitait pas deux fois. On m'a donné des leçons de rumba mais c'est dans ma tête qu'était la raideur. On m'a acheté des chaussures spéciales pour que je marche droit et une chaise médicale avec des lanières pour me maintenir les épaules en arrière et « pour que tu n'aies pas une position de vaincue ». On a tout fait pour moi. Et puis, comme je ne manifestais aucune disposition spontanée, vers dix-huit ans, on m'a mise au bout d'un hameçon et on a laissé pendre le fil dans les milieux présumés favorables.

Je me souviens d'un séjour à Saint-Moritz. Le ski dans la journée avec mon père, le sport, la liberté, les chaussettes tyroliennes, les godillots, le bonheur. Le soir, la pêche avec un ensemble à la mode, escarpins assortis, et maman sur la rive qui surveillait le bouchon. J'aurais été capable de ne pas voir une touche !

D'abord, on ne m'invitait pas souvent à danser

malgré le costume de velours noir à soutaches qui sur
ma sœur rendait si bien. Ensuite, quand enfin j'accédais
à la piste, élue par un danseur magnanime, la nécessité
de paraître désirable me transformait en larve. Le danseur ne revenait généralement pas pour la suivante
alors qu'on ne revoyait pas Flora de la soirée à la table
familiale, et maman disait, découragée, à mon père :

— Ça ne m'étonne pas. Tu as vu, André, elle suit
son danseur la tête en avant comme si elle allait à
l'abattoir!

Faire tapisserie... Une expression dont seules les
filles qui en ont fait les frais connaissent la dimension
d'humiliation et d'impuissance. Les heures qu'on passe
à faire semblant de ne pas attendre, à compulser les
disques, à fouiller dans son sac de soirée à la recherche
minutieuse de... rien, à guetter sans en avoir l'air le
garçon qui vous plaît mais que les usages ne vous auto-
risent pas à crocheter, pour souhaiter vers minuit que
n'importe quel avorton s'approche et vous donne vie.

Ces bals, ces soirées, c'était mon épreuve du feu,
toujours loupée, sur des champs de bataille que je
n'avais pas choisis et que je quittais à chaque fois plus
vaincue et plus furieuse.

André, mon Pater, s'en moquait bien. Il m'aimait
comme ça. Mais pour l'éducation, il faisait confiance
à ma mère : en séduction, elle s'y connaissait. Et il
fallait bien que je devienne séduisante, n'est-ce pas?
Une fille n'a pas le choix et une licence de lettres ne
remplacera jamais la séduction. Au contraire.

Les années passaient, le succès ne venait pas. J'étais
si sûre d'être moche et maladroite, si persuadée qu'une

fille en combinaison constituait un spectacle immoral, ridicule et répréhensible que je n'ai pratiquement pas eu le courage d'enlever ma robe devant un garçon avant vingt-quatre ans, date d'un mariage si tardif que mes parents commençaient à croire qu'ils ne me caseraient jamais et que j'avais bien fait en somme d'entreprendre des études.

Pour une mère, le mariage de son fils n'est ni une victoire ni l'aboutissement d'une éducation. Mais quand il s'agit d'une fille, les parents cachent mal leur soulagement. Ouf! Par le truchement d'un homme, elle est enfin à sa place dans la vie. Pour le reste, elle se débrouillera, l'essentiel est acquis. J'admettais ce point de vue désolant avec résignation. On se révoltait peu contre l'autorité familiale, surtout les filles, aux alentours de la dernière guerre.

Même alors, je restais si convaincue de la répugnance native des hommes pour le corps féminin tel qu'il est, qu'au cours d'un week-end probatoire avec mon fiancé — je me souviens, c'était à l'hôtel du *Chêne Vert* à Beaugency et nous avions acheté deux anneaux de rideau à Luniprix pour paraître mariés — je m'étais relevée chaque matin à l'aube pour me laver, me coiffer et remettre mon collier de perles *(sic)* afin que Pierre ne soit pas rebuté en me trouvant à ses côtés au réveil. Je croyais qu'il fallait cacher sa nature féminine pour plaire. J'avais vingt-trois ans et demi. Il n'y a pas de quoi rire. Pierre m'a tout de même épousée et j'ai été très heureuse avec lui, jusqu'à sa mort, un an plus tard.

Quand suis-je devenue féministe? Je ne m'en suis même pas aperçue. C'est arrivé beaucoup plus tard et sans doute parce que j'avais eu tant de mal à devenir féminine. Toute cette jeunesse paralysée par le trac de ne pas correspondre à la définition imposée, donc de ne pas trouver preneur, m'est remontée à la gorge quand j'ai vu la jeunesse de mes trois filles, leur liberté. La vie n'est pas devenue facile pour elles, bien sûr. La liberté n'est pas facile pour soi-même et moins encore pour les autres... Mais du moins les problèmes qu'elles rencontrent ne sont-ils plus liés à cette désespérante notion de « vraie femme », hors de laquelle il n'était pas de salut et qui exerce encore ses ravages aujourd'hui.

Comme les rats de laboratoire dont je parlais tout à l'heure, en face de cette notion révoltante j'avais le choix entre deux solutions : écrire un livre féministe ou développer un eczéma. Là encore, je n'ai pas eu d'eczéma.

Je commence demain mais j'y pense depuis longtemps; depuis toujours sans doute. Comment peut-on être une femme? C'est un peu *Comment peut-on être Persan?* ou le *Comment peut-on être Breton* de Morvan Lebesque. Car la féminitude aussi est une patrie.

« Tu as tout ce qu'il te faut, Breton! Ton petit chapeau, ton petit costume, ton petit biniou... Mais pas de Glenmor à la télévision. »

Toi aussi, Femme, tu as tout ce qu'il te faut : ton petit mari, tes petites robes, ton petit balai... Mais pour le M.L.F., pas de ça, Lisette.

Je ne suis pas inscrite au M.L.F. Ou trop vieille... ou trop heureuse... ou trop privilégiée dans ma vie personnelle pour avoir le courage de militer. Mais mon cœur est avec ces femmes et ces filles-là, sans lesquelles *rien* ne se ferait. Pour ne parler que de la dernière bataille, sans Bobigny, sans le M.L.A.C., sans Choisir, pourquoi le gouvernement se serait-il lancé dans cette difficile aventure qu'était la révision de la loi de 1920? Comment aurait-il osé présenter un projet qui déchirait sa majorité et ne plaisait qu'à l'opposition? Jamais les *millions* d'avortées silencieuses ne l'y auraient contraint.

Je suis reconnaissante aux femmes américaines qui ont brûlé symboliquement leurs soutiens-gorge; toute révolte a besoin de symboles. Et même à Valérie Solanas qui a tiré sur Andy Warhol sous prétexte qu'il la transformait en femme ·objet. Il est fatal que des femmes en arrivent parfois à des gestes comme celui-là. « Nous sommes tous des juifs allemands » criaient les étudiants de mai 68. Nous aussi d'une certaine façon nous sommes toutes des prostituées. Et même les femmes qui les haïssent ont bénéficié du courage de chacun des mouvements féministes. J'aimerais qu'elles le sachent ou qu'elles le sentent, car c'est le livre de l'amitié que je voudrais écrire, ou plutôt le livre de ce qui n'existe pas encore, d'un sentiment et d'un mot qui ne sont même pas dans le dictionnaire et qu'il faut bien appeler, faute de mieux, la « fraternité féminine ». C'est peut-être pour cela que j'ai voulu l'écrire ou du moins le commencer dans ce pays qui me tient chaud.

Quand on entre en Breizh, c'est par ce département... d'Il est vilain au roi de maltraiter la reine... qui pourrait servir d'exergue à mon livre. C'est un signe. Déjà depuis Laval apparaissent des signes avant-coureurs, un buisson d'ajoncs, un camélia timide et pas encore

très heureux. Et puis soudain, à partir de Vitré, le
paysage se bretonnise, malgré le remembrement qui
s'est acharné à le détruire, à le mettre au cordeau, à
l'aligner. Des milliers de kilomètres de murets en pierres
sèches, édifiés par des ancêtres celtes qui connaissaient
leur terre et leur climat, ont fait place aujourd'hui à de
pittoresques clôtures de barbelés reliées par des poteaux
de ciment, distribués gratuitement par l'État aux paysans
qui acceptaient de raser leurs talus. Les Ponts et Chaus-
sées, encouragés par des primes pour chaque kilomètre
détruit, ont extirpé les haies de genêts et d'ajoncs qui
doraient la Bretagne, arraché les chênes têtards pleins
d'oiseaux, les aubépines inutiles puisqu'elles ne servaient
qu'à annoncer le printemps, et les ronces, ces barbelés
naturels porteurs de confitures gratuites. Entre Redon
et Rennes c'est le spectacle désolant d'un champ de
bataille où les morts seraient les arbres, énormes souches
centenaires entassées au milieu de ces champs qui pourraient désormais se trouver en Normandie ou dans
l'Oise, tout comme les abords de Poitiers ou de Rodez
ressemblent maintenant à ceux de Dijon ou de Lorient.

   On retrouve par ici quelques-unes de ces fermes de
jadis que Mansholt a vouées aux gémonies. Il en meurt
cent par jour depuis dix ans, de ces fermes-là. Depuis
dix ans, cent familles se sont défaites chaque jour, cent
chefs de famille sont arrivés chaque jour aux portes des
usines de banlieue, avec au cœur la honte d'avoir lâché
la terre et leur expérience profonde qui n'intéressait
plus personne. Et tous ces vieux qui auraient encore pu
rendre des services à la ferme, garder les vaches, prédire
les gelées, et qui sont maintenant assis sur les bancs

des hospices, leurs mains inutiles sur les genoux, à demi refermées comme si elles gardaient encore la forme de l'outil, tous ces vieux sont morts depuis longtemps malgré les apparences.

On rencontre encore ici des cochons heureux, vautrés dans la boue satinée des mares, et des poules qui ne connaissent pas leur bonheur d'échapper aux éleveurs modernes. Et l'avenir nous fait si peur que nous nous attendrissons parfois sur le pire passé. Après Paris et ses gaz délétères, après la Beauce et le relent putride de ses engrais chimiques, voilà que je me surprends à humer avec affection une odeur familière... pour m'apercevoir que c'est la vigoureuse senteur du fumier humain épandu au printemps sur les terres, faute d'engrais azotés... Mmmm! Infect mais si vrai!

Dans une de ces exploitations condamnées, belle et triste ferme faite de ce granit violet du Morbihan, chaume échevelé et terres en friche, une vieille femme en coiffe, la chère fidèle, menait au pré 2 ou 3 vaches noires et blanches. Dans la cour boueuse, en contrebas de la route, sur un fil tendu entre deux pommiers, séchait une lingerie stupéfiante qui n'était visiblement pas la sienne : slips violets, bas de dentelle noire, combinaisons brodées de strass... Pigalle au vert à Locminé! Tout le drame de la Bretagne était inscrit là, en raccourci. « A notre époque, 75 % des prostituées mineures sont des déracinées venues des régions rurales, Bretagne et Normandie en tête [2]. » La grande ville t'attendait,

---

2. *Histoire de la prostitution* par Dominique Dallayrac. Éd Laffont.

Maryvonne. Tu avais bien appris ta leçon : Défense
de cracher par terre et de parler breton.

Moi en revanche, qui suis née à Paris, j'ai racheté
il y a vingt ans une de ces chaumières de granit où tes
aïeuls ne voulaient plus habiter et qui symbolisent pour
nous le bonheur, et je suis fière de dire kenavo.

Quand j'arriverai chez nous ce soir, ce sera marée
basse. C'est ainsi que je préfère la mer : vaincue, retirée
mais hypocrite, laissant une frange de ses trésors à nu
et feignant la soumission. J'adore cette comédie inces-
sante qu'elle joue, faux-derche cherchant sans cesse une
occasion pour se venger de sa défaite biquotidienne
qu'elle n'encaisse pas, qu'elle n'encaissera jamais. A
moins que l'homme, monstrueux, ne parvienne un jour
à neutraliser les marées. Grâce au ciel, c'est le cas de le
dire, il n'y a toujours rien compris. On dit con comme
la lune, pourtant...

CHAPITRE PREMIER

L'INFINI SERVAGE

> « Quand sera brisé l'infini servage de la
> femme, l'homme, abominable jusqu'ici lui
> ayant donné son congé, alors elle sera poète
> elle aussi... »
>
> ARTHUR RIMBAUD.

Je n'avais pas envie d'écrire un roman. Mais un je-
ne-sais-quoi. Un fourre-tout. Un livre qui parle des
femmes qu'on qualifie aujourd'hui de M.L.F. dès
qu'elles s'avisent de broncher; de la nature qu'on appelle
l'environnement comme si elle n'existait que pour nous
servir d'écrin; de la Bretagne que l'on baptise région
de l'Ouest pour mieux la désincarner; des jardins qui
consolent; de la mer qui se moque si royalement des
humains — pour combien de temps encore? —, des
livres que les femmes se mettent à écrire maintenant
et qui disent enfin les choses jamais dites, par nous
parce qu'on nous persuadait qu'elles étaient sans importance, par les hommes, parce qu'étant hommes précisément, ils ne pouvaient pas les connaître. Et puis ce sont

les femmes qui ont tout envahi; sans doute parce
qu'aujourd'hui, elles sont devenues le grand sujet, le
point d'interrogation, le problème, l'espoir.

Pendant tous ces siècles, happées dans un vertige
climatisé, nous vivions comme on nous enjoignait de
vivre, pensions comme on nous imposait de penser,
jouissions comme on nous permettait de jouir. Ici,
vous pouvez... là, c'est laid. Et notre docilité devant
les lois de la société camouflées en décrets de la provi-
dence paraissait si congénitale, on s'était si bien habitué
en haut lieu à nous voir rester à notre place, que l'on
est stupéfait, voire indigné aujourd'hui, devant cette
soudaine agitation qui s'est emparée de tant de femmes.
Harpies domestiques ou Messalines, saintes femmes ou
putains, mères dévouées ou mères indignes, d'accord.
Ce sont des types codifiés et admis et nous restons dans
nos rôles. Mais que nous nous mêlions de repenser
chaque acte de la vie selon notre optique à nous, de tout
remettre en question depuis le « Tu enfanteras dans la
douleur » si longtemps subi comme une volonté divine,
jusqu'au schéma du bonheur humble et passif mitonné
pour nous par Freud, notre Petit Père, voilà qui paraît
indécent et inadmissible. Les hommes ont toujours été
ravis quand nous étions capricieuses, coquettes, jalouses,
possessives, vénales, frivoles... excellents défauts, soigneusement encouragés parce que rassurants pour eux.
Mais que ces créatures-là se mettent à penser, à vivre
en dehors des rails, c'est la fin d'un équilibre, c'est la
faute inexpiable.

Je sais tout cela. Quelle femme peut l'ignorer? C'est
donc bien consciente de mon démérite et sachant que

je ne bénéficierai plus du sourire paternel réservé aux ouvrages de dames que j'entreprends d'écrire un ouvrage féministe. Je sais que j'aurais mieux fait d'écrire un roman féminin. On aurait continué à me dire galamment dans les salons.

— Ravi de vous connaître. Ma femme a adoré vos livres, *le Piano à quatre mains* surtout...

Et j'aurais continué à esquisser un humble sourire de remerciement, résignée au fait que les auteurs à seins ne soient lus que par des lecteurs à seins. Et si dans un sursaut d'amour-propre, tout en maintenant mon sourire aimable car une femme doit rester charmante, j'avais ajouté : « Parce que vous, bien sûr, les livres de femmes ne vous intéressent pas? » les maris en question auraient souri avec courtoisie en s'excusant de n'avoir de temps que pour les choses sérieuses. Ils lisent bien sûr, ces hommes-là, mais des livres d'hommes, des livres normaux, quoi! Évidemment, mes livres à moi parlent d'amour. C'est un sujet si féminin... quand il est traité par une femme. Mais quand c'est Flaubert qui décrit l'amour, cela devient un sujet humain. Il n'existe pas de sujet masculin pour la raison irréfutable que la littérature masculine c'est LA littérature! Quant à la littérature féminine, elle est à LA littérature ce que la musique militaire est à LA musique.

Avec ce machin-là, je sais que je vais entrer dans la catégorie des emmerdeuses qui ne méritent même plus la courtoisie.

— Ne me dites pas que vous allez écrire un livre M.L.F.? Alors là, vous pouvez être sûre qu'aucun homme ne vous lira. Et vous ennuierez la plupart des femmes, qui grâce au ciel sont encore de vraies femmes.

On verra bien. J'en ai envie.

— Si tu fais ça, au moins évite de parler d'utérus ou de clitoris, je t'en prie, me dit un ami que j'aime beaucoup et qui croit aimer beaucoup les femmes. Tu sais, les hommes ont horreur de ça.

Merci, on s'en était aperçu.

En somme, il faudrait écrire des histoires de dames qui n'ont aucune idée subversive et qui ne possèdent pas d'organes spécifiques. On en a d'ailleurs beaucoup écrit qui répondent à cette définition. A la satisfaction générale.

— J'aimais bien tes romans, tu ne vas pas te mettre à pondre des trucs ennuyeux? m'a demandé une amie qui me veut du bien.

— Ah, encore un livre sur les femmes! On ne parle plus que de ça. Tu n'as pas peur que les gens en aient assez?

C'est la première fois dans l'histoire que les femmes prennent véritablement la parole, après vingt siècles et plus de littérature virile, et on voudrait leur faire croire qu'elles ennuient déjà? Allons, mesdemoiselles, la récréation est terminée, veuillez regagner vos places! A-t-on jamais songé à l'injustice, au monstrueux déséquilibre que représenteraient dix siècles de littérature uniquement féminine d'où émergeraient de loin en loin un Louis Labbé, un Monsieur de Staël, dont on expliquerait qu'il écrit parce qu'il porte « le deuil éclatant du bonheur », ou un Georges Sand, obligé de se rebaptiser Georgette pour être pris au sérieux? C'est quand on

inverse les situations que l'on s'aperçoit de la réalité
féminine.

Quant à l'homme qui occupe depuis vingt-cinq ans
auprès de moi le poste délicat de mari féministe, race
extrêmement peu répandue et dont les contrefaçons
sont innombrables, il ne voudrait pas que je me laisse
entraîner à des positions excessives qui répugneraient
à sa nature et à la nature des choses... des choses de notre
vie. Il n'est pas de ceux qui proclament, persuadés de
s'acquérir ainsi le droit à notre reconnaissance : « Moi,
j'adore les femmes, mais... » Ceux qui adorent les
femmes, mais... sont les mêmes que ceux qui ne sont pas
racistes, mais... Il n'adore pas les femmes puisqu'il les
aime. Toute adoration est suspecte. On ne se méfie
jamais assez des contrefaçons.

Malgré tout cela, il faut la dire cette « parole de
femme [1] » que trop de « superbes parleurs » depuis trop
de siècles ont réduite à l'inexistence ou au chuchote-
ment. C'est une question de justice, de liberté mais peut-
être aussi de survie. On a trop longtemps pris notre
goût du bonheur pour un signe de médiocrité et notre
dégoût de la guerre ou de la violence pour un signe de
faiblesse. On a trop longtemps pris la parole de l'homme
pour la vérité universelle et la plus haute expression
de l'intelligence, comme l'organe viril constituait la
plus noble expression de la sexualité. La nature se
moque de ces hiérarchies. Pour elle il n'existe pas de
bons et de mauvais organes. « L'inconscient ne connaît

1. Qu'exprime d'une manière si neuve Annie Leclerc dans un
livre qui porte ce titre, paru chez Grasset en 1974.

pas la différence des sexes [2] » et « le *ça*, cette chose par laquelle nous sommes vécus, ne fait pas plus de différence entre les sexes qu'entre les âges [3] ».

Toute cette tragi-comédie de la supériorité du mâle dans l'espèce humaine, qui trouve son illustration extrême dans les sociétés musulmanes, n'aura finalement abouti, quels que soient les avantages marginaux que les hommes ont pu en retirer, qu'à un seul résultat : annuler le potentiel humain de la moitié de la population et priver chaque pays de 50 % de ses forces vives.

On recherche aujourd'hui de nouvelles sources d'énergie, il faudrait peut-être penser aux femmes. La *mulier* aussi est *sapiens*. Qu'elle le dise enfin et qu'elle dise la vérité de son corps à elle, aussi universelle et riche et belle, sinon plus, que celle de l'autre corps. Qu'elle la dise sans honte et sans crainte, même s'il faut pour cela évoquer parfois le ronsardien vocable...

> *Aussitôt que l'Aurore eût quitté le séjour*
> *De son vieillard Tithon pour allumer le jour*
> *Clitoris s'éveilla et pria son ami*
> *De ranimer l'ardeur de son corps endormi...*

Que Ronsard me pardonne cette extrapolation.

Il faut enfin guérir d'être femme. Non pas d'être née femme, mais d'avoir été élevée femme dans un univers d'hommes, d'avoir vécu chaque étape et chaque acte de notre vie avec les yeux des hommes, selon les critères des hommes. Et ce n'est pas en continuant à lire les livres des hommes, à écouter ce qu'ils disent en

2. Lacan.
3. Gppoлeck.

notre nom ou pour notre bien depuis tant de siècles que nous pourrons guérir.

« Qu'est-ce qui leur prend, soudain, aux femmes? Voilà qu'elles se mettent toutes à écrire des livres. Qu'ont-elles donc à dire de si important? » demandait récemment un hebdomadaire qui ne s'était jamais posé la question de savoir pourquoi les hommes écrivaient, eux, depuis deux mille ans et ce qui leur restait encore à dire!

Il nous prend sans doute que nous en avons assez d'être des harkis et d'oublier notre vérité et nos intérêts pour servir ceux et celle des autres. Nous avons un immense retard à combler, tout un « continent noir » à découvrir. Et un immense amour à partager non plus seulement avec les hommes auxquels nous nous sommes vouées si exclusivement depuis si longtemps, mais avec toutes ces femmes refermées sur un secret qui n'a jamais intéressé personne et qu'elles sont en train de mettre au monde aujourd'hui très lentement, dans la douleur et l'émerveillement et l'amitié.

CHAPITRE II

UN SOUS-SECRÉTARIAT D'ÉTAT AU TRICOT

> « L'homme tire sa dignité et sa sécurité
> de son emploi. La femme doit l'une et l'autre
> au mariage. »
> JEAN FOYER, ministre de la Justice, février 1973

C'est clair, mon petit? Que tu sois entrée première à
Polytechnique, Anne-Marie Chopinet, que tu sois
sortie major de l'E.N.A., Françoise Chandernagor, que
tu aies reçu la Croix de guerre, Jeanne Mathez, que
vous ayez gravi à votre tour un plus de 8 000 mètres,
petites Japonaises du Manaslu, que vous ayez élevé
seules vos enfants dans les difficultés matérielles et la
désapprobation morale, vous autres les abandonnées ou
les filles mères volontaires, que vous soyez mortes pour
vos idées, Flora Tristan, Olympe de Gouges ou Rosa
Luxembourg, que tu aies été une physicienne accomplie,
Marie Curie, alors que tu n'avais pas le droit de vote,
tout cela et bien d'autres actes héroïques ou obscurs
ne nous vaudra ni dignité ni sécurité. C'est un ministre
qui l'a dit. Non, pas au Moyen Age. Pas au XIXᵉ non

plus, vous n'y êtes pas. En 1973. Il s'adressait à vous
et à moi pour nous redire après tant d'autres que toute
valeur pour la femme ne peut procéder que de l'homme.
Y compris la maternité qui prétendument nous sanc-
tifie, puisque aujourd'hui encore, malgré quelques
exemples illustres, on veut voir dans la fille mère non
la mère qui a fait son devoir mais la fille qui n'a pas fait
le sien [1].

Pour être respectable, il ne s'agit donc pas d'être
mère, il s'agit d'être mariée.

Un certain nombre de pétroleuses, soutenues par
quelques utopistes mâles ont essayé depuis deux siècles
de secouer ce joug, de penser et d'agir sans en demander
l'autorisation à l'autre sexe. Elles ont péri sous le
ridicule et les insultes des hommes, mais aussi, ce
qui est plus désolant, sous le mépris hargneux de ces
femmes qui constituent ce que Françoise Parturier a
appelé la « misogynie d'appoint ». Comme tous ceux
que la servitude a dégradés, les femmes ont fini par se
croire faites pour leurs chaînes et sont devenues anti-
féministes comme tant d'esclaves du Sud furent esclavagistes et combattirent aux côtés de leurs maîtres
contre leur propre libération lors de la guerre de Séces-
sion. Bien des sentiments les poussent à se désolidariser
de leur propre cause, l'intérêt, la prudence, la peur,
une humilité savamment entretenue, mais aussi l'amour,

---

1 La législation concernant les filles mères, qui date d'un édit
d'Henri II, était féroce. Jusqu'à la fin du xviiie, les « filles séduites
ou les veuves enceintes » étaient tenues de faire une déclaration
de grossesse aux autorités locales. La fille mère dont l'enfant
mourait avant d'avoir été baptisé encourait la *pendaison*.

bien qu'il soit déchirant d'aimer qui vous opprime.
Il est de bon ton d'ignorer ou de dénigrer les féministes. Qui connaît leur histoire? Leurs visages? On
préfère les croire laides, hommasses, hystériques,
mal aimées, ce qui est faux. Le mouvement féministe,
qui compte tant d'émouvantes figures, apparaît encore
comme le combat de quelques vieilles filles refoulées
et dévorées du désir de posséder un pénis, cette idée
fixe des psychanalystes freudiens. Ce qui n'empêchait
pas qu'on les traite simultanément de putains, l'inévitable injure! Encore aujourd'hui, cette appellation
reste l'insulte favorite de nos misogynes, il suffit de lire
le courrier des lecteurs (non publié parce qu'impu-
bliable) pour s'en convaincre. Leur haine s'exprime
toujours avec les mêmes mots : Simone de Beauvoir,
pas mariée, pas d'enfants, ne peut être qu'une putain.
Françoise Giroud, qui a été mariée et a eu des enfants,
en est une aussi. Et Delphine Seyrig et Bernadette
Lafont et toutes ces comédiennes qui ne se contentent
pas de jouer la comédie et toutes les femmes écrivains qui
ne se contentent pas de raconter des histoires d'amour et
n'oublions pas bien sûr les 343 femmes qui déclarèrent
dans un manifeste fameux qu'elles avaient personnellement avorté. Celles-là n'étaient pas des femmes en
lutte pour les droits d'autres femmes mais « 343 culs
de gauche ». Technique du mépris aussi ancienne que
les luttes féminines puisque les deux premières militantes
qui firent campagne publiquement pour les droits
de la femme aux U.S.A., Fanny Wright, fille d'un
noble écossais, et Ernestine Rose, fille d'un rabbin,
furent respectivement surnommées « la prostituée rouge

de l'infidélité » et « créature infiniment plus méprisable qu'une fille de joie ». La réaction de la société devant celles qui se battaient pour leurs droits a été d'une constance admirable à travers les siècles : aucune compréhension, aucune estime, pas de pitié et la répression par tous les moyens, le tout se masquant derrière un raisonnement parfaitement arbitraire dont on se demande comment il a pu servir si longtemps à justifier les privilèges des uns et l'obéissance des autres. Un raisonnement en forme de prison.

La sexualité? C'était le phallus et nous, nous n'avions qu'un creux à cette place-là, c'est-à-dire moins que rien. Quel malheur! Il ne nous restait qu'à le supporter très humblement, ce que nous avons fait.

La maternité? Elle aussi il fallait la vivre selon l'éthique masculine, non pas comme un merveilleux privilège mais comme une « fatalité biologique » ou bien « un simple désir de compenser notre handicap corporel [2] ». Affirmation renversante! D'un côté le phallus, de l'autre le pouvoir de donner la vie... et c'est le phallus qui l'emporte! C'est nous qui n'avons rien dans le ventre!

Admirable vocation, nous accordait-on, émouvant phénomène naturel, certes, certes. Grandes douleurs naturelles aussi, mais rédemptrices, croyez-moi. Et surtout pas trop de détails sur ce phénomène naturel car tout ça n'est pas très ragoûtant pour un homme, vous l'admettrez aisément. Alors vous allez accoucher gentiment dans un coin, derrière un paravent, parmi

2. *Psychologie de la femme* par Hélène Deutsch, disciple préférée de Freud.

vos semblables et vous revenez quand tout est fini, pas avant, et que vous êtes redevenues d'adorables choses, pour que nous puissions déposer nos hommages à vos pieds.

Quant à votre destinée d'être humain, vous êtes ainsi faites qu'elle ne trouvera son plein épanouissement que dans l'amour conjugal. Fonder et entretenir un foyer, c'est là votre véritable vocation.

— Vous ne trouvez pas bizarre, dit la femme doucement, que notre destin à nous soit toujours une fatalité biologique ou une vocation, c'est-à-dire quelque chose qu'il nous est interdit de refuser?

— Mais c'est le Créateur qui l'a voulu ainsi en vous faisant douces et passives. Et si vous ne croyez pas en Dieu, vous ne pouvez récuser Freud qui a dit la même chose. Donc, jeunes filles, ne luttez pas contre votre nature et contentez-vous pour votre bien des trois magnifiques rôles que nous vous avons réservés. Si, si, magnifiques, vous verrez. (Et si vous ne voyez pas, c'est que vous n'êtes pas de vraies femmes, ça arrive mais c'est une maladie que nous savons soigner.)

1) Nous plaire grâce à votre beauté qu'il faudra soigneusement entretenir;

2) nous aimer grâce à votre capacité de vous donner, qualité qu'il faudra également cultiver,

3) nous servir enfin, nous et plus tard notre descendance.

Vous commencez pas le 1, période charmante où vous aurez l'illusion d'être les reines. Avec un peu de chance vous passez au 2 et le 3 arrive insensiblement et sans douleur, vous serez étonnées. Et vous gagnez en prime notre cadeau Bonux, le mariage, fait sur mesure pour celles qui par suite d'une féminité bien assumée, doublée d'une éducation vigilante, ne savent aimer qu'en servant et servir qu'en aimant.

En un sens, notez, vous avez de la chance car ainsi vous évitez l'angoisse et les responsabilités qui sont le dur lot des hommes. Mais n'oubliez jamais vos devoirs, votre fonction sacrée, sinon vous tomberiez dans le ruisseau. Il n'y a pas de milieu pour une femme. Même là, d'ailleurs, vous pourrez encore compter sur notre indulgence : nous avons un emploi pour vous dans ce cas, un joli métier féminin qui a inspiré des pages riantes à nos plus grands écrivains. Vous n'aurez pas grand trajet à faire : le ruisseau est tout près du trottoir. Nous serons donc toujours là pour vous protéger, même dans la chute, car nous savons que vous êtes faibles et frivoles et nous vous pardonnons d'avance. Je dirai même que nous vous aimons ainsi.

Le seul cas pendable et qui justifierait que nous nous détournions de vous, c'est celui où, négligeant nos avertissements, vous voudriez nous singer et jouer les êtres libres, vous aussi. Vous n'êtes pas taillées pour ça, nous vous le répétons depuis le début. Comme Dieu le fit pour Adam et Ève, nous vous avons mises en garde : « Ne mangez pas de ce pain-là, chères créatures, sinon nous ne vous aimerons plus et alors vous serez très malheureuses. Forcément. »

Et nous avons cru ces beaux discours, nous avons cru qu'on ne nous aimerait plus si nous bronchions, menace enfantine démentie tous les jours par les faits. Adam et Ève, eux, n'avaient pas tardé à négliger le conseil de

Dieu et à croquer le fruit de la connaissance. Pourquoi les femmes ont-elles obéi si longtemps? Tout simplement parce que leurs compagnons n'hésitèrent pas à employer des moyens dont Dieu lui-même aurait eu scrupule à user. Quand l'élevage en vase clos, la privation d'instruction, de toute capacité juridique et de tout droit civique ne suffirent plus à maintenir les femmes où l'on voulait qu'elles soient, on recourut sans hésiter à l'exclusion de la société et même à la peine de mort. Elles sanctionnaient l'ambition, l'esprit de révolte et le courage, toutes choses considérées comme des qualités chez un homme et des crimes chez une femme.

Au Moyen Age, des centaines de milliers de sorcières furent brûlées sur les bûchers d'Europe occidentale : la sorcellerie était alors un des rares moyens pour elles d'accéder à un certain pouvoir.

Plus tard, à chaque révolution, qu'elle ait eu lieu dans la jeune Amérique, dans le tiers monde ou en Europe, les femmes au début conquirent le droit de participer aux luttes contre l'oppression des privilégiés ou l'impérialisme des puissants, mais dans la nouvelle société, elles furent à chaque fois brutalement remises à leur ancienne place. Les notions de liberté et d'égalité ne semblaient jamais s'appliquer à cette moitié-là de l'humanité. Mieux, on les punissait d'y avoir songé. Par une admirable distorsion de la loi, pendant la Révolution française on condamnait pour « crimes politiques » des femmes auxquelles on refusait tout droit politique! En fait, il s'agissait si peu de politique... elles étaient condamnées pour un seul motif, toujours le même : elles refusaient de se contenter

du rôle d'épouse et de mère. Et c'est avoué en toute
candeur, c'est écrit en toutes lettres, par des hommes
qui se disent les défenseurs de la liberté et qui, dans le
beau style moralisateur du XVIIIe, ne s'aperçoivent pas
qu'ils profèrent des monstruosités.

Le Moniteur universel, 29 brumaire an II :

« En peu de temps, le tribunal révolutionnaire vient
de donner aux femmes trois grands exemples qui ne
seront sans doute pas perdus pour elles : Marie-Antoi-
nette sacrifia son époux, ses enfants et le pays qui l'avait
adoptée aux vues ambitieuses de la Maison d'Autriche...
Elle fut *mauvaise mère, épouse débauchée* et elle est
morte chargée des imprécations de ceux dont elle avait
voulu consommer la ruine. Son nom sera à jamais en
horreur à la postérité.

« La femme Roland, bel esprit à grands projets, philosophe à petits billets... fut un monstre sous tous les
rapports. Sa contenance dédaigneuse..., l'opiniâtreté
orgueilleuse de ses réponses, sa gaieté ironique et cette
fermeté dont elle fit parade dans son trajet du palais
de Justice à la place de la Révolution prouve qu'aucun
sujet douloureux ne l'occupait. Cependant elle était
mère mais elle avait sacrifié la nature... Le désir d'être
savante la conduisait à *l'oubli des vertus de son sexe*
et cet oubli, toujours dangereux, finit par la faire périr
sur l'échafaud. » (Quoi de plus normal pour l'auteur de
cet article ? Il est intéressant de noter que la dignité, la
gaieté ironique et le courage devant l'échafaud constituent chez la femme des circonstances aggravantes.)

Enfin, troisième « grand exemple », Olympe de
Gouges. Elle aussi avait trop d'idées et de courage

pour une femme, ce qui ne l'empêchait pas d'être belle et d'être aimée : un scandale. Elle avait publié en 1791 une Déclaration des droits de la femme et de la citoyenne que nous pourrions signer aujourd'hui : « Puisque les femmes ont droit à la guillotine, écrivait-elle, elles doivent également avoir droit à la tribune. »

Cette logique allait lui coûter cher.

« L'impudente Olympe de Gouges qui a *abandonné les soins du ménage* pour se mêler de la République », comme l'écrivait Chaumette, eut la tête tranchée le 13 brumaire, pour ce motif que l'opinion publique jugea tout à fait légitime : « Elle voulut être homme d'État et il semble que la loi ait puni cette conspiratrice d'avoir oublié les *vertus qui conviennent à son sexe.* »

Les motifs sont clairs, n'est-ce pas ? Rester femme sous peine de mort.

Pour inciter les femmes à cultiver les vertus qui conviennent à leur sexe (et dont la liste est gracieusement fournie par l'autre), pour leur épargner de nourrir des ambitions contre nature (nature qui est elle aussi définie par l'autre), le plus rationnel était de ne pas attendre 1789 pour leur couper la tête. Depuis vingt siècles, pour ne parler que de notre civilisation judéo-chrétienne, et mis à part les centaines de milliers de sorcières envoyées au bûcher, l'Église, la science et la morale se sont toujours entendues comme larrons en foire pour nous couper la tête en douceur, dès la naissance. C'est le moment où cela fait le moins mal et où l'intervention n'a pas de suites, l'intéressée ayant perdu jusqu'au moyen matériel de protester !

Il avait bien fallu nous octroyer une âme au concile

de Nicée, mais attention! l'âme aussi avait un sexe.
La nôtre n'était pas de nature aussi divine que l'âme
masculine. La preuve en était administrée illico par
le même concile qui fixait la date de l'entrée de l'âme
masculine dans le fœtus au 40e jour de gestation, mais
au 80e seulement s'il s'agissait d'une fille. Dans un
« cloaque [3] », l'âme a plus de peine à s'infiltrer. De plus,
cette âme féminine était souillée chaque mois par la
menstruation, au point que le concile, pour maintenir
la pureté des saints lieux, dut interdire l'entrée des
églises aux femmes pendant leurs règles. Tous ces faits
n'apportaient-ils pas la preuve de l'infériorité féminine?

Quant au cerveau dont on avait été obligé à regret
de découvrir la présence dans notre boîte crânienne,
lui aussi était un organe de second choix. On se basa
longtemps sur son poids, inférieur à celui du cerveau
masculin, pour conclure à une intelligence diminuée.
Quand on découvrit que, proportionnellement au poids
du corps, c'est le cerveau féminin qui était le plus lourd,
on s'empressa de déclarer que le poids était un argument sans valeur, l'essentiel étant de maintenir une
attitude ferme malgré les vicissitudes de la science.

Pour ce faire, et sans remonter à ces chers Pères
de l'Église qui nous ont tant haïes, saint Paul en tête,
les plus hautes autorités se sont toujours relayées
à notre chevet pour nous mettre en garde contre toute
ambition personnelle, au nom de cette infériorité congénitale qui était également le lot de ces pauvres Noirs,
tout juste bons à faire des esclaves, et d'une manière

---

3. Définition de la femme par saint Augustin.

générale de tous les pauvres de ce monde, voués de naissance à servir de domestiques, de serfs ou de prolétaires. Versons une larme en passant sur l'être humain qui se trouvait à la fois femme, pauvre et Noir.

Les Noirs ont obtenu l'indépendance. Les prolétaires se sont unis. Les femmes seulement demeurent soumises et désunies, handicapées par le lien très spécial et souvent délicieux qui les unit à leurs « oppresseurs ». Pour elles seules le racisme reste un système honorable, appliqué dans la plupart des régions du globe et les « différentes formes d'aliénation dont elles sont victimes représentent actuellement la plus massive survivance de l'asservissement humain [4] ». D'elles seules les philosophes peuvent continuer à prétendre « qu'elles sont une propriété, un bien qu'il faut mettre sous clé, des êtres faits pour la domesticité et qui n'atteignent leur perfection que dans la situation subalterne » (Nietzsche).

Unis par un instinct de classe et de propriété, la grande majorité des penseurs confirment ce point de vue : « Une femme qui exerce son intelligence devient laide, folle et guenon. » (Proudhon.) « La femme est une statue vivante de la stupidité, le Créateur en la faisant d'un reste de limon a oublié l'intelligence ! » (Lamennais.) « La science est une chose très dangereuse pour les femmes. On n'en connaît pas qui n'aient été malheureuses ou ridicules par elle. » (Joseph de Maistre.) Il importait en effet de leur interdire tout moyen d'information pour éviter qu'elles ne s'aperçoivent, comme l'avaient fait les Noirs et les ouvriers,

4. Germaine Tillion, *le Harem et les Cousins*. Éd. du Seuil.

que leur infériorité n'était pas congénitale. On leur ferma donc toutes les portes sur la vie, hormis quatre : celles de la chambre à coucher, de la cuisine, de la buanderie et de la chambre d'enfants. L'avantage dans le cas des femmes c'est que chaque père, puis chaque mari, détenait à domicile la personne à décerveler, ce qui facilitait l'action psychologique et rendait improbable toute révolte organisée.

Jean-Jacques Rousseau, au siècle des Lumières, vint donner sa caution aux éducateurs : « La femme est faite pour céder à l'homme et supporter ses injustices. Toute son éducation doit être relative aux hommes : leur plaire, leur être utile, les élever, jeunes, les soigner, grands, les conseiller, les consoler, leur rendre la vie agréable et douce. » Et Napoléon vint couronner le tout en définissant sans ambiguïté la place de la citoyenne dans la société par l'article 1124 de ce monument de misogynie qu'est le Code civil : « Les personnes privées de droits juridiques sont les mineurs, les femmes mariées, les criminels et les débiles mentaux. »

Le mécanisme fonctionnait d'ailleurs à merveille et l'on semblait même avoir trouvé là la formule du mouvement perpétuel :

a) Quelques grands hommes décrétaient que les femmes sont faibles d'esprit,

b) en conséquence, il devenait inutile de les instruire,

c) une nouvelle génération de penseurs pouvait alors constater qu'elles étaient ignorantes et sottes,

d) en conséquence, on concluait que les femmes étaient faibles d'esprit... et l'on repassait au *a*. On repasse toujours au *a* : le philosophe Alain disait un jour au professeur Mondor : « J'ai souvent envie de demander aux femmes par quoi elles remplacent l'intelligence ! » Il n'est pas encore tout à fait admis au milieu du xxe siècle que nous avons vraiment un cerveau.

Je voudrais signaler que ce... truc... a été employé avec succès un peu partout dans le monde et jusqu'en Chine où Confucius, dont le *Petit Larousse* dit qu'il est le « fondateur d'un système moral élevé qui met au premier rang la tradition familiale », affirmait : « La populace et les femmes sont ignorantes, poussées par de mauvais instincts et difficiles à éduquer. » On voit tout de suite quels avantages les privilégiés pouvaient tirer de cette « morale élevée ». Puisque le peuple et les femmes (décidément souvent réunis) sont difficiles à éduquer, ne les éduquons pas ; on pourra alors prouver qu'ils sont ignorants. Quant aux mauvais instincts, ils sont rajoutés en prime, pour la caution morale... On voit aussi pourquoi Mao est parti en guerre, à juste titre, contre le confucianisme. Mais que les hommes se ressemblent d'un bout du monde à l'autre ! Ou plutôt que les puissants, que les mandarins se ressemblent !

L'histoire qui va suivre est lumineuse. Ne dites pas qu'elle est ennuyeuse et que l'on sait déjà tout cela. D'abord on le sait très mal. Ensuite il est fascinant de voir s'organiser avec une logique implacable et une virulence confondante l'ensemble des lois, des préceptes moraux et des raisonnements qui témoignent du refus quasi viscéral des hommes à admettre le moindre empiétement sur leurs privilèges. Ils ont lutté pas à pas, loi à loi, s'accrochant à toutes les branches, pour nous refuser des droits qui paraissent maintenant élémentaires et inoffensifs et que les esclaves noirs avaient souvent obtenus avant nous. Mais le sexisme est plus profond et plus endémique encore que le racisme. On trouve dérisoires ou ignobles aujourd'hui les prétextes qui ont servi hier à nous priver de liberté, sans s'apercevoir que les procédés utilisés aujourd'hui sont tout aussi misérables.

Bien sûr il ne s'agit pas d'un complot organisé. Des conspirateurs, ça se démasque. Il s'agit d'une réaction instinctive, inconsciente, d'un besoin éperdu de maintenir cette suprématie qui a, pour notre malheur à tous, été considérée comme l'essence de la virilité. Cette vanité imbécile a saccagé l'histoire des hommes et des femmes, l'amour des hommes et des femmes. Elle a été la cause de comportements grotesques, terrifiants ou névrotiques, à toutes les époques de l'histoire ou presque, et dans tous les pays, ou presque.

Laissons de côté l'affreux Moyen Age; ne parlons même pas de cette Re-naissance, la bien-nommée, où le terme de virago en Italie — celle qui agit comme un homme — constituait un compliment; passons aussi sur la monarchie où les favorites, les précieuses et les empoisonneuses furent les seules femmes qui réussirent à faire parler d'elles. On se plaît à croire que la Révolution française du moins a amélioré la condition féminine : il n'en est rien. Les femmes ont pu l'espérer quelque temps. Dès 1789, de nombreux journaux circulaient, réclamant justice pour elles comme pour les autres opprimés. Théroigne de Méricourt créait une légion d'Amazones et prenait part aux combats de rues, Rose Lacombe fondait le Club des citoyennes révolutionnaires, Madame Moitte, déléguée des femmes artistes et bien d'autres apportaient leurs bijoux à la Constituante. A ceux qui refusaient toute promotion aux femmes sous prétexte de leurs servitudes physiologiques, Condorcet, un émouvant personnage que nous devrions admettre dans notre Panthéon à nous, répliquait : « Pourquoi des êtres exposés à des grossesses et à des indispositions passagères ne pourraient-ils pas exercer des droits dont on n'a jamais songé à priver des gens qui ont la goutte ou qui s'enrhument facilement? »

1792 vit la fin de ces illusions. Les hommes qui prirent le pouvoir alors, soit disciples de Rousseau, convaincus de l'infériorité naturelle de la femme qui la vouait aux tâches domestiques, soit misogynes névrotiques tels que Marat, Babeuf, Chaumette ou Hébert, écartèrent désormais les femmes ·de toute activité politique.

La Constitution de l'an II leur avait refusé le droit de cité.

Un décret de prairial an III leur interdit d'assister aux Assemblées du peuple, même en spectatrices.

Il semblait difficile d'aller plus loin. La Convention de thermidor y parvint par l'incroyable décret du 24 mai 1795. « Toutes les femmes se retireront jusqu'à ce qu'autrement soit ordonné en leurs domiciles respectifs. Toutes celles qui seront trouvées attroupées dans les rues au-dessus du nombre de cinq seront dispersées par la force armée et mises en état d'arrestation. »

Quant aux féministes « enragées et irrécupérables »,
elles furent emprisonnées ou décapitées sur les ordres
de Robespierre.

Sur le plan du droit privé, les femmes avaient acquis
quelques avantages : l'égalité en succession, le droit
au divorce et le droit de témoigner. Mais pour le reste,
leur dévouement à la cause républicaine ne leur servit
de rien et les laissa plus démunies encore que sous la
monarchie. La presse féministe allait se taire pour
longtemps au profit d'une presse féminine vouée à la
mode et à la futilité et vivement encouragée par le
Directoire puis par l'Empire [5].

Au XIXᵉ, quand quelques remous commencèrent
à agiter la surface des foyers où végétaient sagement les
épouses dans l'ignorantisme et le dévouement (ce qui
n'est pas toujours synonyme de malheur, un topinam-
bour, une sainte ne sont pas forcément malheureux),
on assista de nouveau à une incroyable mobilisation.
Des poètes romantiques, des philosophes positivistes,
une reine, des historiens, encouragés fanatiquement par
la toute-puissante bourgeoisie dont la prospérité dépen-
dait en partie de la docilité des épouses et de leur incapacité juridique, se dressèrent pour défendre la cause
sacrée, celle de la « vraie femme ». Et qui est le meilleur
allié de l'homme, sinon précisément la vraie femme?
Heureuse coïncidence! Il s'en trouvait beaucoup en
ce temps-là, heureusement. Le significatif et pathétique
appel que lança la plus illustre d'entre elles, la reine

5. Cf *Histoire de la presse féminine des origines à 1848* par
E. Sullerot chez Armand Colin

Victoria, en voyant sortir du gynécée les premières suffragettes, en fait foi :

« La reine fait appel à toutes celles qui peuvent prendre la parole ou écrire et les adjure de s'unir pour enrayer ce Mouvement des droits de la femme, pervers et fou, avec toutes les horreurs qu'il entraîne et qui aveugle les pauvres êtres de son sexe, qui en oublient le sens de la féminité et des convenances. Ce sujet irrite à ce point la reine qu'elle peut à peine contrôler sa colère. »

Quand Victoria publie ces lignes, la Déclaration des droits de l'homme a cent ans. La Révolution française a transformé les structures et influencé toute l'Europe... mais la simple demande par les femmes du droit de vote et du droit à l'instruction suscite une indignation horrifiée! Heureusement, la guillotine était moins à la mode qu'au temps où l'on mettait fin à l'inadmissible espoir d'Olympe de Gouges par le plus radical des moyens. Mais au pays de Victoria, la répression fut tout de même impitoyable. De nombreuses femmes furent emprisonnées, condamnées au régime de droit commun et, quand elles déclenchèrent une grève de la faim, en 1906, le gouvernement britannique ordonna de les gaver de force, comme des oies. Rien de tel que la photo dans la presse de quelques suffragettes avec un tuyau dans le bec pour ridiculiser leur cause, aux yeux des imbéciles du moins. Mais ils sont la majorité.

En France on utilisait, très efficacement aussi, la coercition morale et l'inanition intellectuelle.

« Vous devez avoir horreur de l'instruction chez les filles, écrivait Balzac. Laisser une femme lire les livres que son esprit la porte à choisir, mais c'est lui apprendre à se passer de vous. »

« On devrait les bien nourrir et les bien vêtir, répondait en écho le délicat poète Byron, mais ne point les mêler à la société. Elles ne devraient lire que des livres de piété et de cuisine. »

C'est d'ailleurs ce que recommandait aussi Baudelaire, grand amateur de femmes comme la plupart des misogynes. Il s'étonnait même qu'on les laissât entrer dans les églises. Chaque chose à sa place : celle des femmes était à la cuisine ou au bordel.

La gent féminine (comme les classes pauvres) ayant été privée systématiquement d'information et d'instruction, Auguste Comte pouvait déclarer comme une vérité d'évidence que « les femmes et les prolétaires ne pouvaient ni ne devaient devenir des auteurs pas plus qu'ils ne le voulaient ». Et Barbey d'Aurevilly, autre grand ami, rêvait de fessées pour décourager les ambitieuses : « L'orgueil, ce vice des hommes, est descendu dans le cœur de la femme et nous ne l'avons pas remise à sa place comme un enfant révolté qui mérite le fouet. Alors, impunies, elles ont débordé : ça a été une invasion de pédantes. » (Car une femme n'est pas cultivée, elle ne peut devenir que pédante.)

Il se trouvait quelques issues de secours telles que l'art, le sport ou la culture. Toutes furent vivement bloquées. On avait coupé la tête des femmes, il importait aussi de leur couper les ailes.

C'est Pierre de Coubertin en personne qui se chargea de nous interdire l'entrée des stades au nom de notre pudeur dont il s'estimait le meilleur juge : « Une olympiade femelle est impensable. Elle serait impraticable, inesthétique et incorrecte. » Fin de citation!

L'interdiction devait persister jusqu'en 1946, mais il fallut encore huit années pour qu'on admît qu'une jeune fille pouvait « courir plus de 200 mètres sans tomber morte à l'arrivée ». Les preuves du contraire, administrées sur les stades du monde entier par des athlètes féminines n'entamaient pas la conviction des organisateurs de jeux, puisqu'ils n'avaient en fait nul souci de la santé des femmes, mais seulement la volonté bien arrêtée de les exclure du monde sportif.

Il semble que la seule notion de liberté féminine, dans quelque domaine que ce soit, ait eu le don de rendre enragés, au point d'oblitérer en eux tout jugement, des hommes qui passent par ailleurs pour extrêmement intelligents. Comment expliquer autrement le lamentable pamphlet qu'écrivit en 1955 Stephen Hecquet et qui aurait dû déshonorer son auteur si les injures aux femmes n'étaient pas toujours considérées avec une indulgence amusée?

« L'exhibition des sportives est rarement supportable », écrivait-il, reprenant cinquante ans après les arguments ridicules de Coubertin. « Désirez-vous acquérir du muscle? Vous n'obtenez que du tendon. Voulez-vous courir le 100 mètres? Vous dégénérez en jument... L'homme est un monument quand vous ne serez jamais qu'un édifice utilitaire... Votre succès, votre affluence, ce sont ceux de l'expo de Blanc par rapport à l'exposition des chefs-d'œuvre de l'art flamand [6]. »

6. *Faut-il réduire les femmes en esclavage?*

Cependant, par le biais de l'instruction obligatoire et gratuite pour tous, les femmes allaient peut-être accéder au moins à la rampe de départ quand survint pour elles un grand malheur : Freud. Chacun connaît sa théorie du rôle passif de la femme qu'il juge inférieure par l'effet d'une volonté divine irrévocable.

« C'est une idée condamnée à l'avance que de vouloir lancer les femmes dans la lutte pour la vie au même titre que les hommes, écrivait-il à sa fiancée Martha. Je crois que toutes les réformes législatives et éducatives échoueraient du fait que, bien avant l'âge où un homme peut s'assurer une situation sociale, la nature a déterminé sa destinée en termes de beauté, de charme et de douceur... Le destin de la femme doit rester ce qu'il est : dans la jeunesse, celui d'une délicieuse et adorable chose; dans l'âge mûr, celui d'une épouse aimée. »

C'est en termes galants — Freud était alors fiancé... et ne se pressait pas d'ailleurs d'épouser — exactement ce que disaient Rousseau ou Napoléon. Et il n'était pas facile pour une femme de sortir de cette prison dorée sous peine de passer pour folle : « L'envie de réussir chez une femme est une névrose, le résultat d'un complexe de castration dont elle ne guérira que par une totale acceptation de son destin passif. »

A la fin de sa vie, Freud reconnaissait qu'au bout de trente années de recherches, la grande question à laquelle il n'avait trouvé aucune réponse était celle-ci : « Que veulent-elles donc? » Sympathique mais tardif aveu dont ne tinrent pas compte malheureusement ses dévotes élèves qui rivalisèrent de surenchère masochiste pour supplier les femmes de rester belles, douces

et sottes sous peine de perdre leur féminité, cette féminité mystérieuse que Freud n'était pas parvenu à cerner
mais que nous pouvions égarer au lycée, au bureau ou
sur les stades, comme un sac à main.

« Les femmes intelligentes sont souvent stériles »,
affirmait doctement Gina Lombroso pour décourager
les intellectuelles.

« La femme paie ses connaissances intellectuelles de
la perte de précieuses qualités féminines », osait encore
dire en *1944* la déprimante Hélène Deutsch, qui ajou-
tait, comme si elle n'avait jamais regardé autour d'elle :
« Tous les observateurs confirmeront que la femme
intelligente est masculine. »

On serait curieux de savoir de quelles qualités féminines la pauvre Hélène a dû payer ses études. Il aurait
été instructif qu'elle nous révélât par exemple : « Ainsi
moi, depuis ma licence de philosophie, il m'est poussé
du poil aux jambes et j'ai perdu ma pudeur. » Malheureusement elle ne nous donne aucun détail. Pourtant son
pronostic est sévère pour les autres. « Ce type de
femmes, déclare notre fine psychologue, intellectuelles
ou sportives, extrêmement répandu dans nos collèges,
ont une vie affective aride, stérile, appauvrie. »

Farnham et Lundberg, psychologues très écoutés
aux U.S.A., confirmèrent la nouvelle : « Plus les femmes
sont cultivées, plus elles risquent de connaître des
troubles sexuels [7]. »

En revanche toutes les félicités sont promises à la
femme féminine, qui n'est ni intellectuelle ni sportive,

7. Rassurez-vous : c'est l'inverse, de l'avis de tous les sexologues modernes.

et surtout au mari de cette femme-là : « Ce sont d'idéales collaboratrices pour les hommes, et qui trouvent en ce rôle leur plus grand bonheur. Même si elles sont richement douées, elles sont toujours prêtes à abandonner leurs propres réalisations sans éprouver le sentiment d'un sacrifice quelconque... car la passivité est l'attribut majeur de la féminité. »

On admire qu'Hélène Deutsch, sachant tout cela, ait eu l'abnégation de renoncer au bonheur pour faire de la psychanalyse. Elle aurait pu être une idéale collaboratrice pour bien des misogynes, le Balzac de l'*Éducation des filles*, par exemple, dont les théories préfigurent les siennes, mais avec plus de talent et d'humour :

« Vous devez avoir horreur de l'instruction chez les femmes... Examinez avec quelle admirable stupidité les filles se sont prêtées à l'enseignement qu'on leur a imposé en France : elles sont élevées en esclaves et habituées à l'idée qu'elles sont au monde pour imiter leur grand-mère, faire couver des serins de Canarie, composer des herbiers, arroser de petits rosiers de Bengale, remplir de la tapisserie ou se monter des cols. Aussi à dix ans, si une petite fille a eu plus de finesse qu'un garçon, à vingt ans est-elle devenue triste et gauche. »

Cependant, cette tristesse ne doit faire éprouver aucun scrupule : « Ne vous inquiétez en rien de ses murmures, de ses cris, de ses douleurs. La nature l'a faite pour tout supporter : enfants, coups et peines de l'homme. »

Dans ce contexte moral et social, on imagine que

rares étaient les jeunes filles qui parvenaient à franchir tous ces barrages et à obtenir — dans quel climat de solitude et de malveillance — leurs diplômes. Il leur restait alors à affronter l'ironie et le paternalisme des pouvoirs en place. Pour certains petits métiers subalternes, on les laissait batifoler un peu. Elles ne pouvaient être professeurs, mais l'institutrice était tolérée, dans la mesure où la postulante était laide, honnête et sans dot, ce qui ne lui laissait guère d'espoir d'acquérir sa dignité par le mariage! De même, la profession de pharmacienne lui était fermée, mais l'herboristerie semblait convenir à ses maigres talents :

« La pharmacie, profession savante, n'est pas du domaine des femmes », écrivait le bon Jules Simon dans un ouvrage qu'il ne craignait pas d'intituler *la Femme du XXe siècle*. « Mais croyez-vous qu'elles ne sauraient pas manier des poudres, des liquides, les peser, faire de petits paquets de sel ou verser le liquide dans des fioles, les envelopper d'un papier après avoir placé sur le bouchon le petit bonnet rose ou bleu entouré d'une ficelle cachetée? »

Vision exquise. Mais dès qu'il s'agissait de vrais, de beaux métiers, la solidarité de sexe s'organisait.

Pour la médecine, c'est le professeur Charcot qui déclare en remettant son diplôme à Caroline Schultze : « Voilà donc les femmes médecins maintenant! Ces prétentions sont exorbitantes car elles sont contraires à la nature même des choses, comme elles sont contraires à l'esthétique. »

N'est-il pas touchant de voir comme, de Freud à Charcot en passant par Coubertin, c'est toujours au nom de notre beauté qu'on nous ramène à la niche!

Pour le droit, c'est la première chambre de la cour d'appel de Bruxelles qui refuse à Mademoiselle Popelin, pourtant munie de tous ses diplômes, sa « requête saugrenue » de prêter serment afin de pouvoir exercer son métier. Il faudra trente-quatre ans de procès perdus et d'avanies pour qu'enfin en 1922 la profession d'avocat soit ouverte aux femmes belges. Mademoiselle Popelin était alors morte après avoir servi toute sa vie de secrétaire à un avocat.

Même la simple fonction de secrétaire ne fut pas obtenue sans peine. Alexandre Dumas père, qui avait été secrétaire, ce qui ennoblissait la fonction, recourait lui aussi à l'éternel argument qui ferait sourire aujourd'hui bien des chefs de bureau : « La femme perdra toute féminité en mettant les pieds dans un bureau. »

Certains secteurs masculins résistèrent même par la violence : les giletiers interdirent à coups de poing l'entrée de leurs ateliers aux confectionneuses qui voulaient aussi faire des gilets! Le métier de typographe, aujourd'hui encore, reste uniquement aux mains des hommes grâce à une vigilance agressive, alors que ceux-ci ont pu s'emparer de tous les métiers féminins dès lors qu'ils devenaient lucratifs (grande cuisine, haute couture).

En politique, même méthode : le rappel à la pudeur et la menace de ne plus nous aimer.

« La constitution délicate des femmes est parfaitement appropriée à leur destination principale, celle de faire des enfants (!), écrivait Mirabeau dans un projet d'éducation. Sans doute la femme doit régner dans l'intérieur de la maison, mais elle ne doit régner que là. Partout ailleurs, elle est comme déplacée. »

Et cinquante ans plus tard le romantique Charles Nodier, cherchant à nous convaincre que la privation de tout droit avait l'avantage de nous assurer « une longue et délicieuse enfance », nous faisait le chantage à l'amour : « Eh quoi! Pour quelques misérables droits sociaux dont l'institution universelle vous a privées, vous vous exposeriez, Mesdames, à perdre notre protection et notre amour? »

Cent ans plus tard encore — les choses n'évoluent pas vite pour les femmes —, Stephen Hecquet déclarait que toutes les femmes qui avaient voulu sortir de cette longue et délicieuse enfance n'avaient réussi qu'à devenir des guenons : « C'est assez de Marguerite d'Angoulême, de Christine de Pisan, des marquises de Sévigné, de Rambouillet, du Châtelet, de Catherine de Médicis ou de Katherine Mansfield, de Mesdames Rolland, Sand, Ponso-Chapuis et Françoise Giroud. Ces monstres ne sont ni tout à fait inutiles ni tout à fait déplaisants, mais une société n'a rien à gagner à se transformer en ménagerie. »

Vous l'aurez compris si vous êtes familière du vocabulaire des misogynes, le mot « ménagerie » signifie que toutes ces femelles ne sont pas des écrivains, des femmes politiques, des poètes, comme elles voudraient le faire croire : ce sont des singes. Catherine de Médicis n'était pas une reine, comme des naïfs ont pu le penser, mais une femme dévorée par le désir de pénis et qui faisait un transfert. Même chose pour Françoise Giroud qui est une fausse journaliste mais une vraie névrosée, mécontente de ses organes et qui remplace le pénis par l'*Express*.

Ce très bref survol des embûches semées sous les pas de celles qui prétendaient exister par elles-mêmes met en lumière une désopilante évolution des tactiques, à mesure que tous ces arguments à la noix s'effondraient devant les faits. Plusieurs positions furent successivement occupées puis abandonnées :

Première place forte, tenue pendant des siècles : « Ces êtres-là sont sans cervelle, leur pauvre tête se brouille si on l'emplit. » (Dr Edwards.) Le fait même que cette thèse ait été longtemps soutenue par le corps médical prouve que dès qu'il s'agit de femmes c'est l'homme qui parle et non le médecin.

Deuxième place forte sur laquelle on se replia quand il y eut assez de femmes enseignantes, médecins, avocats et qui ne voyaient pas éclater leur pauvre tête contrairement aux prévisions : d'accord, vous arrivez à décrocher les mêmes diplômes, mais le travail détruit votre féminité. Nous ne pourrons plus vous aimer et notre phallus se détournera de vous. Jean Cau, avec Jean Lartéguy et autres Dutourds, se trouve encore dans l'arrière-garde qui s'accroche là. « Les féministes, vous êtes moches, vous êtes des mal baisées, des pas baisables », écrit l'un, et l'autre redit en écho — les tirades sont interchangeables chez ces gens-là : « Bréhaignes stériles [8] et affamées, affreuses, vioques, mal baisées, profs de philo à la retraite. »

---

8. Puis-je faire remarquer à Lartéguy que ses trépignements lui font oublier la langue française : bréhaigne veut déjà dire « femelle stérile ».

Après *mascarade, ménagerie* et *singer*, on trouve ici les maîtres mots du maigre vocabulaire des misogynes : *mal baisée*. C'est l'injure suprême qu'ils laissent tomber du bout de leur phallus, toujours bien baisant, cela va de soi. Une femme qui se plaint ou revendique ne peut être qu'une frigide ou une affreuse car, si elle était bien baisée, inondée de reconnaissance, elle ne piperait mot. Toutes les féministes ont été un jour ou l'autre traitées de mal baisées. Moi, c'est par Maurice Clavel, que par ailleurs j'estime et admire. Si ces êtres-là avaient un peu de logique, ne verraient-ils pas qu'en traitant une femme de mal baisée c'est d'abord son mari ou son amant qu'ils insultent?

Troisième place forte enfin, qui est encore fermement tenue aujourd'hui : bon, d'accord. Les féministes, les femmes qui travaillent ne sont pas toutes des juments stériles. Elles peuvent être belles. Elles connaissent l'orgasme. Peut-être même davantage, les salopes. Mais attention! Elles sont responsables de l'angoisse du monde moderne parce qu'elles ont abandonné les valeurs proprement féminines.

Après le chantage à l'amour, le chantage à la crise de civilisation. Si vous ne rentrez pas immédiatement dans vos cuisines, nous ne répondons plus de l'équilibre de la société.

Et si nous ne voulions plus faire seules les frais de cet équilibre?

On entend souvent dire aujourd'hui que toutes ces luttes n'ont plus de raison d'être et qu'il n'y a plus besoin de féministes puisque les femmes ont obtenu l'égalité. Vieille rengaine! C'est déjà ce qu'on nous disait en 1900 : « Le degré atteint par la femme est suffisamment élevé : à un degré de plus, elle tomberait dans le ridicule. Se figure-t-on la femme juge? La femme sénateur? Il est fort heureux pour elle, pour sa dignité, pour son auréole sublime de mère de famille et d'institutrice que l'homme se charge de l'arrêter sur le seuil du grotesque, de la mascarade [9]. »

Cette troisième place forte risque de résister longtemps car elle use d'un argument subtil et flatteur, notre sublime auréole de mère de famille et d'institutrice... sublime auréole dont personne ne veut, en tout cas ni les pères de famille ni les instituteurs! Nous serions en droit de nous méfier de cette soudaine générosité d'une société si avare à notre égard quand il s'agit de libertés. Le sublime, est-ce un cadeau ou une prison? Un indice devrait nous alerter : l'attitude de l'Église. Dirigée tout au long de son histoire et du haut en bas de la hiérarchie par des hommes sans femmes, elle nous a toujours tout refusé, sauf précisément le sublime. La sainteté, le cloître, le martyre et les jeunes filles dans la fosse aux lions, bravo! Chez les premiers chrétiens, on ne lésinait pas sur les seins coupés. Mais le service des fidèles? La distribution des sacrements? La célébration de la messe? Là, vous exagérez, mes chères filles. « En tout cas il n'y aura jamais de femme prêtre comme je vous soupçonne d'en rêver. Il n'y a pas plus d'ostracisme en cela qu'il n'y a d'injustice à ce que les aubergines ne volent pas comme les alouettes. » (Le père Lelong, octobre 1972.)

9. Jean Alesson, *le Monde est aux femmes*, cité dans le passionnant *Dossier de la femme* de Geneviève Gennari, éd. Perrin.

Pas d'injustice non plus sans doute dans le choix des comparaisons : c'est dans un esprit très chrétien que le père Alouette nous renvoie à notre vocation de légume!

Regardons la réalité en face : si l'on coiffe de pauvres aubergines d'une auréole, c'est dans l'espoir que ce gadget écrasant les fera tenir tranquilles. Par le sublime, on les coince. On a l'air de quoi quand on dit en substance : « Mon admirable vocation d'épouse et de maman ne me suffit pas. Sauf votre respect, je préférerais voyager, être archéologue, ministre, gangster ou rien du tout! » On a l'air d'une fausse femme, la pire engeance.

Évidemment, devant la pression croissante des fausses femmes, il a fallu leur ménager quelques soupapes de sécurité. Le travail offrait le double avantage de fournir une main-d'œuvre d'appoint aux employeurs et de montrer aux femmes de quel prix elles paieraient leur indépendance éventuelle, puisqu'on ne songeait pas pour autant à leur faciliter les tâches familiales qui restaient leur premier métier. On n'encourageait pas non plus leur promotion professionnelle car il était commode pour l'industrie de disposer d'une main-d'œuvre peu qualifiée, donc peu combative, et les hommes évitaient ainsi la concurrence. « Ne faites pas des rivaux des compagnes de votre vie », écrivait cyniquement Talleyrand, qui recommandait les « petits métiers », tels que servante. On ne peut s'empêcher de distinguer tout le bénéfice que les hommes tiraient de cette répartition des tâches! Car on n'interdisait pas tout travail à l'admirable mère de famille au nom de sa vocation, on lui interdisait tout travail intéressant. Nuance. Et il ne faudrait pas croire que la prudence de Talleyrand soit périmée. Dans une récente revue d'orientation sur les carrières féminines, la médecine est déconseillée « parce qu'elle réclame un équilibre nerveux qui n'est pas l'apanage des femmes et oblige à supporter des spectacles pénibles ». En revanche, la profession d'infirmière ou de sage-femme, qui ne présente aucun spectacle pénible comme chacun sait et qui est très reposante pour les nerfs, est vivement recommandée.

De la même façon, la sollicitude virile va s'effacer miraculeusement devant les nécessités de l'ère industrielle. Les avocats ne voulaient pas d'avocates, mais les patrons, eux, ont besoin de main-d'œuvre docile, non syndiquée, donc sous-payée... Suivez mon regard... Et soudain les beaux raisonnements qui avaient servi à écarter les femmes des professions libérales vont s'effacer devant une argumentation inattendue : « Ce sont les femmes qui seront employées à décharger les betteraves la nuit dans les raffineries parce qu'elles sont plus habiles et plus souples que les hommes et *parce qu'elles résistent mieux à la boue et au froid.* » (Circulaire des Raffineries du Nord, 1860, citée par Villermoz dans son *Tableau physique et moral des ouvrières des manufactures.*)

Pour les ouvrières, donc, plus question d'esthétique, de pudeur ou d'équilibre nerveux. Il faut lire sur ce sujet le véritable roman noir d'Évelyne Sullerot : *Histoire et sociologie du travail féminin.* C'est édifiant. En fait, la vérité est toute simple, comme l'écrit Kate Millett très justement dans *la Politique du mâle.* « L'effort physique est en général un facteur de classe, non de sexe. Les tâches les plus pénibles sont toujours réservées à ceux d'en bas, qu'ils soient robustes ou non. »

Exit la fameuse galanterie française, un bel attrape-nigaudes et qui ne s'exerce jamais qu'à l'intérieur d'une classe. Avez-vous jamais vu un « Monsieur bien » prendre la valise d'une femme moche et pauvre avec un bébé dans les bras sur un quai de gare ? Si la fille est très jolie, il se précipite ; c'est tout juste s'il ne lui propose pas de porter son sac à main. Si c'est une « Dame bien », elle aussi, il arrive qu'il propose son aide selon une fréquence qui décroît inexorablement avec l'âge de la dame et une remontée au tout dernier carat, quand la mort n'est plus bien loin. Mais une vraie pauvre femme pas trop spectaculaire, simplement usée et lourdement chargée, pourra parcourir la longueur d'un train sans qu'un bras masculin se tende vers elle. La dernière que j'ai vue, gare Montparnasse, était enceinte et portait un bébé dans les bras. Tous les 50 mètres, elle changeait son enfant d'épaule et sa valise de main. Ce n'était ni un objet érotique ni une bourgeoise. Dans ce train d'hommes d'affaires *(le Goéland)* où beaucoup ne portaient qu'un attaché-case, personne ne l'a seulement regardée : étant moche et fatiguée, ce n'était plus une femme.

Alors qu'on nous fasse grâce de la galanterie, brandie comme le privilège exquis de notre condition féminine : il ne s'agit que d'une manifestation de l'instinct sexuel. La vraie chaleur humaine naît d'un sentiment plus franc et plus rare et qui n'a rien à voir avec le sexe.

Nous continuons pourtant à nous laisser attendrir

par les hommages, comme s'ils signifiaient autre chose
que le désir (qui est d'ailleurs une chose fort plaisante,
la question n'est pas là), et à nous laisser entortiller par
le dernier en date des arguments masculins : « Vous
êtes très bien en avocate, en P.-D.G., en exploitante
agricole, en déléguée syndicale, en informaticienne, en
tout ce que vous voudrez. Très très bien même. Mais vous
oubliez le principal : vos enfants ne peuvent se passer
de vous et nous non plus. »

Et scroutch! Le tour est joué, nous quittons tout
émues nos études, notre métier, notre liberté et nous
nous laissons enfoncer la sublime auréole sur la tête. Elle
nous serre les tempes; elle nous gêne pour étudier, pour
voyager, pour réfléchir et même pour aimer tranquillement. Et s'il nous prend l'envie de mettre l'auréole au
vestiaire parce que ce n'est pas une coiffure commode,
alors la société se dresse, furibonde et prête à tout. Dans
notre pays soi-disant moderne et libre, Gabrielle Russier
est morte des préjugés antisexuels et antiféminins, tout
comme les héroïnes du XIXe, « déshonorées » par une
faute, qui n'est jamais mortelle pour l'autre sexe.

Et dans un ordre d'idées moins grave mais aussi significatif, il suffit de voir le dérisoire scandale qu'a pro-
voqué la candidature de Françoise Parturier à l'Aca-
démie française chez les Quarante (moins un : Louis
Armand), pour se convaincre que rien n'a changé. Chez
ces hommes qui ne sont tout de même pas les quarante
plus idiots de France, le vieux mécanisme a joué
encore une fois et la noble porte est demeurée close.
Comme les sages discutaient autrefois du sexe des anges,
ceux-ci se sont penchés sur le sexe des « immortels » et

par un réflexe obscur qui les relie aux évêques du concile de Nicée, les académiciens français ont conclu qu'une femme menstruée pourrait souiller le temple...

Partout il reste des interdits, des tabous, des réticences, plus forts souvent que les lois, mais l'essentiel malgré tout a été conquis. On peut donc se demander pourquoi, alors que la morale chrétienne a desserré son carcan ou perdu son influence, alors que nous ne sommes plus tenues en laisse par des maris ou des familles toutes-puissantes, pourquoi, en dépit de quelques autodafés de soutiens-gorge et de grèves du service sexuel, notre mentalité évolue-t-elle avec une si désespérante lenteur? Françoise Parturier en propose une explication dans sa sévère *Lettre ouverte aux femmes :* « La liberté ne se demande pas, Madame, elle se prend... Il n'y faut que de l'audace et de la solidarité. Or, ce sont justement les deux qualités qui vous manquent le plus. Vous n'osez pas oser. Vous avez peur, peur de ne pas pouvoir, peur d'être empêchée, peur d'échouer, peur d'être punie, peur de manquer, peur d'être seule, peur d'être ridicule, peur du qu'en-dira-t-on, peur de tout. »

Quel pouvoir n'aurions-nous pas pourtant si nous découvrions que nous sommes solidaires? Si des siècles de sujétion et de complexes d'infériorité et le poids d'un modèle imposé de féminité ne nous paralysaient plus devant une action désormais possible? Si notre presse nous aidait à sortir du stéréotype puéril, ravissant et frivole dans lequel on s'obstine à reconnaître l'éternel féminin?

Mais il faudra beaucoup de temps et beaucoup de féministes encore pour soulever le couvercle de plomb. Nous n'avons gagné que des batailles locales. Les mentalités n'ont pas vraiment changé.

Au moment où j'écris ces lignes, Giscard d'Estaing, qui avait annoncé une « importante » participation des femmes à la gestion du pays, vient de former son premier gouvernement. Il en a effectivement pris 3. Sur 32. L'une est secrétaire d'État à l'Enseignement préscolaire, c'est-à-dire aux maternelles. L'autre s'occupera des conditions de vie dans les prisons. Madame Simone Veil qui, par sa formation et le poste important qu'elle occupait dans la magistrature, pensait obtenir le poste de Garde des Sceaux, s'est vu, à la surprise générale, offrir le ministère de la Santé, pour lequel elle n'avait d'autre compétence apparente que sa féminité. Une jardinière d'enfants, une visiteuse de prison, une aide-soignante... Le nouveau président n'aura une fois de plus pas osé faire sortir les femmes de leurs attributions traditionnelles [10].

Il a d'illustres précédents. Aux États-Unis, le vice-président Spiro Agnew disait récemment dans l'un de ses discours : « Trois choses ont été difficiles à dompter : les imbéciles, les femmes et l'Océan. Nous commençons à dompter l'Océan, mais ça ne marche pas trop bien pour les femmes et les imbéciles. »

Et chez nous, le général de Gaulle répondait à un

---

10. Trois mois plus tard il faut ajouter à cette liste Françoise Giroud, la femme des femmes, ce qui ne sort pas, on l'avouera, du ghetto.

député qui lui proposait la création d'un ministère de la Condition féminine :

— Un ministère...? Pourquoi pas un sous-secrétariat d'État au Tricot?

CHAPITRE III

LE TORCHON BRULE DIFFICILEMENT

> « Par suite de tous les processus de ségré-
> gation dans l'éducation, dans le travail, dans
> la société, chaque personnalité se réduit à la
> moitié — et souvent moins — de son poten-
> tiel humain. »
>
> KATE MILLETT.

L'héroïne s'appelle Christine. Elle est mannequin, dessinatrice de mode et étudiante en sociologie. (Très à la mode, la sociologie, pour les jeunes filles... elle a remplacé la peinture florale ou la tapisserie d'autrefois et reste typiquement féminine puisqu'elle ne mène à rien non plus!) Christine est aussi adepte du karaté et, c'est la moindre des choses, excellente maîtresse de maison. En outre, elle fait elle-même ses robes et s'occupe de son jardin. Or, nous affirme-t-on, « elle arrive à mener de front toutes ses activités tranquillement et avec le sou-rire ». Suit une description enjouée de l'emploi du temps de Christine pendant vingt-quatre heures, dont je me demande quelle femme peut la lire sans tomber dans le

désespoir ou piquer une saine colère. Elle fait d'abord
le ménage à fond chaque matin, discipline qui maintient en forme, après s'être confectionné un « petit
déjeuner-minceur », sans lait ni beurre ni miel. Puis une
cinquantaine de flexions sur les jarrets entre deux séances
de désherbage, « ni vu ni connu et pas de temps perdu ».
Elle saisit toutes les occasions de la journée, et il y en a
mille paraît-il, pour faire quelques exercices rapides, bat
des pieds dans la baignoire, excellent pour le ventre, et
pendant qu'elle se démaquille, en profite pour se dresser
sur la pointe des pieds et retomber sur les talons afin
d'affiner ses chevilles; au bureau, dans les moments de
pause, elle serre les coudes en arrière sans creuser le dos.
C'est, nous dit-on, une personne qui réinvente chaque
jour son maquillage pour être en harmonie avec ses
vêtements. Enfin, elle a l'œil vif, le moral rayonnant et
de l'énergie parce qu'elle n'oublie pas de manger un
pamplemousse à 18 heures. Elle mange d'ailleurs pour
son foie, sa cellulite, son teint ou ses artères, jamais
pour son plaisir.

Bien sûr, on laisse entendre que son vrai but est de
trouver un mari et d'avoir des enfants. La sociologie, le
dessin et les photos de mode, c'est pour passer le temps
« en attendant ».

Cet article paru en 1970 dans un de « nos » hebdomadaires et qui reparaît régulièrement sous des formes à
peine différentes, s'intitule *La vraie femme qui possède
à fond l'art de vivre*, et il exprime typiquement les tendances de la presse féminine. Elle a pris le relais des
moralistes pour nous maintenir dans les vertus profes-
sionnelles que les hommes ont toujours souhaitées pour

nous : la beauté, l'amour, le dévouement et les soins du foyer. A l'en croire, il y a là de quoi occuper entièrement une vie de femme — on admet implicitement que pour elles la vie s'arrête à cinquante ans — et on n'entend pratiquement jamais dans ces journaux la voix d'une contestataire, d'une ambitieuse, d'une femme qui n'éprouve pas le désir d'adopter la mystique féminine, sans pour autant se sentir coupable ou incomplète. C'est en les lisant pourtant que nous devrions découvrir notre solidarité, notre diversité, nos révoltes, nos possibilités d'action aussi. Mais ces « temples de la Vraie Femme » manifestent la plus parfaite indifférence pour le féminisme sous toutes ses formes quand ce n'est pas cette ironie ou ce mépris qu'on retrouve dans la presse masculine. Alors à quoi bon une presse dite féminine?

Personne ne demande que *Elle, Marie-Claire* ou *l'Écho de la Mode* ressemblent au journal du M.L.F. *le Torchon brûle*. Mais ils ne devraient pas non plus ignorer systématiquement cet aspect de la condition féminine. Car le féminisme ne se résume pas à une revendication de justice, parfois rageuse, ni à telle ou telle manifestation scandaleuse; c'est aussi la promesse, ou du moins l'espoir, d'un monde différent et qui pourrait être meilleur. On n'en parle jamais. Comme on ne nous parle jamais de ces femmes qui se sont battues pour nous. Car c'est toujours une lutte de femmes qui a présidé à l'amélioration du sort des femmes. Mais on dirait que nous nous associons, nous, femmes d'aujourd'hui, au moins par notre silence, aux jugements féroces du pouvoir masculin sur ces « effrontées » qui, dès la Renaissance, à une époque autrement difficile que la nôtre, eurent l'audace et la générosité de cœur nécessaires pour quitter la dignité et la sécurité d'un foyer et affronter l'ironie, l'hostilité ou la prison.

Je pense à une Anne Hutchinson qu'un tribunal calviniste condamna à la prison puis à l'exil en 1650 parce que son intrépidité, sa connaissance des Écritures et son éloquence étaient inadmissibles chez une femme : « Vous avez été un mari plutôt qu'une épouse, une prédicatrice plutôt qu'une auditrice, un magistrat plutôt qu'une administrée et vous n'avez jamais été humiliée pour avoir agi ainsi. »

Ces femmes d'hier, qui prenaient conscience de leur condition et se sont battues pour la nôtre, possédaient les qualités dont on nous prétend incapables : le désintéressement, l'énergie indomptable, le sens de l'histoire. La littérature est pleine de livres féminins méconnus, émouvants, qui nous réconcilieraient avec nous-mêmes et enrichiraient notre identité : Claire Voilquin et sa joie à découvrir l'indépendance (elle se suicida après l'échec des femmes sous la Révolution française); Jeanne Deroin qui espérait naïvement que l'amour des femmes viendrait à bout de l'égoïsme et de la tyrannie; et la belle Flora Tristan, l'inventrice des Maisons de la culture qu'elle voulait baptiser Palais ouvriers et qui fut assassinée par son mari parce qu'il ne supportait pas qu'elle ait repris sa liberté pour la consacrer aux opprimés. Et tant d'autres. Presque tous ces noms sont totalement inconnus. Eh oui, et perdus pour tout le monde. De même qu'on a longtemps escamoté dans l'enseignement de l'histoire de France tout ce qui aurait pu réveiller la conscience populaire, on a fait descendre l'oubli sur ces figures qui ne correspondaient pas aux définitions et dont un bon nombre cependant sont des personnages aussi passionnants que d'Artagnan ou Zorro. Et si nos journaux à nous ne leur redonnent pas vie, qui en parlera ?

Bien sûr la presse du cœur est plus rassurante, qui nous maintient soigneusement dans un univers de conte de fées. Mais c'est un conte à rebours : elle nous endort avec le Prince Charmant et c'est la piqûre de la quenouille qui nous réveillera, quand il sera trop tard.

Quant à nos autres magazines, sauf en quelques rares occasions, sous couleur d'être des journaux techniques destinés à aider la femme au foyer, ils ne diffèrent pas sensiblement du célèbre *Journal des Dames et des Demoiselles*. Depuis un demi-siècle, ils tiennent fidèlement leur public à l'abri des grandes idées, des combats et des problèmes de notre temps, qui ne sont pas censés intéresser les personnes du sexe. Pourtant en 1789, en 1830, en 1848 surtout, s'étaient créés des journaux d'opinion au service des droits des femmes. En 1897, *la Fronde*, quotidien entièrement rédigé, administré, distribué par des femmes, sans appuis politiques, sans fonction publicitaire et sans assise commerciale, a atteint jusqu'à 200 000 exemplaires ! En 1900, on comptait presque autant de périodiques féministes que de magazines de mode, ce qui semble incroyable aujourd'hui [1]. Dans notre presse actuelle, on n'entend plus qu'un écho assourdi du monde extérieur et de la vraie vie. Les grands événements ne s'y reflètent jamais qu'à

---

1. Cf. *La Presse féminine* par Évelyne Sullerot chez Armand Colin.

travers nos soucis à nous : la guerre du Vietnam parce
que des enfants meurent, la sécheresse au Sahel parce
que des mères n'ont plus de lait, la misère des hôpitaux
parce que des femmes y accouchent. On nous parle
peu de la misère des vieilles personnes, de celles que
nous serons toutes, parce que la vieillesse est interdite
de séjour dans cette presse qui se veut optimiste et
rassurante. On nous parle même peu de notre âge mûr,
parce que la maturité n'intéresse pas les hommes. Enfin,
tout cela est noyé, qu'il s'agisse de savoir-vivre, de
vêtements ou de sentiments, dans ce style paternaliste
et moralisateur qui, jusqu'à ces dernières années, a toujours caractérisé la presse féminine.

Depuis 1758, date de création du premier périodique
à l'usage des dames, il ne s'est jamais créé un seul journal humoristique féminin! Nous ne savons pas rire, nous
ne savons pas jouer et personne ne nous y encourage.
Depuis l'enfance personne ne nous y a encouragées. Les
jeux des petites filles, qui se déroulent presque toujours
à l'intérieur de la maison, sont souvent interrompus
ou différés afin qu'elles aident aux tâches ménagères
et, de toute façon, leurs jouets, dînettes, poupées, panoplies de femme de ménage, ont déjà pour but de les
préparer à leur rôle d'épouse et de mère alors que les
jeux libres des garçons les préparent à l'imagination
et à la liberté. On respecte les jeux des garçons et même
leur oisiveté : ils y ont droit. Et ils y auront droit aussi
en tant qu'hommes : quand le père rentre du travail, on
fait taire les enfants, on lui ménage un havre de paix.
Qui assure à la mère, même quand elle travaille
en plus au-dehors, sa part de repos, un moment

de cette paix qu'on nomme si justement « royale »?

En 1900, c'était hier, *l'Écho de la Mode* continuait à organiser l'effacement total de la personnalité féminine : « Dressez vos filles à s'oublier, à sacrifier leurs occupations préférées pour se tenir à la disposition de leurs frères et cela sans montrer bien entendu qu'elles aimeraient mieux faire autre chose. »

Encore aujourd'hui, pendant nos loisirs, on nous cantonne dans l'utile : tricoter sur la plage ou broder devant la télévision, tandis que les fils ou les maris pêchent à la ligne, jouent aux boules ou tapent la belote. Nos magazines à nous ont toujours été des catéchismes, des recueils de commandements, de conseils, de trucs qui visent un seul but : tisser une toile d'araignée pour attraper un homme, puis savoir l'y retenir. Ils ne nous défendent pas nous, ils défendent l'idée que les hommes se font de nous. On se demande ce que peut trouver dans ces journaux une femme qui n'est pas en train de chercher un homme, de vivre avec un homme ou de pleurer le départ d'un homme, tout en s'informant sur les moyens de harponner au plus vite un nouvel homme! Et cet homme-là imagine mal à quel point ce modèle de femme idéale, prise au piège de la beauté et du foyer, peut être contraignant à vivre. Mais nous y sommes si rompues — c'est le mot — que nous ne songeons même plus à protester.

D'ailleurs, aux États-Unis, même travail, même stéréotype de la vraie femme. Betty Friedan, dans un livre qui se lit comme un roman [2], nous en donne un exemple

2. *La Femme mystifiée* chez Denoël-Gonthier et au Livre de Poche.

accablant en citant tout simplement le sommaire d'un magazine américain qui connut un succès foudroyant et s'adressait à 6 millions d'Américaines. En juillet 1960, *Mac Call* proposait à ses lectrices :

1º Un article de fond sur la calvitie qui peut frapper les femmes.

2º Un long poème dont le sujet est un enfant, et intitulé : *Un garçon est un garçon.*

3º Une nouvelle montrant une fille de moins de vingt ans qui ne fait pas d'études supérieures, ce qui lui permet de ravir le fiancé d'une brillante étudiante.

4º La première partie des confidences du duc de Windsor : « A quoi la duchesse et moi occupons notre temps et de l'influence vestimentaire sur mes humeurs. »

5º Une deuxième nouvelle sur les aventures d'une jeune fille de dix-huit ans qui suit des cours pour apprendre à marcher en remuant l'arrière-train, à battre des cils et à perdre au tennis. « Aucun jeune homme ne voudra de toi, lui répète sa mère, tant que tu contreras ses revers. »

6º Six pages de photos de mannequins très séduisantes et extra-plates présentant des modèles pour femmes enceintes.

7º Une merveille ensorcelante : des patrons pour paravents.

8º Une méthode complète pour se procurer un deuxième mari.

Et puis des articles de Clare Luce, d'Éléanor Roosevelt, des recettes de barbecue, de beauté...

Sommes-nous si loin des conseils d'éducation de Balzac? d'Auguste Comte? de Coubertin? Ce journal,

il nous semble bien l'avoir lu quelque part, n'est-ce
pas? Je dirai même que nous le lisons chaque semaine.
Et ce ne sont pas les campagnes courageuses qu'ont
menées des hebdomadaires comme *Elle* ou *Marie-Claire*,
par exemple en faveur de la contraception ou de l'avortement, qui suffiront à modifier profondément notre
presse. Elle se limite à des problèmes trop étroits, trop
spécifiquement féminins; elle partage trop la peur habilement entretenue de toute action originale, de toute
idée neuve, de toute révolte qui risquerait d'écarter
la femme du type idéal, désespérément banal et déjà
reproduit à tant de millions d'exemplaires. Enfin les
impératifs économiques et surtout l'obligation de
conserver leurs supports publicitaires empêchent ces
journaux d'être vraiment au service des femmes.

Le décalage est bouleversant quand on compare nos
bréviaires de prêtresses du foyer aux hebdomadaires
d'évasion masculins. Sans remonter à *Paris sans rideaux*
et autres coquineries du début du siècle, que voyons-
nous dans les illustrés de nos fils et de nos maris? Des
traitements pour faire fondre les brioches? Des conseils
pour enlever leurs taches de sauce eux-mêmes ou pour
maintenir le pli de leur pantalon? Des idées pour jouer
avec leurs enfants le dimanche? Une leçon de couture
sommaire qui les rendrait aptes à recoudre un bouton?
Rien de tout cela pour la bonne raison que ces messieurs
n'achèteraient pas deux fois d'aussi enquiquinantes
productions. Ce n'est pas qu'ils soient congénitalement
incapables de manier l'aiguille, mais pour rien au monde
ils ne voudraient détromper leurs épouses attendries
par tant d'incompétence! Ils ne veulent pas non plus

conduire les affreux Jojos voir Mickey le dimanche.
Et le match de rugby à la télé, alors? Nos journaux de
femmes les mèneraient tout droit à la dépression ner-
veuse.

Ils savent de plus par expérience qu'ils peuvent se
permettre d'être chauves, amputés, bedonnants ou
vieux, sentir la vieille pipe ou avoir le nez de Cyrano
et être néanmoins aimés par la plus jolie fille du monde.
C'est pourquoi ils préfèrent feuilleter d'un air sournois
des magazines où des créatures de rêve, qui ressemblent
rarement à leurs épouses bien-aimées, ont pour toute
ambition, non de réussir le bœuf miroton, mais d'émou-
voir leurs sens grâce à des mérites dont elles ne font
aucun mystère. Et puis dans les pages de publicité,
entre le poster géant d'Andréa Ferréol, l'interview
d'un chef d'État et trois histoires cochonnes, leurs
regards ne se posent que sur des sujets euphorisants :
voitures de sport, fusils de chasse, tabacs blonds, cham-
pagnes bruts et auberges accueillantes... On comprend
qu'ils se contentent d'un coup d'œil distrait sur nos
magazines à nous, « juste pour les photos », qui sont
souvent fort belles. Si belles que parfois, en refermant
un de ces merveilleux hebdomadaires faits avec tant
d'art par des photographes de talent, des stylistes
d'avant-garde, des rédactrices intelligentes, on a envie
de hurler.

Nos publicités à nous n'ont qu'un but : nous rendre
conformes à l'image idéale du désir masculin. A l'arrière-
plan de la plupart des illustrations, un homme qui nous
observe, nous juge, nous renifle, se détourne avec
dégoût ou nous tend les bras si tout va bien. Peut-être

suis-je trop vieille et ces magazines que j'ai feuilletés pendant trop d'années ne sont-ils plus faits pour moi? Peut-être plaisent-ils tout à fait aux jeunes générations que le matraquage moral et publicitaire n'a pas encore épuisées? Il me semble à moi que nous avons atteint la limite de saturation et que l'écœurement est imminent.

L'éminent Paul Guimard écrivait en 1971 dans un éditorial de *l'Express* consacré à « la Française des spots » telle que les archives télévisées pourraient la révéler à un sociologue de l'an 3000 : « Voici donc les femmes de nos vies en cette deuxième moitié du XXe siècle : elles sont affligées d'innombrables disgrâces. Leurs cheveux sont secs, cassants, fourchus, fragiles. Leur peau est grasse, éruptive, à la merci du soleil comme du froid... Des rides ravinent prématurément leurs visages et plissent leurs cous. Les dents des femmes d'aujourd'hui s'entartrent volontiers, phénomène d'autant plus regrettable qu'il s'accompagne d'une propension à la fétidité de l'haleine... Autant l'homme vit en odeur de sainteté, autant la femme est génératrice de remugles dont le sillage incommode les danseurs, les fiancés et jusqu'aux chefs de bureau... De plus leurs mains seraient rugueuses et crevassées si par bonheur elles ne faisaient pas la vaisselle, la lessive et le ménage avec des produits qui sont autant de bains de Jouvence. On notera que les préoccupations de ces malheureuses franchissent rarement les frontières de l'univers des détergents. Hantées par la blancheur, elles se racontent de pathétiques histoires de linge pollué, d'éviers graisseux, de sols tachés, à l'exclusion de tout autre sujet de conversation. »

Cette religion de la consommation étant poussée jusqu'à l'obscène et l'image de la femme jusqu'à la caricature, nous croulons depuis quelque temps dans la presse féminine sous ces engins « infiniment féminins » — j'ai lu cette formule incroyable — qui tendraient à faire croire que la femme n'est jamais si bien elle-même que munie d'un pansement. Jusqu'à ces dernières années, les lys, les camélias et les lilas blancs pleuvaient sur nos fins de mois lunaires : fleurs blanches qui symbolisaient les jours rouges. Seul Ruby annonçait discrètement la couleur. Aucun fabricant n'aurait osé géranium ou groseille à maquereau! Pas de réalisme surtout : des silhouettes éthérées dans des paysages embrumés vantaient celles qu'on appelait dans mon enfance des serviettes hygiéniques. Comme les seaux. Aujourd'hui, on les baptise plus élégamment protections périodiques ou garnitures mensuelles, mais à proportion que le terme est devenu plus abstrait, les images se sont faites précises. Plus de jeunes femmes en péplums, mais des fesses, des slips moulant étroitement des pubis, des garnitures quadruple épaisseur avec feuillet imperméable, grandeur nature en pleine page, des tampons avec leur cordonnet en train de tripler de largeur dans un verre d'eau... Pourquoi pas un verre de vin? A l'allure où vont les choses, à quand la photo d'une « protection » usagée pour bien montrer qu'elle absorbe sans être transpercée? « Plus de gerçures avec la Sanguinaire, la serviette qui aime votre sang. »

En revanche, car il faut équilibrer réalisme et idéalisme, les textes publicitaires évoquent bonheur et liberté. Mais pour nous, les grands sentiments débouchent toujours sur les petits détails; cette liberté, ce n'est pas celle des peuples ou des opprimés, c'est celle que nous pouvons désormais nous offrir même aux jours difficiles... Toutes nous pourrions être heureuses d'être femmes avec l'adhésive profilée invisible; quant à la sécurité du lendemain, c'est Supercrocus 2000 dans notre sac à main.

Bien sûr, il ne faut plus cacher comme une tare ce qui n'est qu'une servitude ennuyeuse : ce n'est pas cher payer finalement pour tous les bonheurs de la maternité. Mais la publicité, quand elle s'adresse aux femmes, a le don de pousser l'amalgame jusqu'au délire. Nos insatisfactions, nos amertumes, nos difficultés sont régulièrement minimisées, puis canalisées par d'habiles manipulateurs et converties en besoin d'acheter tel ou tel produit. Et nous y avons été habituées si régulièrement, si constamment, que nous ne réagissons plus devant cette escroquerie et que nous nous laissons enfermer dans le petit monde sans envergure des magazines féminins, un monde où le bonheur se réduit aux devoirs accomplis et aux petits gestes de la vie quotidienne dans lesquels on nous demande d'investir l'immense charge d'énergie et d'amour que représente un être humain.

Je vois rouge quand je lis un texte publicitaire comme celui-ci, qui est non seulement imbécile mais nuisible : « Il y a mille façons de prouver son amour. Aimer, c'est donner, c'est recevoir, c'est savoir ce qui sera, pour ceux que vous aimez, le plus salutaire. Le papier hygiénique Soft est celui qu'il leur faudra toujours. » (Lu dans un magazine américain.)

Acheter du Soft, c'est en somme mériter un peu plus la sublime auréole. *Vous n'allez pas avaler ça*, comme dit si bien Fanny Deschamps [3]. Eh bien si, comme de braves oies que nous sommes. Et ce n'est pas une consolation de découvrir que dans tous les pays civilisés les femmes sont au même régime.

Mais il y a pire. Voilà qu'un jour, malgré l'optimisme de rigueur, la quarantaine arrive et puis cette chose impensable, la cinquantaine! La beauté s'en va à pas de loup... et à prix d'or; les enfants sont partis (heureux quand ce n'est pas en claquant la porte), le foyer n'est plus un métier à plein temps ni une raison suffisante de vivre, et le mari, s'il est encore là, se trouve en général au meilleur de sa carrière alors que vous êtes au bout de la vôtre, celle qu'on vous avait tant recommandée comme la panacée « universelle ». Vous vous retrouvez démobilisée par le mariage de votre dernier enfant, sans pécule pour vos années de service, sans métier utilisable puisqu'une mère de famille doit inscrire sur les formulaires « sans profession ». Il ne vous reste plus qu'à poser pour la carte Vermeil à la portière d'un train. L'homme de cinquante ans, lui, s'amuse encore. Il est président du Joyeux Gardon, maire de son village, il marie sa fille peut-être, mais il peut aussi épouser sa secrétaire. Pour vous, tout se dérobe. L'auréole tombe en miettes, tout le monde l'a oubliée. C'est le vide et, dans la presse, le silence car il ne faut pas attrister la clientèle. Comment les femmes ne seraient-elles pas saisies d'angoisse à l'idée qu'elles ont encore la moitié

---

3. Dans le livre qui porte ce titre et qui a paru chez Albin Michel et en Livre de Poche.

de leur vie à vivre ? Qu'on ne leur a appris que l'amour et le dévouement et qu'il est bien tard pour changer leur fusil d'épaule et cultiver ce minimum de sain égoïsme qui permet de survivre à l'ingratitude normale des siens ? Puisque nous acceptons si facilement d'être des femmes-objets, ne nous étonnons pas d'être soumises aux lois de la société de consommation : quand nous ne sommes plus consommables, on nous jette. La cuisinière humaine se démode tout comme la cuisinière électrique.

Il faudrait beaucoup d'humour, mieux, beaucoup de mauvais esprit pour nous tirer de là. Or, ce sont les deux « défauts » qui nous manquent le plus. On rêve d'un *Charlie Hebdo* pour dames qui jonglerait enfin avec notre auréole et nos valeurs les plus sacrées, ces sacrées valeurs ! Non pour les détruire mais pour le bon rire libérateur. Un revêtement longue durée pour la peau et qu'on nous parle enfin d'autre chose.

Nous risquons d'attendre longtemps, je le crains, ce *Charlotte Hebdo*. Pourtant, depuis quelques années le ton de certaine presse féminine a changé. On admet qu'une femme veuille vivre autrement que par procuration ; on ne conseille plus systématiquement aux filles séduites de se marier, aux épouses trompées de la boucler et aux femmes en général de s'écraser. Des personnes comme Fanny Deschamps ou comme Ménie Grégoire, à la radio ou dans la presse (la télévision ne s'ouvre pas encore à elles, pourquoi ?), font tout doucement la révolution. Il est de bon ton d'en sourire ou de hausser les épaules. Ce n'est pas Roland Barthes ou Edgar Morin bien sûr. C'est beaucoup plus impor-

tant. Pour la première fois, le catéchisme insinue que
la femme n'a peut-être pas été créée uniquement pour
l'homme et que transmettre la vie ne dispense pas de la
vivre. Même la dédier à un homme, fût-il grand, ne
justifie pas qu'on renonce à vivre ce don unique, SA
propre vie, cette merveille, et cette obligation aussi,
qu'est une vie. Une phrase de Clara Malraux dans ses
beaux livres de Mémoires [4] m'a toujours émue : « Je
m'apercevais que vivre avec André était un cadeau royal
que je payais de ma propre disparition. » Elle n'a pas
toujours voulu payer ce prix et qui peut l'en blâmer ?
Et combien d'épouses ont payé d'une disparition définitive des « cadeaux » qui eux, n'avaient rien de royal ?

Beaucoup de femmes sont hérissées par *Hara Kiri*,
Charlie et Cie, scandalisées par la scatologie, les plaisanteries ignobles — elles le sont —, l'irrespect total
même devant la mort. Elles imaginent mal le soulagement, le défoulement qu'elles éprouveraient en contrac-
tant le goût de la... rigolade. Le mot déjà leur fait peur,
il n'est pas « féminin ». Les dîners d'anciens combattants, les parties de chasse, les sorties entre hommes
n'ont souvent pas d'autre utilité. Mais les femmes se
sentiraient coupables de se réunir simplement pour
s'amuser, pour dire des bêtises, pour se retrouver.
Elles emmèneraient leurs enfants, leur tricot, ou tout
simplement leurs complexes ou leurs horaires et tout
serait perdu.

Car un phénomène marque profondément l'existence
des femmes : l'infiltration maligne des travaux domes-

4. *Le Bruit de nos pas*, tome IV chez Grasset.

tiques dans tous les actes de leur vie. Une femme a toujours un paquet de linge sale à déposer en partant au cinéma, le pain à ne pas oublier en rentrant du travail et, si elle a un amant qui habite en face du *Bon Marché*, je la crois capable « d'en profiter » pour acheter à son mari le thé de Chine qu'il aime et qu'on ne trouve que là. La pesanteur, parfois incompréhensible pour les hommes, des travaux féminins, c'est ça, c'est ce constant souci de faire ce qu'on attend de vous. Jeter son bonnet par-dessus les moulins, peut-être... mais la liste des courses à faire, jamais!

C'est pour ces femmes-là qu'un *Charlotte Hebdo* serait une délivrance, une saine diversion. C'est fou ce qu'on s'habitue vite à la grossièreté quand elle correspond à une vérité ou à une nécessité. Je me souviens de mes haut-le-cœur les premiers temps en lisant, dans *Charlie Hebdo* précisément, les ignominies de Cavanna, Cabu, Reiser ou Wolinski sur ce qu'ils appellent toujours les Tampax. Ces journalistes impies violaient un tabou en osant rire au grand jour de ce dont nous parlons tout bas. Et puis, à mesure que je lisais ces plaisanteries obscènes, que je les voyais lire par des hommes, mes proches, me venait une sorte de délivrance, comme si elles exorcisaient enfin cette cérémonie secrète et honteuse dont nous accomplissions tristement les rites entre femmes, à peine délivrées des racontars moyenâgeux et de la malédiction originelle.

Je me sentirais très capable d'envoyer Cavanna m'acheter des Tampax, maintenant! C'est le seul homme auquel je demanderais ce service sans réticence, parce que lui, les Tampax, ça le fait rigoler. Quel cadeau il m'a fait!

CHAPITRE IV

LA HAINE DU C...

> « Je le lui ai tenu ouvert et j'ai dirigé la
> lampe dedans. Je n'avais jamais de ma vie
> examiné un con si sérieusement. Et plus je le
> regardais, moins il était intéressant... Quand
> tu regardes une femme avec des vêtements
> dessus, tu imagines toutes sortes de choses;
> tu leur donnes une individualité, quoi, qu'elles
> n'ont pas, naturellement. Il y a tout juste une
> fente entre les jambes.
> (...) Il n'y a rien dedans, absolument rien.
> C'est dégoûtant. »
>
> HENRY MILLER.

Par c... bien sûr, je ne veux pas dire cul. Le cul, c'est
gaulois, c'est joyeux; en un mot, c'est viril.

Le c... dont je parle, c'est le péché, la source de tout
mal, c'est le trou méprisable, l'étui pour l'organe roi
qui seul lui confère sa raison d'être. C'est en un mot
la femme. Par lui-même il n'est rien. Un trou n'est rien.
Il est creux, négatif, vide. Il est pourtant haïssable.
Le mot qui sert à le désigner est d'ailleurs une injure
ainsi que ses dérivés. Sale connasse est une insulte
raciste comme sale Juif ou sale nègre. Qui a jamais

traité un homme de sale verge ou de vieille bitasse?
Faut-il vraiment croire à un hasard?

A propos, vous saviez, vous, qu'au Yémen, en Arabie
Séoudite, en Éthiopie, au Soudan, on excisait encore
les petites filles? Qu'en Égypte, sous le nom de *Khifâdh*,
la totalité des filles de la campagne et un grand nombre
de celles des villes sont actuellement encore soumises
à cette mutilation sexuelle [1]? Qu'elle est fréquente en
Guinée [2], en Irak, en Jordanie, en Syrie, en Côte-
d'Ivoire, chez les Dogons du Niger et obligatoire dans
de nombreuses tribus africaines?

Saviez-vous que les momies de sexe féminin retrouvées
en Égypte, pays dont on vante la civilisation libérale,
sont toutes amputées de leur clitoris? Oui, y compris
Néfertiti et Cléopâtre.

Qu'en 1881 l'interdiction de cette sanglante pratique
par les missionnaires catholiques d'Abyssinie provoqua
une telle révolte des indigènes mâles que le pape dut
envoyer une délégation spéciale chargée d'examiner
la question sur place? En vain, d'ailleurs, puisque les
Abyssins menacèrent de ne plus faire baptiser leurs
filles et que l'Église, préférant les âmes aux organes
sexuels, choisit de s'incliner et de « reconnaître la nécessité de l'opération ».

Saviez-vous enfin que pour compléter le bouclage
de leurs femmes, plusieurs peuples au Soudan, en
Somalie, en Nubie, à Djibouti, en Éthiopie ainsi qu'en

---

1. Lawrence Durrell dans *Justine* évoque « la cicatrice brune
logée entre les deux marques jumelles de la jarretelle ».
2. 84 % des filles sont excisées dans la très progressiste Guinée.
(Pierre Hanry, *Erotisme africain*, éditions Payot.)

Afrique noire [3] ajoutent à la clitoridectomie, qui leur
paraît sans doute insuffisante, une trouvaille originale,
l'infibulation, qui garantit au futur mari au prix d'un
muselage vulvaire très douloureux la « nouveauté » de
sa jeune épouse?

Non, vous ne le saviez pas. Ou bien vous pensiez
vaguement que c'était un usage des âges barbares,
tombé en désuétude. Personne ne le sait parce que
personne n'en parle. Ce sont des histoires d'organes
féminins, donc sans importance. Chacun fait ce qu'il
veut de sa femme, de sa maison, de son chameau,
n'est-ce pas? cela ne regarde personne. A l'Unesco,
on se tait pudiquement : on ne va pas se mettre à parler
de clitoris dans de doctes assemblées! Ah, si ces peuples
coupaient le pouce ou le nez de leurs femmes, on pourrait s'indigner... Chez les explorateurs, les ethnologues
et les grands reporters, on feint de croire à une pittoresque tradition religieuse et l'on n'évoque que discrètement les cérémonies d'initiation des jeunes filles.
Dans les associations féminines, on ne parle guère de
ces choses-là. L'utérus, les ovaires, à la bonne heure :
ce sont des organes de reproduction. Mais ce petit truc
uniquement voué au plaisir, c'est indécent. Et puisque
cet organe est inutile à l'homme et à la procréation,
il faut donc l'ignorer ou le détruire. Ce qu'on a fait.
Les manuels d'anatomie jusqu'au siècle dernier n'en
faisaient même pas mention et le mot n'est apparu

3. Chez les Danakyl, les Barabra, les Rubra, les Ngala, les
Harari, les Zoulous, si vous voulez le savoir, et chez certains
Bédouins. (Alain de Benoist, *les Mutilations sexuelles*, paru dans
Nouvelle École, mars 1973.)

que tardivement dans le *Petit Larousse*. De même en Inde ou en Perse, les fameux traités d'amour dont la réputation érotique est très surfaite ne font jamais allusion au plaisir clitoridien.

Pis qu'inutile, ce détail anatomique est nuisible car il procure aux femmes un plaisir gratuit, même sans le concours du mâle. Or le plaisir de la femme, lui aussi, est inutile à l'homme pour qui compte d'abord la propriété exclusive d'un sexe féminin réduit à l'essentiel. Contrairement à ce qu'on se plaît à imaginer aujourd'hui, dans la plupart des cas, l'homme ne cherche pas dans les rapports sexuels un échange de plaisirs car l'échange suppose entre les partenaires un minimum d'égalité. Or ce minimum, le mari le refuse à sa femme, toute liberté féminine constituant un risque pour lui. C'est pourquoi « la haine du clitoris est quasi universelle », comme a pu l'écrire le Dr Gérard Zwang, dans *le Sexe de la femme*.

Même en Turquie ou au Maghreb, pays islamiques où l'on ne mutile pas les filles, du moins physiquement, un homme doit se garder de toucher au clitoris ou, geste plus répréhensible encore, d'y porter la bouche. C'est un principe absolu. L'organe féminin convenable doit se réduire à un orifice parfaitement accessible et entouré d'une zone lisse obtenue par des « séances d'épilation collective destinées à nettoyer ses abords... Car dans notre société algérienne, les femmes n'ont qu'un droit : posséder et entretenir un organe sexuel [4]. »

---

4. Lire à ce sujet les beaux et terrifiants romans de Rachid Boudjedra sur la condition féminine en Algérie : *la Répudiation*, éditions Denoël.

Hélas! même au prix d'une mutilation, la garantie de l'époux n'est jamais absolue et définitive, le principal organe sexuel de la race humaine n'étant pas situé entre les jambes mais dans la boîte crânienne... Cependant, l'instruction réduite à zéro pour les petites filles, la vie cloîtrée du jour des règles au jour de la ménopause, le châtiment capital en cas d'adultère et l'interdiction de toute liberté, même dans le choix du mari, constituent pour l'époux de solides atouts.

Et puis, heureusement pour les hommes, « l'origine de ce désir, l'absurde clitoris est parfaitement accessible au couteau » (Zwang). On trouve d'hallucinantes descriptions de cette vivisection et de ses conséquences psychiques et physiologiques dans le livre que Youssef el Masri consacre au *Drame sexuel de la femme dans l'Orient arabe.*

D'Alexandrie à Khartoum et dans les pays voisins, l'ablation s'effectue vers sept ans. La très riche innervation de cette région donnant un caractère extrêmement douloureux à l'intervention, la patiente, allongée à même le sol, doit être prise en main par des femmes qui lui maintiennent les jambes écartées et tentent d'éviter les tressautements des cuisses lors de la section du nerf dorsal du clitoris. Le découpage doit être large « car une excision limitée ne constitue pas une garantie suffisante contre le dévergondage des filles ». (On ne peut avouer plus clairement qu'il s'agit bien, sous couvert d'un rite religieux, de supprimer toute possibilité de plaisir chez les femmes.) Aucun instrument adéquat, aucune aide médicale, aucune anesthésie. Dans le meilleur des cas, en Égypte, on ne compte

dans les campagnes que 1 000 médecins pour 18 millions
d'habitants! Les exciseuses opèrent avec un couteau
courbe ou un rasoir qui doivent être très bien affûtés
lors de l'incision, faite le long des nymphes car les corps
caverneux sont résistants. L'intervention doit être
minutieuse pour éviter les coups de tranchoir dans le
méat urinaire, tout proche, ou le périnée. En fait de
soins postopératoires, les matrones disent grand bien
des emplâtres d'excréments d'animaux. Inutile d'avoir
fait sa médecine pour comprendre que le tétanos,
l'infection urinaire ou la septicémie ne sont pas rares.
Quant au périnée des survivantes, il devient le siège
d'une sclérose difficilement dilatable et qui ne demande
qu'à se déchirer lors des accouchements... et ils sont
nombreux. En dehors des cas mortels, le « déchet » du
rituel comprend aussi les victimes d'une conséquence
particulièrement atroce de l'excision, le développement
d'un névrome au point de section du nerf clitoridien.
Le moindre attouchement de la région déclenche de
fulgurantes douleurs « semblables à celles du moignon
chez certains mutilés » (Zwang). C'est regrettable,
mais Inch Allah! Du moins ces femmes-là ne risquent
plus d'être utilisées par personne.

En Afrique, chez les Nandis, l'exciseuse attache la
veille de l'opération une ortie sur le clitoris de chaque
fille pour que, gonflé à l'excès, le capuchon soit facile
à saisir avec une pince, ce qui permettra d'appliquer
sur l'organe à détruire le tison de bois sacré. « Chaque
fois qu'un clitoris est détruit, les femmes plus âgées
crient leur joie. La mère et les sœurs de l'initiée s'appro-
chent en hurlant et la poussent à danser malgré l'abon-

dante hémorragie. » (*Eros noir* de Boris de Rachlewitz.)
La cicatrisation demande deux à trois semaines au bout
desquelles la jeune fille possédera un sexe bien net,
« purifié », le mot est d'un philosophe arabe.

*Nous ne voulons rien qui pend à cet endroit-là chez nos
femmes.* (Précepte nandi.)

Pour les maniaques de possession, ce n'était encore
pas suffisant. « Une des plus crapuleuses bassesses
engendrées par l'esprit humain [5] », l'excision peut se
doubler d'une assurance complémentaire : l'infibulation.
Avant son mariage, une femme n'a nul besoin de son
vagin. Il est donc logique de le lui obturer par une
« opération pas bien méchante », c'est un journaliste
du Caire qui nous l'affirme, un homme bien sûr. Qui
peut mieux parler de la clitoridectomie qu'un journaliste
mâle? « Et l'on débarrassera par la même occasion
l'entrecuisse du clitoris et des nymphes qui l'encombrent
inutilement. »

A Djibouti, où toutes les filles sont cousues, voici
comment Alain de Benoist décrit le bouclage d'une
adolescente :

« Le clitoris ayant été préalablement arraché, on
pratique une résection des parois des grandes lèvres de
manière à réduire les dimensions de la vulve à la moitié
de l'orifice vaginal. On rapproche ensuite les parois
mises à vif en maintenant les plaies en contact par une

5. Ces mots sont du Dr Gérard Zwang, souvent cité, auteur
de *la Fonction érotique* (Laffont) et du *Sexe de la femme*, premiers
ouvrages qui parlent de la sexualité avec humour et du corps
féminin avec amour. Toutes les femmes devraient le lire pour
se réconcilier avec elles-mêmes ou pour le plaisir.

résine ou, en brousse, en transperçant les lèvres avec des épines d'acacia. En arrière, on laisse un minuscule orifice pour le passage de l'urine et du sang, que l'on maintient béant pendant la cicatrisation par une tige de bambou. L'opérée devra rester ligotée des hanches aux genoux pendant quinze jours. »

On imagine le calvaire qu'est la cicatrisation, les douleurs réveillées par le passage de l'urine, l'obligation de dormir et de marcher un coussin entre les cuisses pour ne pas comprimer la vulve boursouflée, grossièrement cousue et qui deviendra une cicatrice hideuse.

Il restera le soir des noces à couper la bande de garantie en présence du mari. La jeune épouse, qui n'a en général que douze à quinze ans, est rouverte au rasoir avant le passage de l'époux auquel il est recommandé d'user de ses droits plusieurs fois par jour les premiers temps afin d'éviter une fermeture intempestive de la plaie. Lors du premier accouchement, il faudra également séparer au couteau les grandes lèvres durcies par le bourrelet cicatriciel. On imagine sans peine ce que peut représenter l'amour pour des êtres ainsi torturés.

La femme d'ailleurs n'est pas quitte : l'opération peut être renouvelée à la demande de l'époux après une naissance ou lors d'un long voyage.

Mais toutes les complications, ratages opératoires, fistules lors des accouchements faisant communiquer le vagin avec le rectum ou l'urètre, sans parler bien sûr de la frigidité totale pour 95 % des mutilées, ne pèsent rien en face du but recherché : extirper à la base le désir féminin et interdire à la femme de disposer de son corps.

On a mal au c..., n'est-ce pas, quand on lit ça? On a

mal à ses caractéristiques féminines, on a mal au cœur
de soi-même, on a mal à sa dignité humaine, on a mal
pour toutes ces femmes qui nous ressemblent et qui sont
niées, esquintées, détruites dans leur vérité. Et on a mal
aussi pour tous ces imbéciles d'hommes qui croient
indispensable d'être supérieurs en tout et qui ont choisi
pour cela la solution la plus facile et la plus dégradante
pour tous les deux : rabaisser l'autre.

Rares sont ceux qui ont dénoncé ces très anciennes
pratiques. Elles sont au contraire férocement mainte-
nues dans les pays d'Afrique, devenus indépendants, et
défendues par leurs « intellectuels », qui sont tous, est-il
besoin de le préciser, de sexe masculin. Écoutez l'écrivain malien Yambo Ouloguem, licencié en philosophie,
nous décrire le ravissement des filles de son pays le soir
des noces : « Nombre d'hommes se trouvèrent heureux
d'avoir à conquérir à l'occasion du mariage un plaisir
nouveau, sadique, quand ils défloraient, sexe picoté
d'épines, flancs éclaboussés de sang, leur maîtresse, elle-
même ravie et morte plus qu'à moitié de plaisir et de
peur. »

Et il ajoute dans *le Devoir de violence* cette consta-
tation rassurante : « L'ablation du clitoris et la terreur
du châtiment de tout adultère (administration sur la
place publique d'un lavement d'eau pimentée où nagent
des fourmis) ont apaisé fortement le tempérament de
nos négresses, assagies du coup. »

Mais ne jetons pas la pierre à Yambo Ouloguem, qui
a l'excuse d'être né d'une mère coupée, sans la jeter
aussi à tous les complices de la mutilation érotique des
femmes, à la désolante Marie Bonaparte entre autres,

qui eut l'occasion d'examiner beaucoup de femmes excisées en Égypte et qui conclut dans *la Sexualité de la femme*, en 1951, que cette mutilation est parfaitement justifiée « puisqu'elle parfait la féminisation en supprimant un reliquat inutile du phallus ». Inutile pour qui? Au nom de quoi? On aimerait savoir si Marie se servait ou non de son clitoris?

Comme le remarque le Dr Zwang avec son réconfortant cynisme : « La clitoridectomie, c'est la santé. »

En somme, en Orient, en Afrique ou en Europe, la religion et la science habilement manipulées ont toujours fourni les justifications nécessaires à l'asservissement physiologique, moral et intellectuel des femmes. La méthode peut paraître naïve aujourd'hui... elle donne pourtant depuis des millénaires d'excellents résultats. Il suffit pour qu'elle fonctionne de s'assurer la collaboration de Dieu, un dieu dont seuls les hommes semblent connaître les desseins, et de s'appuyer sur des données physiologiques, une physiologie dont seuls les hommes ont jeté les bases. Ce self-service s'est révélé une méthode si sûre qu'il continue. C'est ainsi qu'en plein XXe siècle, le grand muphti de La Mecque apportait la caution de la religion musulmane à la mutilation des petites filles en déclarant : « L'excision est agréable à Allah. » Comment le sait-il puisque le Coran n'en parle jamais?

C'est ainsi que les Bambaras excisent le clitoris en prétextant que son dard *(sic)* peut blesser l'homme et même occasionner sa mort.

Les Nandis, eux, ont observé que les filles auxquelles on laissait cet organe maléfique dépérissaient et mouraient à la puberté.

Quant aux chirurgiens égyptiens qui pratiquent encore cette intervention à la demande des maris, ils prétendent le plus sérieusement du monde que la chaleur du climat développe des clitoris énormes qui entraînent les porteuses à de véritables folies lubriques, les empêchent de faire pipi et forment plus tard un obstacle à l'accouchement. Il faut préciser, car cela paraît incroyable, qu'il ne s'agit pas de l'obsession d'un maniaque mais d'une position officielle puisqu'en 1970, le Dr Mohammed Hosni Korched, directeur général des hôpitaux au ministère de la Santé, conseillait l'opération pour « soulager les femmes et limiter leur appétit sexuel ».

Nous aurions tort de rire de ces sornettes du haut de notre science occidentale. Les médicastres ou les psychiastres de chez nous affirmant au XIXe que l'instruction ou le sport pouvaient rendre les femmes stériles, ou nos bons médecins de famille prétendant jusqu'à une époque toute récente que les petites filles qui se livraient à la masturbation s'anémiaient, dépérissaient et pouvaient même souffrir de troubles mentaux, rappellent étrangement les sorciers africains. Bien sûr les méthodes de nos sorciers à nous sont moins sanglantes, mais le mécanisme de pensée et les arguments sont à ce point semblables qu'on en ressent une sorte de malaise. Tout se passe comme si une complicité tacite liait les hommes entre eux. Comment expliquer sans cela qu'aucun d'eux ne se scandalise devant ces millions d'êtres humains privés de plaisir, ces milliers de petites filles cousues, ces millions d'épouses séquestrées pour la vie, vendues enfants à des maris qu'elles ne verront que le jour de leurs noces, voilées, violées, rasées, répudiées, interdites de lumière, conservées dans un réduit au fond d'un gourbi jusqu'à la naissance prestigieuse d'un mâle? Le problème n'est jamais abordé. L'opinion publique l'ignore.

Quelques hommes courageux pourtant ont prouvé qu'il était possible de soulever le couvercle plombé des traditions. Mustafa Kemal en Turquie, Bourguiba en Tunisie. Et Ben Bella l'aurait tenté sans doute, qui disait aux premiers temps de l'indépendance : « Il y a dans notre pays 5 millions de femmes qui subissent un asservissement indigne d'une Algérie socialiste et musulmane... La libération de la femme n'est pas un aspect secondaire de nos objectifs, elle est un problème dont la solution est un préalable à toute espèce de socialisme. »

Ben Bella est en prison. Les femmes aussi. Et l'islam règne en maître, que Renan appelait « le plus lourd boulet qu'ait jamais eu à traîner l'humanité ».

Quelques colonisateurs eurent le courage de ne pas s'abriter derrière le respect des coutumes indigènes, noble motif pour ne rien faire, et obtinrent de certains gouvernements que des mesures soient prises. En 1947, Khartoum publia un décret interdisant l'infibulation et exigeant l'anesthésie générale pour l'excision. Il resta lettre morte. De toute façon chacun savait bien qu'il n'y avait ni médecins ni anesthésiques au Soudan! Et par ailleurs la Soudanaise « entière et béante » ne trouvait pas preneur.

En 1958, l'excision fut interdite à Aden, territoire britannique. On dut la rétablir l'année suivante.

Au Kenya, la révolte des Mau-Mau fut dirigée en partie contre la tentative des autorités anglaises de

décourager la clitoridectomie. La riposte fut cinglante :
les Mau-Mau s'offrirent le plaisir d'exciser un certain
nombre d'Anglaises faites prisonnières au cours des
combats! Et le leader Jomo Kenyatta, élevé sur les bancs
de l'université anglaise, précisait clairement dans son
livre *A l'ombre du mont Kenya* : « Pas un Gikuyu digne
de ce nom ne souhaite épouser une fille non excisée car
cette opération est la condition *sine qua non* pour recevoir un enseignement moral et religieux complet. »
Enfin en 1963, prenant le pouvoir, Jomo Kenyatta
s'empressait de rétablir officiellement la clitoridectomie,
« sottement combattue par des pro-Africains trop sentimentaux ».

Il faut dire que les résultats de cette opération sont
sensationnels. Médicalement, c'est une parfaite réussite :
95 % des femmes excisées, faute d'une maturation normale du circuit orgasmique, restent d'une insensibilité
vaginale absolue. Sociologiquement, les résultats sont
moins positifs... Pour reprendre une très belle formule de
l'ethnologue Germaine Tillion, « il n'existe nulle part
un malheur étanche uniquement féminin, ni un avilissement qui blesse les filles sans éclabousser les pères, ou les
mères sans atteindre les fils ». Chaque entrave, chaque
abus de pouvoir imposés à la femme entraînent leur
punition pour l'homme et constituent une cause irrépa-
rable de retard pour la société. Le blocage des sociétés
musulmanes n'a pas d'autre explication. « Les femmes
écrasées fabriquent des sous-hommes vaniteux et irres-
ponsables et ensemble ils constituent les supports d'une
société dont les unités augmentent en nombre et diminuent en qualité. » (Dominique Fernandez.)

Entre autres conséquences lamentables, ce brillant succès de la « sagesse orientale » a eu pour effet d'entraîner, notamment chez les Égyptiens, une effarante consommation de hachisch et d'aphrodisiaques, dans le vain espoir de faire vibrer ces invalides érotiques qu'ils avaient eux-mêmes fabriquées. La presse du Caire s'en est émue à plusieurs reprises : « Si vous voulez lutter contre la drogue, conseillait en 1957 la revue *Al Tahrir*, interdisez l'excision. »

Elle fut effectivement interdite en 1960, mais la mentalité viriliste et islamique n'ayant pas évolué, ni la police ni les magistrats ne se soucièrent de faire appliquer la loi.

Il est juste de dire que le Coran n'est pas l'inventeur de cette mutilation. L'excision, comme le voile, préexistaient à l'enseignement de Mahomet. Mais il l'a acceptée partout où elle était pratiquée ; mieux, il s'en est réjoui. Les femmes juives peuvent rendre grâce à Moïse qui, pour des raisons inconnues, ne ramena pas d'Égypte cette tradition et ne conserva que la circoncision. Mahomet fait allusion une seule fois à l'excision, dans les Hadiths, pour recommander de ne pas trop saccager le voisinage en opérant : *N'interviens pas de façon trop radicale, c'est préférable pour la femme.*

Quand on sait par ailleurs que le Prophète n'a jamais touché de sa main fût-ce la main des femmes qui le vénéraient et suivaient son enseignement, quand on sait que la législation arabe du XIVe définissait le mariage comme « l'achat d'un champ génital », comment attendre la moindre compassion de la part de l'acheteur? A-t-on pitié d'un champ?

Côté européen, il y a une quinzaine d'années, cinq pays, dont la France et la Grande-Bretagne, demandèrent à l'O.M.S. une enquête sur ce sujet. Elle n'aboutit à aucun résultat.

Il faut donc bien se résigner à admettre que cette exploitation d'un bétail humain asservi, parqué et réduit au silence, ne continue que parce qu'il s'agit de femmes, et que les hommes et les peuples gardent sur la dernière colonie du monde moderne le même silence hypocrite.

On se souvient des négresses à plateaux de l'Exposition coloniale qui attirèrent en 1934 tant d'amateurs de pittoresque. Quel journaliste, quel magazine féminin se scandalisa de cette douloureuse horreur, qui, comme par hasard, frappait encore une fois les femmes?

On feignait de croire à une recherche esthétique alors qu'à l'origine c'était l'inverse : les Saras ne cherchaient qu'à défigurer leurs femmes pour décourager les pillards arabes, grands rafleurs d'esclaves féminines.

L'explorateur Vitold de Golish nous décrit lui aussi comme un spectacle piquant ces femmes-girafes de Birmanie du Nord dont la tête culmine élégamment sur une tour d'anneaux de cuivre à 40 ou 50 cm des épaules. Les premiers anneaux sont scellés sur le cou de la petite fille à cinq ans. « Au début, l'enfant a quelque peine à manger et à dormir, mais ses souffrances lui coûtent peu en regard des cadeaux dont on la comble. » Ça, c'est Golish qui le dit. Saluons ces reporters intacts qui décrivent avec tant d'optimisme les souffrances des autres. Tous les deux ans, la rebouteuse vient distendre le cou, déplacer les vertèbres à la limite du supportable et poser une nouvelle spirale. A quinze ans, quand on change les colliers, l'adolescente ne peut déjà plus tenir sa tête, elle est à la merci de ses maîtres. La femme-girafe une fois mariée a-t-elle déplu? ou trompé son propriétaire? On fait venir le forgeron qui scie les anneaux. Les muscles atrophiés et les vertèbres disjointes ne pouvant plus remplir leur office, la tête de la coupable s'affaisse, entraînant la paralysie irrémédiable des quatre membres.

De même j'ai lu récemment dans une luxueuse revue mise à la disposition des voyageurs d'Air France la description des cérémonies d'initiation des jeunes filles au pays des Mossis en Haute-Volta. Quelques pages plus loin, un journaliste dénonçait le scandale des chiens abandonnés chaque été par leurs maîtres. Un autre s'indignait du traitement des détenus politiques au Chili. Mais concernant la mutilation de ces petites filles, notre explorateur 1974 n'éprouvait ni pitié ni indignation et calmait tout scrupule de conscience en concluant que « cette opération était destinée à parfaire la féminité de l'adolescente ». Comme si c'était la chose la plus naturelle du monde que l'homme rectifie à sa guise les organes féminins!

Au Congrès international de sexologie médicale qui s'est tenu à Paris en juillet 1974, le professeur Pierre Hanry, spécialiste de l'érotisme africain, tentait de la justifier en ces termes : « L'excision est une tentative conséquente pour favoriser l'*intégration sexuelle de la femme en fonction de critères strictement sociaux*. (C'est moi qui souligne.) La vocation de la femme guinéenne est la maternité. L'excision supprime l'organe du plaisir stérile, donc asocial, pour ne laisser subsister que l'organe du plaisir fécond, donc social. »

Très bien. Tout cela est logique et efficace. Mais qu'on reconnaisse alors que la femme n'est qu'un animal domestique de plus et qu'on peut la traiter comme un bœuf, une oie ou une poule, la châtrer ou l'engraisser pour favoriser son « intégration sexuelle » et la mettre en cage pour améliorer sa vocation de pondeuse.

C'est ce qu'on a toujours fait, d'ailleurs. Des missions religieuses se sont souciées des âmes du tiers monde. Des industriels se sont occupés de ses matières premières de la manière que l'on sait et sans trop s'encombrer de scrupules. Des militaires ont massacré de-ci, de-là... Des humanistes, des hommes d'État ont lutté pour abolir l'esclavage et apporter une instruction élémentaire à ces peuples. Des médecins se sont consacrés à diminuer la mortalité infantile ou les maladies endémiques. On n'a rien tenté pour les femmes. Et elles n'ont pas su ou pas pu le tenter elles-mêmes, parce que chacune est isolée dans son foyer, isolée dans l'amour d'un homme ou d'un maître, isolée dans sa *cellule* familiale et dans l'amour de ses propres enfants. Le mot de cellule à lui seul est révélateur. Et toutes ces solitudes additionnées ne font pas un mouvement homogène, seule force capable d'obtenir justice. Si les femmes demeurent aujourd'hui la survivance la plus massive de l'asservissement humain, c'est qu'il reste facile, donc tentant, d'exploiter chacune d'elle séparément.

Car il faut prendre conscience d'un fait et il ne faut plus l'oublier : les abus et les méthodes des gens au pouvoir, où qu'ils soient, se ressemblent. Les seigneurs hier, les riches ou les puissants aujourd'hui, les mâles de tout temps se sont conduits exactement de la même façon vis-à-vis de ceux qu'ils dominaient par la naissance, la fortune ou le sexe. On me dira peut-être que le féminisme m'égare, mais entre les Bambaras, si soucieux de calmer le tempérament de leurs négresses, et bon nombre de nos députés (en général U.D.R. [6]) qui ont pris la parole en 1967, en 1971 puis en 1973 contre la maternité volontaire, je ne vois pas de différence fondamentale. Je trouve même que l'analogie est terrible entre les propos des exciseurs, muphtis et autres sorciers et les phrases prononcées par certains de nos élus que nous avons continué à élire hélas! parce que nous sommes résignées au mépris ou à la méconnaissance totale de la féminité que ces propos révèlent. Ces messieurs eux aussi semblent craindre qu'avec la pilule nous ne soyons saisies d'une véritable folie lubrique!

« La fornication sera rationalisée par la contraception... C'est l'abominable exploitation de tout ce qu'il y a d'animal et de porcin dans l'âme humaine. » (Jean Foyer.)

« L'anarchie des mœurs et la facilité décupleront des appétits sans frein... C'est une ouverture aux jeunes des portes de la licence. » (Pierre Volumard, député de l'Isère.)

« C'est un encouragement à ce qu'on pourrait appeler une civilisation aphrodisiaque. » (M. Capelle, P.D.M.)

« Un tel texte ne peut que favoriser la dissolution

---

6. Il faut excepter bien sûr Lucien Neuwirth, le Dr Peyret, le Dr Pons et quelques autres.

des mœurs, voire chez les esprits faibles, la prostitution. » (B. Talon, sénateur apparenté U.D.R.) Etc.

Il fallait voir le visage de ces hommes, contraints de discuter d'une affaire qu'ils considéraient comme purement féminine, donc de seconde zone, et dont ils s'étaient si bien habitués à laisser à la femme la responsabilité et les risques!

Le résultat de cette opposition fanatique à une liberté que la plupart des pays civilisés ont déjà légalisée chez eux? C'est Jean Taittinger, alors Garde des Sceaux, qui eut le courage de le dire clairement dans le beau discours qu'il prononça — en vain — en décembre 1973 : « Tous les jours, depuis des dizaines d'années, mille femmes ont avorté dans l'angoisse et l'illégalité et tous les jours, une de ces mille femmes en est morte. » Comme en 1795, il faut être mère sous peine de mort.

Le résultat du sabotage organisé de la contraception? Celui que ces hommes escomptaient : 10 % seulement des Françaises prennent la pilule contre 35 % en Hollande ou en Australie par exemple, pays qui n'ont jamais passé pour des repaires de lubricité!

Mais on retrouve toujours cette idée fixe : les femmes n'attendent que l'impunité sexuelle pour devenir des putes. En nous refusant si longtemps la contraception, nos députés n'ont en somme cherché que notre bien : ils ont tout simplement voulu nous défendre contre nos mauvais instincts et nous calmer le tempérament. Comme aux négresses.

Comment les sept femmes qui siégeaient ce jour-là à l'Assemblée ont-elles pu supporter de s'entendre dire que seule la peur d'être enceintes les retenait de déchaîner

leur goût pour la fornication porcine? Comment ont-elles
pu écouter, sans bondir devant tant d'hypocrisie, les
propos de tous ces bons apôtres déplorant à la tribune
avec une componction attristée « le traumatisme irrépa-
rable » qu'est selon eux un avortement, alors qu'ils
en ignorent TOUT, physiologiquement et moralement,
leur rôle s'étant presque toujours borné dans ce genre
d'affaire à la fuite ou, dans le meilleur des cas, à la
remise d'une somme d'argent pour ne plus entendre
parler de rien? On aimerait savoir combien de femmes,
sur les millions qui ont avorté depuis dix ans, ont pu
le faire la main dans la main de l'homme coresponsable,
même s'il les aime, même s'il est leur mari, même s'il
est d'accord? Même si c'est lui qui leur a demandé
d'avorter. C'est dans les jeunes générations qu'on
trouve enfin cette réconfortante solidarité dans le plaisir (ce qui est nouveau aussi) et dans la peine.

Comme on pouvait s'y attendre, en décembre 1973
et en novembre 1974, ce sont les mêmes hommes qui
avaient repoussé avec horreur la contraception il y a
sept ans, qui refusaient avec indignation l'interruption
légale de la grossesse, et dans les mêmes termes grotesques :

« Armée du vice... Décadence qui mène aux abîmes...
La libéralisation de l'avortement servira toujours les
intérêts des prostituées mondaines du XVIe arrondis-
sement. » (Pierre Bas, député U.D.R. de Paris.)

« Pour éviter que le vice devienne une religion, deve-
nons la société protectrice de ces merveilleux petits
Tom Pouce. » (Il s'agit pour René Féït, R.I., de nos
fœtus!)

« Il ne faut pas que le vice des riches devienne le vice des pauvres... » (Encore Jean Foyer.)

« La pornographie va tenir lieu d'honneur... » (M. Liogier, U.D.R.)

Michel Debré dans un « très beau discours », a-t-on dit, s'attacha à définir ce qu'était selon lui la « détresse » d'une future mère :

« N'est pas détresse la solitude d'une femme enceinte et abandonnée. N'est pas détresse le cas de l'adolescente qui redoute son entourage et les responsabilités de la maternité... »

Les mères abandonnées ou les filles mères de quinze ans seront soulagées d'apprendre qu'elles ne sont pas vraiment à plaindre et que les responsabilités de la maternité ne sont pas si lourdes qu'elles le croient!

Dans leur panique, certains députés ont recouru à des arguments révoltants, parlant, à propos d'avortement dans les dix premières semaines, de nazis et de fours crématoires, ou n'hésitant pas à donner aux femmes ce conseil atroce : « Faites-nous des enfants pour la défense nationale. » D'autres avouaient plus franchement leur vraie crainte : celle de ne plus être les seuls maîtres : « Je ne peux admettre l'idée que la loi fasse de la mère la seule et unique responsable des enfants à naître. » (Jacques Médecin, réformateur.)

Quand on sait de quelle façon depuis des siècles tant de pères ont fui leurs responsabilités, quand on connaît le sort qu'ils ont réservé à leurs bâtards dont on aurait pu croire qu'ils étaient nés par parthénogénèse, quand on apprend que presque un père divorcé sur deux ne verse pas la pension alimentaire de ses enfants, on a

envie de rire en écoutant Monsieur Jacques Médecin.
Ou de pleurer.

« En ce qui concerne le respect de la vie, les femmes
n'ont certainement pas de leçon à recevoir de nous »,
disait modestement Yves Le Foll, député P.S.U., expri-
mant là une vérité dont personne ne semble tenir compte,
alors que tout dans l'histoire quotidienne des femmes le
confirme.

Combien de temps encore serons-nous dupes des
grands principes, des beaux discours ou des vilains sentiments concernant notre dignité et notre salut, sans voir
ce qu'ils dissimulent, ce qu'ils ont toujours dissimulé :
le refus de notre liberté, le refus de nous laisser détermi-
ner ce que NOUS jugeons digne ou indigne? Sommes-
nous dépourvues de jugement, de courage, du sens des
responsabilités? En tout cas, nous ne sommes plus
dépourvues du droit de vote. Pour les femmes qui se
souviendraient le jour venu qu'elles sont aussi des électrices, il faut inscrire au tableau du déshonneur, non
pas ceux qui ont voté au nom de leur foi, mais les fré-
nétiques qui ont agité le spectre du vice et de la prostitution, preuve du mépris dans lequel ils tiennent les
femmes, même s'ils déclarent ensuite, comme Monsieur Liogier, « qu'ils vénèrent leur mère ». (Encore un
qui les adore au lieu de les aimer.) Ces hommes que nous
ne devrions plus élire si nous avions le sens de notre
honneur, ce sont MM. Jean Foyer, Pierre Bas, Alexandre
Bolo, Flornoy, Liogier, Hamelin, U.D.R.; MM. Féït,
Weber et Hamel, républicains indépendants; MM. Dail-
let et Médecin, réformateurs. J'en oublie sûrement.
L'abbé Laudrin, on lui pardonne : il est prêtre et il a

soixante-treize ans. Mais décernons la palme de l'hypocrisie à Monsieur Robert Boulin, U.D.R., qui n'accepterait « à la rigueur » l'avortement qu'à partir de quatre enfants (et combien de varices?) et qui s'est réfugié derrière l'insuffisance de la contraception pour voter NON au projet de Simone Veil, alors qu'il fut TROIS ANS ministre de la Santé et bloqua toute mesure contraceptive! Enfin, la rosette de la Légion du déshonneur à Monsieur Marcel Dassault, U.D.R., fabricant d'engins de guerre, qui accepte très volontiers l'avortement d'une vie d'homme à vingt ans, mais qui vient de voter contre l'avortement à dix semaines.

Il n'est même pas utile de vérifier le reste du programme de ces gens-là : tout se tient. Les hommes de progrès et de liberté respectent aussi les libertés des femmes. Mais il y a peu d'hommes de liberté, bien sûr. Peu de femmes aussi. Partout, ceux qui ont un pouvoir sur d'autres êtres n'ont qu'un but : le conserver. Qu'il s'agisse de serfs, de Noirs, de pauvres ou de femmes, les droits n'ont jamais été accordés, ils ont dû s'arracher un à un. Et quand il s'agit des femmes qui peuvent cumuler tous ces handicaps, la situation devient inextricable, car les rapports passionnels qu'elles entretiennent avec les artisans, les bénéficiaires et presque les amoureux de leur oppression, viennent masquer et fausser tous les problèmes. Quand on appelle son chef « mon amour », il est difficile de présenter un cahier de revendications. Et quand on dit à sa créature « je t'aime », on croit lui avoir suffisamment rendu justice!

Puisque le syndicalisme, seule arme des faibles et seul

espoir d'obtenir justice, est pratiquement impossible pour nous et rendrait odieuse la vie quotidienne de toutes les femmes qui ont du goût pour les hommes, du moins devrions-nous nous proclamer profondément et activement solidaires. Solidaires des excisées, des infibulées, des voilées, des esclavagisées, des prostituées exploitées par des souteneurs, des filles de toutes couleurs enfermées dans les bordels du monde entier, des ouvrières qui travaillent à l'usine, qui travaillent à la maison et qui travaillent à faire des enfants sans récolter un triple salaire mais seulement un triple épuisement, des dames riches aussi qui du jour au lendemain ne sont plus des dames mais des femmes, du simple fait qu'elles ont cessé de plaire. Solidaires en somme de toutes les buses abusées. Et conscientes du fait que chaque femme soumise ou mutilée en tant que femme même à 10 000 km d'ici soumet et mutile toutes les autres.

Car il ne faudra pas trop compter sur les hommes pour nous accorder ce que nous ne réclamons pas assez fort. Si nous continuons à sourire adorablement, à supporter vaillamment, à aimer aveuglément et à ignorer ce que leurs confrères continuent à faire tout près d'ici à nos consœurs, pourquoi les choses changeraient-elles? Nulle part les hommes n'ont envie de toucher au rapport homme-femme, là sous prétexte de respecter les structures, ici parce qu'ils n'ont pas réglé eux-mêmes leur contentieux avec leurs propres femmes. Combien d'Occidentaux, de Latins surtout, éprouvent en secret la nostalgie d'un harem de femelles pas contrariantes, choisies pour leur jeunesse et leur beauté et renouvelées à mesure qu'elles cesseraient de paraître désirables?

Certains pays courageux s'élèvent contre la discrimination raciale, en Rhodésie ou en Afrique du Sud par exemple. Mais personne ne souffle mot de la discrimination sexuelle. Des chefs d'État qui sont à domicile des êtres relativement libéraux, acceptent de siéger à l'O.N.U. aux côtés de potentats dont les femmes sont coupées, cousues ou, au mieux, réduites au silence et à l'ignorance, séquestrées, rassemblées comme des poules dans un enclos, transportées à l'étranger comme un troupeau de guenons en cage, transformées en outres pour flatter la vanité de leurs éleveurs et en truies reproductrices pour témoigner de leur virilité. Et le cas échéant ils rendent hommage sans trop rougir au « progressisme » ou à l'ardeur révolutionnaire de ces despotes.

Je comprends que le président-directeur général d'Elf Érap leur serre la main avec peut-être un clin d'œil égrillard... entre hommes, n'est-ce pas... Que le ministre des Affaires étrangères les considère comme des chefs éclairés... pétrole oblige. Mais que parmi les journalistes, les sociologues, les hommes de gauche et les femmes de toutes tendances, il ne se trouve personne pour crier au génocide spirituel, à l'abus de pouvoir, à la torture morale, que tous ces gens considèrent que l'on peut être progressiste ou seulement civilisé alors qu'on réduit à un état d'animal domestique la MOITIÉ de sa population, me paraît d'une lâcheté ou d'un aveuglement inadmissibles. Tout se passe comme si l'asservissement du sexe féminin ne relevait pas de l'oppression en général, mais représentait simplement la manière

qu'a chaque peuple de mettre la femme « à sa place »
dans la société.

Que Jean Daniel par exemple, homme de gauche et
homme de liberté, homme de cœur sûrement, puisse
écrire d'une plume sereine dans son beau livre *Le Temps
qui reste* : « L'islam n'a pas empêché l'Algérie de devenir, sauf en ce qui concerne les mœurs, les femmes et
la religion évidemment, l'un des pays les plus progres-
sistes du tiers monde », me bouleverse.

Alors qui délivrera ces femmes? Qui dénoncera cette
honte? Qui nous sauvera?

CHAPITRE V

MA MÈRE, C'ÉTAIT UNE SAINTE!

> « Supposer que la femme puisse éprouver
> du plaisir sexuel est une vile calomnie. »
> ACTON, médecin contemporain de Freud.

J'imagine les lecteurs de bonne volonté que leurs femmes auront décidé à parcourir ce livre répliquant qu'après tout en Europe elles n'ont pas à se plaindre car on n'a jamais eu recours à la chirurgie pour remodeler leurs organes.

Eh bien, qu'ils ne se rassurent pas à trop bon compte : c'est faux! En Europe aussi des hommes auraient bien voulu neutraliser ce petit organe insolent et inutile pour le mâle, donc parfaitement répréhensible. Et eux aussi ont rêvé de chirurgie parce qu'elle constituait le moyen idéal pour extirper à la racine cet odieux plaisir féminin.

Au XVIIe, le chirurgien Dionis effectuait, toujours à la demande des maris, bien entendu, la résection du clitoris « pour faire des femmes de devoir ». Les épouses ainsi rectifiées ne risquaient effectivement plus d'être des femmes de plaisir.

Au xixe, le chirurgien Brown fut exclu de la Société d'obstétrique de Londres pour avoir pratiqué 50 excisions afin, selon lui, de guérir l'hystérie de ses patientes.

En 1864, Broca [1], célèbre chirurgien et fondateur de l'École d'anthropologie française, proposa dans un souci d'humanité de « mettre le clitoris à l'abri » en suturant les grandes lèvres devant l'organe, au lieu de l'extraire purement et simplement. Mahomet, rappelez-vous, dans un souci d'humanité lui aussi, avait conseillé de n'en enlever que la moitié... Enfin en 1900, le Dr Pouillet recommandait de cautériser au nitrate d'argent les parties sensibles des jeunes filles enclines à « se manueliser ». (Cité par Jean Markale dans *la Femme celte*.)

Bien sûr cette pratique ne fut jamais très répandue mais on avait osé y songer. Soyons sûres que si l'esprit d'indépendance avait pu se localiser aussi facilement que l'esprit de plaisir, nous en eussions subi l'ablation... pour les motifs les plus éminents. Le bien de la famille, par exemple, eût justifié à merveille une petite intervention.

Empêchés d'utiliser le seul moyen radical, les hommes en furent réduits à inventer toutes sortes de techniques pour éviter aux femmes de pécher, c'est-à-dire de jouir du corps que Dieu leur avait donné et de s'épanouir selon leur nature à elles, qui était mauvaise par définition. Et ils déployèrent dans cette recherche une imagination délirante, depuis la séparation arbitraire dans la Grèce antique de la gent féminine en hétaïres vouées

---

1. *Rapport à la Société de chirurgie*, juin 1864.

aux plaisirs de l'esprit, en pallaques, aux plaisirs des sens, et en « épouses » réservées au foyer et à la reproduction (diviser pour régner... on songe au *Meilleur des mondes* de Huxley...), jusqu'à la mutilation des pieds des petites filles en Chine pour les empêcher, au propre comme au figuré, de courir, en passant par les négresses à plateaux et mille autres trouvailles amusantes.

Il est assez surprenant, quand on découvre l'interminable liste de mutilations physiques ou morales qui jalonnent l'histoire de l'oppression féminine, d'entendre les psychanalystes faire de la peur de la castration chez le garçon une des bases de son comportement. Aucune race, aucun peuple, même les Arapesh, dont la société matriarcale a été décrite par Margaret Mead, aucun groupe de femmes, même les Amazones, n'a jamais envisagé de castrer les hommes. Loin de s'en prendre au pénis, les Amazones ne se sont souciées que de rectifier leur sein droit pour mieux tirer à l'arc. De même, on n'a jamais entendu parler d'une mère si « castratrice » soit-elle, qui ait coupé le zizi de son fils, ou de femmes qui aient châtré leurs amants [2]. Pourtant, là, pas besoin de rasoir ou de tison sacré, il suffirait d'y porter la dent...

Aucun auteur féminin de littérature érotique ne s'est amusé non plus à transpercer avec des aiguilles à tricoter, à brûler avec un fer à repasser (toute femme étant d'abord une ménagère), à passer à la moulinette ou à

---

2. Personnellement, j'en connais un cas parfaitement défendable : à la fin d'une folle nuit, la jeune femme s'était retrouvée ficelée sur une chaise et sommée de recevoir dans sa bouche le pénis de ses nombreux « amis ». C'était tenter le diable...

râper comme une carotte ce pauvre bout de chair qui pend au-dehors, mal défendu, facile à blesser, ce joujou idéal pour sadiques. La littérature érotique féminine est le plus souvent au contraire étonnamment amicale, joyeuse et saine (Belen, Emmanuelle Arsan, etc.). En revanche, les auteurs masculins ne semblent se repaître que d'humiliations et de supplices infligés à la motte, à la fente velue, à cette « viande à foutre » qu'est pour eux la femme, au point qu'il n'existe pour désigner nos organes que des mots grossiers ou insultants.

Et ce sont les hommes qui redoutent d'être castrés! Il faut croire que nous avons une fameuse santé.

J'y vois également une deuxième raison : pour les hommes, c'est bien connu depuis saint Thomas d'Aquin jusqu'à D. H. Lawrence ou Henry Miller, la femme se réduit à ses fonctions génésiques. « Une femme, ce n'est rien d'autre qu'un récipient », affirme l'un. « Tota mulier in utero », dit l'autre plus élégamment. Quant à l'amant de *Lady Chatterley*, c'est sans façons qu'il dévoile à sa maîtresse sa vérité de femme : « Le con, c'est toi-même, comprends-tu? C'est ce qui te rend belle, ma petite. »

Les femmes, elles, ne sont pas atteintes de cette rage d'humilier ce qu'elles aiment : pour elles, un homme ne se réduit pas à son phallus, à son zob, à sa trique, à son truc... on cherche en vain un mot insultant, tous sont revêtus d'une nuance flatteuse... Elles ont plus d'intelligence de l'autre sexe. Et si elles le haïssent, elles s'en prennent au tout plutôt qu'aux parties.

En outre, contrairement à l'opinion courante, elles sont dépourvues de cette désolante vanité que l'on trouve à la racine de tous les comportements de domination virile. C'est par vanité que le mari veut une jeune fille vierge, une épouse chaste, une femme point trop éveillée... Son intérêt évident, son plaisir quotidien, son goût pour la nouveauté, auraient dû lui faire rechercher le contraire. Mais on règne plus facilement sur un peuple d'innocentes ou d'idiotes; et, vanité des vanités, les hommes ont fait passer leur pouvoir avant leur plaisir. Et plus ils ont préféré le pouvoir, moins ils ont trouvé de plaisir, par suite de cette loi naturelle qui veut que l'« asservissement ne dégrade pas seulement l'être qui en est victime mais celui qui en bénéficie [3] ».

« Aimer un être, c'est tout simplement reconnaître qu'il existe autant que vous. » Cette très belle définition de Simone Weil ne s'applique pratiquement jamais à l'amour d'un homme pour une femme, pour leur plus grand malheur à tous les deux.

Les buts à atteindre — la mise hors circuit de l'élément féminin — restant exactement les mêmes dans les châteaux forts du Moyen Age et sous les tentes des nomades d'Éthiopie, mais les méthodes chirurgicales ayant été écartées dans nos pays « trop sentimentaux », comme dirait Jomo Kenyatta, on eut recours chez nous à d'ingénieux bricolages. L'un des moins hypocrites fut l'invention vers le XIIᵉ siècle d'un moyen d'excision temporaire et amovible connu sous le nom de ceinture de chasteté. On imagine mal aujourd'hui la gêne que cette preuve d'amour typiquement masculine imposait nuit et jour pendant des semaines et des mois, des

3. Germaine Tillion, *le Harem et les Cousins.*

années, dit-on; la saleté impossible à déloger, les plaies qui se formaient aux points de frottement. Pendant ce temps, pour les Croisés qui bouclaient ainsi leurs épouses, on entretenait en Orient treize mille dames, chiffre fourni par l'administration des Templiers, pour permettre aux combattants de conquérir le Saint-Sépulcre sans priver leur saint pénis de ses légitimes aspirations. Il va sans dire que le fructueux négoce de ces filles à soldats, esclaves légales du sexe masculin, recrutées très souvent contre leur gré ou vendues dès la puberté par leurs pères, ne leur valait que l'opprobre de la société et pour finir l'hospice ou la prison, alors qu'il enrichissait fabuleusement les tenanciers de « bordiaux », parmi lesquels on comptait de nombreux papes et évêques [4]. Saint Thomas d'Aquin ne leur apportait-il pas sa caution, en plein siècle de Saint Louis, en félicitant les moines de Perpignan d'avoir ouvert un bordel, « œuvre sainte, pie et méritoire ». Le désir de l'homme, considéré comme sacré, passait avant le salut de quelques malheureuses. Il faut savoir consentir des sacrifices humains.

Quant à la ceinture, elle était encore utilisée en 1890, un procès célèbre le prouve et des maniaques s'ingéniaient à perfectionner l'engin : l'ouverture que l'on était bien obligé de ménager, comparable en somme à la tige de bambou des infibulées, se faisait, au XIXe, non plus en cuir (on imagine l'odeur), mais en métal inoxydable (on imagine le confort). On pouvait encore en admirer un modèle au musée de Cluny il y a quelques

4. Jules II, Léon X et Clément VII. L'argent n'a pas d'odeur.

années [5] et l'on aurait bien dû obliger les visiteuses qui en plaisantaient au lieu de s'indigner, à la porter, une heure seulement...

On fit assez vite le tour des moyens de coercition physique. Restait la coercition morale, moins visible, mais presque aussi intéressante que la chirurgie ou l'acier inoxydable, comme l'ont démontré les travaux récents sur le conditionnement des êtres humains. Elle s'exerça par les moyens les plus divers, les lois, les mœurs, l'art, la vertu considérée comme une spécialité féminine, que vinrent relayer, au moment où quelques révolutionnaires commencèrent à vouloir libérer aussi les femmes, les théories freudiennes.

Oublions l'affreux hiver du Moyen Age où l'horizon pour les femmes s'est soudain obscurci, où la joie, les jeux et les sports ont disparu de leur univers avec la mort des traditions gréco-romaines. Oublions les centaines de milliers de sorcières brûlées au cours d'une des plus cruelles campagnes d'extermination de l'Occident, qui dura trois siècles; les dizaines de milliers de jeunes filles condamnées au couvent pour des raisons d'argent, de mœurs, de commodité familiale qui ne devaient rien à la vocation; les centaines de milliers de prostituées soumises à une réglementation féroce faite par et pour les hommes. Ne considérons que notre civilisation bourgeoise. Il ne peut échapper à personne qu'elle est régie par un arsenal de lois et d'usages qui tous s'inscrivent dans un contexte profondément misogyne.

5. Elle est en « réserve » aujourd'hui.

La fille n'était pas cousue, d'accord, mais on la voulait cachetée, sa valeur marchande dépendant d'une membrane fragile. L'usage ou le non-usage de son vagin pouvait suffire à la définir mieux que sa valeur intrinsèque, à la sanctifier ou à la condamner, à l'admettre dans la bonne société ou à la rejeter. Notion révoltante et pourtant, que de drames autour de ce demi-centimètre carré de peau! Vénère-t-on vraiment la Vierge Marie en tant que vierge? Je crains bien que oui, la Bible ne donnant pratiquement pas d'autre renseignement sur elle. On ne nous décrit que son effacement, son obéissance et ses souffrances, trois « vertus » bien féminines. Pauvre femme! Elle méritait mieux.

Dûment cachetée, il fallait en plus à la jeune fille une dot, nécessité sacro-sainte sans laquelle encore une fois, quelle que fût sa valeur personnelle, elle devenait une laissée-pour-compte, sans espoir de mariage, c'est-à-dire de dignité. Les romans du XIXe sont pleins de ces malheureuses, pâles orphelines, bâtardes expiant la faute maternelle ou héritières ruinées, qui élèvent humblement les enfants des autres ou deviennent des servantes au grand cœur pour des salaires de misère.

Enfin quand, cachetée et dotée, elle accédait au mariage, elle devenait du même coup une mineure à vie, privée de ses biens propres et de tout droit sur la gestion familiale. En justice, pendant longtemps, le témoignage de 3 femmes ne valait pas celui de 2 hommes. Cette proportion saugrenue montre bien que les législateurs étaient des hommes avant d'être des juristes...

Il a fallu cent ans pour effacer les discriminations les

plus criantes, mais qu'attend-on pour abroger celles qui restent? « Y'a pas le feu », comme disait Jean Foyer lors d'un débat sur la contraception, résumant l'opinion des hommes sur ce sujet depuis mille ans! C'est pourquoi la loi punissant l'adultère féminin est toujours en vigueur; la loi du 9 brumaire an IX également, qui interdit, sauf autorisation spéciale, le port du pantalon, tenue qui courrouçait tant Bonaparte, déjà empereur des misogynes avant de devenir celui de tous les Français.

On les conserve à tout hasard, ces lois, car elles peuvent servir un jour ou l'autre... il est bon que la menace subsiste. C'est grâce à celle du 9 brumaire qu'on a pu condamner récemment une femme juge qui portait la culotte dans l'enceinte sacrée des tribunaux. C'est grâce à celle de 1920, aggravée d'un décret de 1941 qui assimilait les manœuvres abortives aux *crimes contre la sûreté de l'État*, qu'on a pu en 1943, sous Pétain, guillotiner Madame Giraud, blanchisseuse, pour avoir pratiqué des avortements. Je dis bien : guillotinée. Aucune autre femme n'avait subi la peine suprême depuis le début du siècle. En coupant la tête de Madame Giraud, ce n'est évidemment pas la criminelle que l'on voulait tuer, sinon bien d'autres criminelles eussent mérité le même sort : c'est l'individu qui transgressait un rituel, qui délivrait une femme de sa fatalité biologique. Là réside encore aujourd'hui la faute suprême.

Ce dernier bastion du pouvoir masculin, la loi de 1920, qui maintient les femmes sous la tutelle d'un hasard que l'on préfère baptiser nature, les hommes s'y accrochent aujourd'hui avec une frénésie finalement

compréhensible. La loi est inique et périmée mais ils
ont tout fait pour en retarder l'abrogation et ils feront
tout pour rétrécir cette liberté qu'ils nous ont « concé-
dée » à regret. Ils savent bien en effet qu'il ne s'agissait
pas tant de nous obliger à avoir des enfants en ce monde
déjà surpeuplé, mais bien de nous maintenir dans la
contingence. Jusqu'ici, nous *attendions* un enfant, nous
étions enceintes, ou pire, nous *étions prises*, formules
totalement passives, donc satisfaisantes selon le vieux
schéma. Par la contraception — et par l'avortement en
cas d'échec —, il nous sera permis de *faire* un enfant,
de *choisir* notre maternité, de devenir *sujet* et non *objet*.
Enfanter ne sera plus une fatalité, mais deviendra un
privilège. Or c'est cela que la morale traditionnelle ne
saurait tolérer. Tant que la femme restait le lieu où se
perpétuait aveuglément la lignée, l'égalité des sexes
restait elle aussi une formule vide de sens. La maternité
volontaire, c'est la liberté fondamentale qui commande
toutes les autres. D'où ce refus exaspéré chez certains
et presque cette terreur.

Quant au respect de la vie, argument suprême, c'est un
détail pour troubler la galerie, un de ces nobles man-
teaux dont, à toutes les époques, on a su draper les
guerres, les génocides, le colonialisme ou l'expansion
industrielle. Commençons à respecter le prochain, qu'il
soit Arabe immigré, handicapé délaissé par notre
société ou enfant mourant au Sahel. On verra plus tard
pour les fœtus.

Il y a tout de même une distorsion incroyable des
valeurs à voir des députés ou les forcenés de *Laissez-
les vivre* nous présenter des embryons qui n'ont guère

plus de conscience qu'une larve d'insecte, alors qu'on discute très abstraitement dans les instances internationales de la faim dans le monde, sans que personne n'ose poser sur la tribune un vrai enfant en train de mourir de malnutrition. Le seul contenu de nos poubelles ressusciterait le Sahel. Que les courageux défenseurs de nos œufs s'en aillent au Bengla Desh. Là, les fœtus ont un an et ils crient.

On se souvient du jeune Bertrand Renouvin, candidat en 1974 à la présidence de la République, pérorant sur la nécessité pour les femmes de se soumettre à la nature et de mener à terme tous leurs ovules fécondés. De quel droit, sinon celui que donne le simple port d'un pénis au bas du tronc? Pas besoin d'être un homme d'élite ou d'expérience pour nous faire la loi, il suffit d'être un mâle. Et avons-nous le droit, nous, de nous occuper de ses spermatozoïdes et de l'usage qu'il en fait? Ces jeunes mecs vaccinés, psychanalysés, opérés de l'appendicite ou chimiquement tranquillisés et qui nous recommandent la résignation aux lois naturelles, quelle bouffonnerie! Je souhaitais à l'époque envoyer à Bertrand Renouvin un joli renard du Jura pour Noël... Ils avaient la rage en 1974. C'était l'occasion pour lui de se soumettre à son tour aux lois naturelles...

Enfin, en marge des lois et non moins pesantes, il reste toutes ces menues brimades dont l'accumulation met la femme dans un état de perpétuelle dépendance et dont chacune a pu faire cent fois l'irritante expérience. Je me demande comment eût réagi Françoise Giroud, secrétaire d'État à la condition féminine, si sa condition féminine précisément l'avait empêchée par exemple de pénétrer dans la salle des délibérations de la mairie d'Ajaccio? C'est pourtant ce qui arriva à Claude Pompidou, alors présidente de la République, qui accompagnait son mari en visite officielle dans l'île de Beauté au mois d'août 1969. On lui fit savoir que ces hauts lieux étaient interdits aux femelles de l'espèce humaine. La première dame de France ne valait pas le dernier homme. Il est vrai que cela se passait dans le Bassin méditerranéen où l'avilissement de la condition féminine est tenace et généralisé.

Il faudrait citer aussi toutes ces « petites phrases » qui perpétuent à la radio, dans la presse, à la télévision, dans la publicité, l'image de l'adorable créature, de la sainte chérie.

« J'ai trouvé la poupée de Michel Piccoli un peu bête et bien paresseuse... Elle ne met pas le couvert, elle ne fait ni le lit ni la cuisine... elle ne récite pas de poésies d'Alfred de Musset... Il me faut à moi des babillages, des propos oiseux, des cancans et, pourquoi pas, des scènes. Je ne déteste pas qu'on m'arrache les yeux de temps en temps. C'est que j'aime la femme sans doute. » (J. Dutourd, dans *Match*.)

Eh oui! Nous voilà donc telles qu'on nous aime! Bavardes, futiles, bécasses et fofolles mais faisant le lit et le ménage, et aussi des scènes de jalousie car bien sûr c'est Monsieur qui nous trompe... Comme dit la chanson : « Un éléphant, ça trompe, ça trompe... »

Parlant de *Défense de savoir*, un film de Nadine Trintignant, un critique, un homme faut-il le préciser, prononçait cette autre petite phrase typique de l'action psychologique :

— L'ensemble est honorable. Jamais féminin en tout cas. C'est déjà beaucoup.

Décrivant Jacqueline Baudrier dans *Hommes libres*, Arthur Conte écrit : « J'admire toujours avec quelle autorité cette femme, que *tout devait exclusivement vouer à la tendresse* (?!), sait maîtriser l'univers d'hommes difficiles qui lui a été confié. (...) Elle le fait avec le panache d'un monsieur. » Et il ne peut s'empêcher d'ajouter : « Il y a vraiment de cette voracité chez elle : *mère abusive.* »

Tout y est. Même méthode pour décrire Marie-France Garaud : « On s'étonne que cette *fée du logis*, qui doit enchanter sa propre demeure, soit l'être qui, avec Raymond Marcellin, connaisse le mieux le fichier politique français. »

Ce ne sont pas des injures. C'est pire : ce sont des hommages! On se refuse à parler de nous normalement, sans références à nos fonctions ménagères.

Évoquant enfin le coup d'éclat de Françoise Giroud à *Lettres ouvertes*, en octobre 1974, déclarant à la fin de l'émission qu'elle la trouvait franchement mauvaise, Monsieur Michel Bassi a qualifié cette réaction de « typiquement féminine ». Mais, ajoutait-il en homme galant, « elle devait être très fatiguée, le matin même elle était en conseil des ministres ».

C'est aussi ce militant gauchiste criant à des jeunes filles qui voulaient prendre la parole dans une réunion politique : « Du calme, les cuisinières! »

C'est enfin la fureur sacrée qui anime encore certains journaux, presque toujours de droite, contre cette version moderne des suffragettes qu'est le M.L.F. Oubliant

que les revendications de ces « forcenées », qui susci-
tèrent tant d'indignation hier, nous paraissent tout à fait
légitimes aujourd'hui, des journalistes continuent à
distiller les mêmes attaques fielleuses : je viens de lire,
dans un hebdomadaire que je ne veux même pas
nommer, un article, signé Irina Kolomjar, qui aurait
pu être écrit par les pires réactionnaires de 1795 :

« Elles étaient là deux ou trois cents peut-être qui
caquetaient à qui mieux mieux dans la vaste salle...
mères en lutte dans leur cuisine, filles en lutte sur le front
du sexe..., pouffiasses intellectuelles, gouines débiles
et militantes du M.L.F. Les heures une à une dégouli-
naient le long des cheveux sales et des corps flasques
de ces pasionarias qui transpirent le malaise et la haine
inconditionnelle de la vie sous toutes ses formes ou
presque... On décide de manifester devant l'ambassade
d'Espagne, on fera un meeting et on ira montrer ses
fesses çà et là dans Paris. L'hystérie après 11 heures
du soir est à son comble. L'hystérie, la sottise et une
médiocrité sur laquelle il serait finalement indécent
de s'étendre davantage. Les guérilleros en jupon ont
beau porter le pantalon, le jupon dépasse. »

Le jupon, vous l'avez deviné, c'est l'hystérie, la
sottise et la médiocrité. Les thèmes habituels sont au
complet : le caquetage, la laideur, les intellectuelles
qui sont toujours des putains, et l'accusation d'hystérie,
cette maladie bidon qui a servi à classer comme malades
toutes les femmes qui supportaient mal leur condition.
Pauvre Irina Kolomjar ! Encore une harki. Les pires, car
elles se croient obligées de faire du zèle pour qu'on
oublie... leur jupon.

On pourrait écrire une *Encyclopédie de la femme* avec toutes ces petites remarques dites sur le ton de l'évidence, parfois avec haine, parfois avec une ironie débonnaire, car ils nous aiment tous, ces misogynes qui le sont si souvent sans le savoir.

On aurait tort de penser que ces détails sont sans importance : ils servent très efficacement à entretenir un climat, une mentalité. « Il n'y a pas de petites revendications », disait Lénine. Il n'y a pas non plus de petites brimades.

Cette énumération a pu paraître assommante, je le sais. On voudrait bien que tous ces faits soient le fruit du hasard et qu'ils ne signifient rien. On voudrait bien que les féministes (et les hommes qui les ont soutenues) aient été atteintes du délire de la persécution : des folles, des malades, des enquiquineuses. Mais le portrait-robot de la suffragette qui a servi d'épouvantail pendant cent ans est bon à mettre au cabinet. Il faut être Dutourd, Lartéguy ou Jean Cau ou le bon docteur Soubiran pour ne pas s'apercevoir que beaucoup de femmes aussi différentes que des universitaires, des ouvrières, des bourgeoises ou des militantes, et qui ne sont pas obligatoirement hideuses, poilues ou stériles, mènent ensemble un combat généreux. Il faut s'aveugler volontairement pour ne pas reconnaître qu'une revendication qui devient aussi universelle manifeste une insatisfaction pathétique et un besoin de justice désespéré.

Pour ne citer qu'un exemple, « l'extraordinaire histoire de l'émancipation des femmes japonaises, passant d'un statut féodal particulièrement contraignant à une vie épanouie de femme du XXe siècle », a été en grande partie le fait des journaux féministes du Japon dont le premier dut son existence à « une campagne menée vers 1920 afin d'obtenir pour les jeunes filles le droit de refuser un mari syphilitique [6] ».

Quel homme n'aurait honte aujourd'hui de voir que les femmes ont dû se battre pour échapper à un sort aussi scandaleux? Aucun, car ils préfèrent l'ignorer. « Comment? Mais je ne le savais pas! » plaident-ils, sincèrement apitoyés. Tout cela est pourtant connu, catalogué, écrit dans des livres et des articles rédigés ou traduits en français... Mais ça les ennuie de savoir.

Et c'est pourquoi cette lutte des femmes se poursuit interminablement, sous d'autres aspects bien sûr, mais rencontrant toujours les mêmes obstacles et la même indignation hypocrite. En France, quand les mœurs sont en avance, ce sont les lois qui résistent. Et quand les lois précèdent les mœurs, elles ne sont tout simplement pas appliquées! Deux siècles après la Déclaration des droits de l'homme, il faut encore lutter pour qu'elle s'applique à l'espèce humaine tout entière. C'est en partie, il faut bien le reconnaître, parce que Freud a fait perdre cent ans à la cause des femmes.

Le XIXe leur avait apporté beaucoup d'espoir, après l'échec de la Révolution française et la reprise en main par l'Empire. Elles publiaient des journaux politiques faits par et pour les femmes, organisaient des congrès, créaient en 1889 une Fédération internationale pour la revendication de leurs droits, à laquelle adhérèrent

6. Cf. *la Presse féminine* d'Évelyne Sullerot, collection Kiosque d'A. Colin.

onze pays d'Europe plus l'Amérique. Elles ne réclamaient même pas le droit de vote, qui paraissait encore une exigence exorbitante, mais seulement la révision du code, le droit au divorce (accordé par la Convention et supprimé par Napoléon), des salaires égaux et... la démolition de la prison Saint-Lazare où échouaient la plupart des filles de joie condamnées à expier le plaisir que les hommes avaient tiré d'elles, des hommes qui n'avaient même pas la reconnaissance du ventre.

Ces modestes efforts d'émancipation suffisaient à exaspérer la société bourgeoise, qui allait rencontrer un allié inattendu en la personne de Freud. Ses géniales découvertes sur l'inconscient et la symbolique sexuelle s'accompagnèrent en effet d'une vision parfaitement traditionnelle et réactionnaire de la femme qui combla les vœux de la société viennoise décadente qu'il soignait.

« Merci, mon Dieu, de m'avoir fait naître homme », dit la prière quotidienne des Juifs. Puritain de nature et judaïque de formation, Freud est toujours resté profondément convaincu que l'homme est le modèle idéal de l'humanité et qu'il n'existe qu'un seul organe sexuel valable : le phallus. En conséquence, il a pensé toute la psychanalyse au masculin, du complexe d'Œdipe au complexe de castration. Anna Freud, évoquant son enfance et l'admiration exclusive que la famille vouait à Sigmund, le fils aîné, raconte comment le piano pour lequel sa sœur et elle se passionnaient fut supprimé parce qu'il aurait pu gêner le garçon dans ses études. « L'instrument ayant disparu, tout espoir pour ses sœurs de devenir musiciennes était anéanti. » De petites remarques comme celle-là s'entrouvrent sur des abîmes d'injustice.

« Pour comprendre Freud, chaussez des testicules en guise de lunettes », disait un surréaliste à André Breton. Comment chausser les testicules qu'on ne possède pas? Tout le drame de la femme est là : Freud la regarde du haut de ses testicules, elle n'est pour lui qu'un homme castré et qui en a la douloureuse conscience. Même la maternité n'est pas un phénomène original, mais seulement un ersatz du pénis tant désiré. La femme se fait encore battre à son propre jeu, et l'enfantement, impressionnant privilège féminin, est lui aussi récupéré par le mâle.

Quant au besoin d'activité ressenti par certaines femmes, il n'est qu'un complexe de virilité, qu'une névrose destinée à compenser la « tragédie d'être née femme ». Il ne fait pas de doute aux yeux de Freud que lorsqu'une petite fille découvre son sexe, ou plutôt son absence de sexe, c'est pour elle une « catastrophe si terrible » qu'elle la hantera toute sa vie. C'est le désespoir de se découvrir défectueuse qui déterminera les deux aspects fondamentaux de son caractère : la jalousie et la pudeur, qui n'a d'autre but que de dissimuler son « insuffisance génitale ». (Parler d'insuffisance génitale à propos d'un être qui possède deux organes de plaisir sexuel, plus un appareil reproducteur, me paraît, soit dit en passant, d'une suffisance...)

Ici, deux explications étaient possibles : celle d'une infériorité historique et sociale de la femme, donc curable ; et celle d'une infériorité congénitale, donc sans appel. C'est la seconde que Freud a choisie.

La petite fille vient au monde « mal équipée », il ne lui reste qu'à s'y résigner. Sa féminité, c'est une non-masculinité!

« Freud est le père de la psychanalyse mais elle n'a pas eu de mère », comme l'a très justement fait remarquer Germaine Greer. Et Mélanie Klein, dans sa critique des théories de son maître, s'étonne d'une hypothèse qui postule qu' « une moitié de l'humanité aurait des raisons biologiques de se sentir désavantagée parce qu'elle n'a pas ce que l'autre moitié possède, sans que la réciproque soit vraie »!

Cette réciproque justement, Evelyne Sullerot s'est amusée à la mettre sous la plume d'une psychanalyste imaginaire, aussi gynocentriste que Freud était androcentriste : « Elle aurait fait remarquer que le petit garçon, extrêmement jeune, apprend confusément qu'il n'aura pas d'enfants. Ce sont les femmes qui ont les bébés. Lui ne sert à rien. Il compensera alors par l'activité, l'agressivité, la volonté de puissance, ce tourment d'être incomplet par rapport à la nature mère... » En poursuivant sur le thème du traumatisme de la non-maternité (et n'est-il pas plus vraisemblable que le traumatisme du non-pénis), on pourrait conclure, dit Evelyne Sullerot, « que toute l'activité masculine n'est qu'une énorme névrose collective ».

Cela tient debout et vous a une allure assez évidente. Hélas! c'est l'inverse qui fut enseigné aux psychanalystes et le succès fut d'autant plus vif que les théories freudiennes tombaient à pic pour rassurer une société inquiète des progrès féministes et qui cherchait l'occasion et des arguments pour reprendre l'offensive.

Pourtant, sur la fin de sa vie, Freud ressentit des doutes sur sa connaissance des femmes et de leur sexualité qu'il qualifiait de « continent noir ». Il avouait à Marie Bonaparte que l'équation virilité-activité et féminité-passivité n'avait plus de sens à ses yeux. Il écrivait à Jung : « Vous me prédisez qu'après moi mes erreurs risquent d'être adorées comme de saintes reliques... Au contraire, je crois que mes successeurs se hâteront de démolir tout ce qui n'est pas parfaitement étayé dans ce que je laisse derrière moi. »

Malheureusement, comme le craignait Jung, les disciples de Freud oublièrent ses doutes et ses aveux pour révérer ses hypothèses et ils se mirent à critiquer et à psychanalyser celles qui n'acceptaient pas le « rôle féminin normal, c'est-à-dire soumission, résignation et masochisme ». Parlant d'une de ses patientes, célibataire d'âge mûr, « qui s'était plongée dans un tourbillon d'activités afin de développer ses talents qui n'étaient pas minces », Freud donnait candidement à ses élèves cet exemple atroce : « Quand elle eut compris qu'il n'y avait pas de place pour les femmes dans le monde extérieur, elle commença à manifester des troubles divers dont l'analyse lui démontra l'origine et ce ne fut qu'après s'être résignée à une totale inaction qu'elle en eut fini avec tout cela. »

La passivité vaginale représentant la seule bonne libido, il fallait s'attendre à ce que le malheureux clitoris, considéré non comme un organe original, mais comme un phallus raté, fût encore une fois condamné. Dans le but d'interdire à la femme toute indépendance sexuelle, on en arrivait à ce raisonnement tordu qu'un organe spécifiquement féminin était qualifié de non féminin! (Toujours les Bambaras!)

On crut donc indispensable, Hélène Deutsch et Marie Bonaparte en tête, de « guérir les clitoridiennes ». On disait alors clitoridienne comme on dit diabétique et l'on employait le terme de nymphomane pour qualifier toute femme qui manifestait du goût pour le plaisir sexuel. L'essentiel n'étant pas d'atteindre au plaisir, peu souhaitable, mais de se soumettre passivement au désir masculin. Le résultat de cette excision psychique? Exactement le même que pour l'autre : la démolition de la sexualité féminine. On l'a souvent confondue avec la vertu.

Des générations d'épouses frigidifiées, négligeant ce qu'elles ressentaient pour croire ce qu'on leur disait, se réjouirent de n'éprouver aucun plaisir et étouffèrent chez leurs filles toute ébauche de sensualité, tout en créant chez leurs fils de dangereux phantasmes concernant la pureté maternelle qui assureraient plus tard le malheur de leurs jeunes épouses, qui se réjouiraient à leur tour de ne ressentir aucun plaisir et qui étoufferaient chez leurs filles... et ainsi de suite.

D'un acte instinctif et naturel que Dieu avait voulu plaisant (sauf pour sa pauvre mère, la Vierge Marie... à croire que Dieu lui-même avait été élevé par une mère freudienne), on avait réussi à faire le plus sinistre fleuron du mariage bourgeois : le devoir conjugal.

Pour achever de dégoûter les épouses vertueuses et pour enlever toute chance de plaisir aux épouses vicieuses, les directeurs de conscience assimilaient tout simplement le désir amoureux à la défécation.

Il faut lire dans *le Manuel secret des confesseurs*, réédité en 1968 par J. Martineau, ces conseils inimaginables.

« Considérez, ma très chère sœur, qu'un mari qui chérit sa femme ne peut garder la continence. Vous êtes tenue, sous peine de très grave péché, de lui ouvrir vos bras et de donner satisfaction à ses sens... Si, par exemple, vous vous trouviez prise d'un gros besoin et si, ayant exprimé à votre mari le désir de satisfaire aux nécessités de la nature, celui-ci vous engageait à remettre la chose au lendemain, vous vous diriez assurément que votre mari est un imprudent ou un imbécile et vous iriez déposer votre « merde » dans un lieu quelconque. La situation dans laquelle se trouve votre mari est tout à fait semblable. Si vous refusez de le recevoir, il ira répandre son sperme dans un autre vase que le vôtre et vous porterez le péché de son incontinence. »

Et d'une pierre trois coups : péché de se refuser à l'incontinence du mari, péché d'y trouver plaisir, la volupté étant, selon saint Jérôme, « le crime à ranger immédiatement après l'homicide », et péché encore si le mari, insatisfait, allait faire ses besoins dans un autre vase! Le chemin de la femme vertueuse était étroit.

Comme la France est la fille aînée de l'Église, on a pu dire que l'Amérique était la fille aînée de Freud. Car c'est aux États-Unis que la théorie freudienne transformée en mystique trouva son terrain d'élection, dans cette société puritaine des années trente, troublée par un ou deux siècles d'une histoire profondément originale où les femmes s'étaient battues aux côtés des pionniers pour construire avec eux le Nouveau

Monde. Elles avaient forcé leur estime, pris des habitudes d'indépendance et conquis l'égalité des droits. Et voilà que la paix venue, à partir de 1945 surtout, elles se voyaient renvoyées à leur foyer au nom d'une morale nouvelle qui ressuscitait tout simplement le vieux rôle féminin prôné par Freud. Phénomène pathétique qu'a décrit Betty Friedan dans *la Femme mystifiée.*

« La mystique de la vraie femme élevée au rang de religion scientifique fut la première pierre du mur protecteur qui allait rétrécir et borner l'avenir de la femme. Des jeunes filles qui avaient appris à l'université à jouer au base-ball, à s'initier à la géométrie, qui étaient devenues assez indépendantes et qualifiées pour prendre une part active aux préoccupations de l'ère atomique, s'entendirent conseiller par les plus grands esprits de notre temps de rentrer au foyer pour y mener la vie d'une Nora, réduite aux dimensions de la *Maison de poupée* de l'ère victorienne. »

Pourquoi le mouvement féministe américain, animé de tant d'énergie, tourna-t-il court soudain? Deux phénomènes peuvent expliquer ce coup de frein. D'abord l'incurable besoin masculin de suprématie qu'avaient masqué les temps héroïques de la naissance de la nation, où l'on avait besoin de tous les bras et d'autres chats à fouetter que ceux des femmes. Ensuite et surtout, un fait qu'analyse magistralement Betty Friedan : le monde des affaires étant devenu la force la plus puissante des États-Unis et 75 % du pouvoir d'achat étant détenu par les femmes, il importait dans l'intérêt du pays, donc de chacun, de développer chez elles le goût et les moyens d'acheter toujours plus. Toutes ces grandes

sociétés, toutes ces industries, que la fin de la guerre
privait de leurs sources de revenus, se trouvèrent dans
l'obligation impérieuse de créer de nouveaux besoins,
donc une nouvelle mentalité. Bien sûr, il n'y eut pas
à proprement parler de conspiration économique contre
les femmes. Personne n'eut le cynisme de reconnaître
que le rôle primordial que jouait l'épouse au foyer
consistait à acheter de plus en plus d'articles ménagers,
d'objets, de vêtements, de jouets pour ses enfants et que
sa disponibilité pouvait se calculer en dollars. Soyons
sûrs, d'ailleurs, que ce calcul fut effectué avec une grande
précision... mais on préféra s'abriter derrière de plus
nobles motifs et remettre en honneur le mythe de la
vraie femme qui allait trouver là une admirable occasion
de reprendre du service.

On persuada peu à peu les jeunes filles de canaliser
leurs énergies, leurs aspirations, leur culture vers le
métier de maîtresse de maison, but de toute femme
« normalement constituée ». Le terme de *career woman*
devint une injure. On affirma que ces femmes-là devenaient agressives, masculines et frigides, vieux arguments qui avaient déjà fait leurs preuves dans d'autres
pays... Il est clair que la femme médecin, chimiste
ou secrétaire de direction n'était pas passionnée par
la sortie d'une nouvelle lessive! On déconseilla donc
aux femmes de devenir médecins, chimistes ou secré-
taires de direction. Les nombreuses et coûteuses enquêtes
menées par les agences de marketing mettaient l'accent
sur la nécessité de valoriser le rôle de la ménagère
en faisant d'elle « non un simple manœuvre mais un
spécialiste hautement qualifié ». La meilleure façon

d'y parvenir, concluait une étude de marché en 1950,
c'est de « sortir sans cesse de nouveaux produits qui solli-
citent les facultés intellectuelles des ménagères en les
faisant participer aux découvertes scientifiques du
moment ».

Méthode qui laisse pantois! Mais elle porta sans doute
les fruits attendus puisqu'elle a franchi l'Océan. Je
doute cependant que les Françaises éprouvent le sentiment de participer à la recherche scientifique quand
elles achètent le nouveau détergent thermocalcaire
ou la crème gériatrique. Elles ont toujours eu moins
de sens civique que les Américaines...

Ce lavage de cerveau qui s'est étendu sur une tren-
taine d'années s'est effectué avec l'appui de philosophes,
de sociologues, d'éducateurs, de rédacteurs de magazines à grand tirage et de conseillers d'agences de publicité dont beaucoup étaient de bonne foi et dont un
certain nombre, décroissant d'ailleurs avec les années
et la réussite même de leur action, étaient des femmes.
Les résultats furent donc remarquables : en 1955,
quatorze millions d'Américaines étaient déjà fiancées
à dix-sept ans. Alors qu'on comptait 47 % de jeunes
filles dans les universités en 1920 (très en avance sur
les chiffres européens), il n'y en avait plus que 35 %
en 1958 et les trois quarts d'entre elles abandonnaient
leurs études soit pour se marier soit parce qu'elles
craignaient que trop de connaissances les empêchent
de trouver un mari. La natalité enregistrait un bond
spectaculaire, chaque mère élevant en moyenne cinq
enfants, deux fois plus que la moyenne européenne;
et vingt et un millions de femmes seules, célibataires,

veuves ou divorcées, ne se consacraient plus qu'à une
activité unique : une frénétique chasse à l'homme.

La pensée freudienne stipulant qu'il n'existait pas
de destin plus noble que celui d'épouse ou de mère,
la presse féminine et la télévision se mirent à évoquer
à longueur de colonnes et d'émissions ces « femmes
détraquées et trop viriles qui prétendaient devenir
poètes, physiciennes ou cadres d'administration. La
vraie femme n'avait pas besoin de faire des études
supérieures ou de voter... En un mot elle n'avait pas
besoin de cette émancipation et de ces droits pour
lesquels les féministes d'un autre âge s'étaient battues. »

Vers les années 50, les tenants de la mystique féminine
estimèrent avoir réussi. Même les étudiantes les plus
douées ne manifestaient plus d'autre aspiration que de
devenir des ménagères et des mères de famille. Plus
d'ambition, plus de grands projets, plus de passion en
dehors du désir effréné de ne plus être que Mrs. Jack X,
Mrs. John Y, la mère de Nancy ou de Ted. Une des
plus grandes universités féminines se vantait de ne plus
fournir des M. D. (docteurs en médecine) ou des Ph.D.
(docteurs en philosophie), mais des W.A.M. (wives and
mothers). La slogan fit fureur. Mrs. Lynn White,
directrice de l'université Mills, remplaça les cours de
chimie par des cours de cuisine : « Serait-il impossible
de présenter les cours de diététique de manière à les
rendre aussi exaltants et complexes dans leur application
qu'un cours de philosophie post-kantienne? » écrit
cette dame dans *Eduquons nos filles*. « Ne parlons plus
de protéines, d'hydrates de carbone ou autres compo-
sants chimiques sinon pour montrer par exemple que

les choux de Bruxelles très cuits à l'anglaise ne sont pas seulement inférieurs en saveur et en consistance mais aussi en teneur vitaminée. »

Jamais on n'avait été plus loin dans le conditionnement scientifique d'une catégorie d'êtres humains à une fonction déterminée par l'autre.

Une des bibles américaines, le manuel de Lundberg et Farnham *(la Femme moderne, le Sexe perdu)*, mettait clairement les choses au point : « Dans l'intérêt public, les fantaisies désordonnées de la femme qui souffre d'un complexe de masculinité et qui veut faire carrière, doivent être combattues. Quant aux célibataires de plus de trente ans — à moins d'une carence physiologique reconnue — elles doivent être encouragées à se faire psychanalyser. »

Le nombre impressionnant de cabinets de psychanalyse qui s'ouvrirent pendant ces années-là aurait dû inquiéter l'opinion. Mais avec cette monstrueuse bonne volonté des Américaines, les mères continuèrent avec acharnement à modeler leurs petites filles selon le schéma indiqué et à leur imposer comme une prothèse un rôle féminin qui les polarisait uniquement sur la recherche des faveurs masculines. Le physique devint une obsession entretenue à l'école par une concurrence effrénée, minutieusement orchestrée... Concours de teint, de nez, de sex-appeal, d'assurance, de « bonne personnalité » jalonnaient l'année scolaire et les réussites étaient notées au même titre qu'un devoir de maths ou de littérature. Aucun pays n'a compté autant de reines; reine du Gaz, de l'Essence, du Charbon, du Maïs, des Artichauts, de la Quincaillerie, du Camping, du Papier [7]. Une réussite à éviter : le succès scolaire. Les bonnes élèves n'étaient que *second best*, car les dons intellectuels représentent pour les filles un handicap. Margaret Mead dans ses *Mémoires* a raconté l'ostracisme dont elle fut victime parce qu'elle entrait à l'université pour y travailler sérieusement l'ethnologie.

L'institution féminine la plus célèbre outre-Atlantique, celle des Majorettes — qui ont fait en France une apparition réconfortante de maladresse —, marque le triomphe de cette hyperféminité artificielle, basée sur une stricte discipline et de dures études dans des écoles spécialisées *(sic)* où elles apprennent leur métier d'objets sexuels désexualisés.

Pendant une quinzaine d'années encore, le système sembla fonctionner et rien ne transparut au-dehors. L'image type de la femme américaine d'après-guerre, belle, saine. suffisamment cultivée, habitant une confortable maison de la banlieue résidentielle, bien défendue par les lois et libérée des plus ennuyeuses corvées domestiques par le meilleur équipement ménager du monde, représentait une réussite enviable pour bien des femmes. Quand on découvrit dans quelle douloureuse insatisfaction avaient sombré toutes ces « petites fiancées » qui s'étaient si docilement coulées dans le moule freudien « adorables choses dans leur jeunesse, épouses respectées dans l'âge mûr », quand on s'aperçut que c'était la réussite même de ce type de famille qui précipitait sur les divans des psychanalystes tant de millions d'hommes et de femmes, quand l'épouse américaine

7. Ingrid Carlander, *les Américaines*, Grasset 1973.

fut devenue le prototype de la maîtresse castratrice et de la « Mom » abusive, quand à l'origine de tous les cas d'enfants caractériels, dans tous les dossiers d'adultes névrosés, psychopathes, alcooliques, homosexuels ou impuissants, on eut retrouvé une femme ou une mère frigide, aigrie ou exigeante, c'est-à-dire toujours malheureuse, quand enfin la haine se mit à suinter de tant d'écrits masculins, l'Amérique commença à douter de sa recette de bonheur. Il fallut alors se poser la question fondamentale : la « vraie femme » représentait-elle, comme on l'avait affirmé, la vérité de la nature féminine ? Quelque chose devait clocher quelque part.

Au début, ces insatisfactions parurent incompréhensibles, voire répréhensibles. Les femmes américaines ne possédaient-elles pas tout ce qu'une femme peut désirer ? Alors un déluge de conseils, de trucs, de propositions déferla sur ces épouses qui se sentaient prises au piège : 58 manières de stimuler votre vie conjugale... Fermons les universités aux jeunes filles, le chemin qui va des mathématiques au réfrigérateur, de Sophocle à Spock est trop malaisé... On alla même jusqu'à préconiser un épanouissement sexuel plus varié... l'ampleur du malaise appelait des solutions osées. On prôna les échanges de partenaires, les amours de groupe. Car pour ces femmes séquestrées dans la féminité, seul le domaine sexuel restait accessible. D'où cette fringale des femmes américaines si souvent évoquée et dont la contrepartie fut cet ennui sexuel chez tant d'hommes américains, qui s'est peu à peu mué en hostilité ou en fuite.

Mais pas plus que la cuisine ou l'éducation des enfants, le sexe ne parvenait à tenir lieu de personnalité. Considérer l'homme comme un fournisseur d'orgasmes n'aboutissait qu'à transformer la sexualité elle aussi en une déprimante activité ménagère.

Il fallait aller plus loin car tout le mythe de la féminité semblait bâti sur une idée fausse. Mais il faudra attendre Karen Horney et Clara Thompson en psychanalyse, Hélène Michel-Wolfromm en gynécologie psychosomatique et Masters et Johnson pour les mœurs, pour que les femmes commencent à sortir de cette impasse. Avec Maslow, Rogers, Bettelheim, Tillich et bien d'autres, ils proposèrent une nouvelle conception de l'être humain « normal », mettant l'accent sur cette aspiration qui n'est pas liée à un sexe en particulier, mais au tréfonds de l'être : s'accomplir...

« Les facultés, écrivait Maslow, exigent de servir et ne cessent d'exiger que lorsqu'elles ont été largement employées. »

On émit l'hypothèse que cette idée valait pour tous les hommes, y compris les femmes. Celle qui attend un homme pour commencer à vivre et la maternité pour trouver un sens à son existence, celle à qui l'on a dénié tout autre besoin que l'amour ou la satisfaction sexuelle, qui ne se projette jamais à l'extérieur, au nom de sa féminité, celle-là risque de perdre le sens de son identité et de sombrer dans la résignation ou le ressentiment « qui exploseront un jour, car l'histoire ne cesse de proclamer que tôt ou tard le besoin de liberté de l'homme doit déboucher au grand jour [8] ».

8. May, *l'Existence — Une nouvelle dimension en psychiatrie et en psychologie.*

« La vie non vécue, avait écrit Jung d'une manière prémonitoire pour ces femmes-là, est une puissance irrésistible de destruction qui agit en silence mais sans pitié! »

L'évolution des esprits fut particulièrement frappante dans le célèbre *Rapport Kinsey* qui marqua le grand tournant dans la connaissance de la femme.

Le premier *Rapport Kinsey* établissait que la frustration sexuelle des femmes était en relation directe avec leur niveau d'instruction. Plus on poursuivait d'études, moins on jouissait. C'étaient les « femmes noires analphabètes qui atteignaient l'orgasme presque à 100 % ». On retrouve là la vieille théorie des animistes Balubas, des chrétiens misogynes, des bourgeois égoïstes, des disciples de Freud, disons pour simplifier la vieille théorie masculine qui avait si longtemps servi à faire peur aux femmes.

Dix ans plus tard, tout est changé, sans doute sous l'influence des mouvements féministes, sous celle des psychologues qui commençaient à se dégager de l'évangile freudien et de tous ces livres de femmes qui osaient enfin crier leur vérité. Le deuxième *Rapport Kinsey* contredit totalement les conclusions du premier : « Nous nous sommes aperçus que chez les femmes qui atteignaient l'orgasme dans les cinq premières années, celles qui avaient une instruction supérieure étaient de loin les plus nombreuses... A partir d'éléments incomplets, nous avions conclu que les femmes peu instruites accédaient en général très facilement au plaisir. Ces conclusions doivent maintenant être rectifiées. »

Autre découverte scandaleuse et tout à fait contraire

au dogme : Plus le caractère dominateur de la femme est accentué, plus ses talents et ses facultés ont trouvé à s'employer, et plus elle est à même d'apprécier les rapports sexuels, mieux elle peut s'abandonner à l'amour, moins elle se montre égocentrique et narcissique.

En somme, plus la femme s'élève et plus les rapports sexuels s'enrichissent et deviennent des rapports humains. Le professeur Maslow allait plus loin encore : « Les plaisirs sexuels offrent le maximum d'intensité et de profondeur chez les gens qui se réalisent, et cependant le sexe et même l'amour ne sont pas la principale motivation de ces existences-là. »

Finalement, la frigidité ou les problèmes sexuels des femmes n'étaient qu'un sous-produit de la méconnaissance d'un besoin aussi fondamental que l'amour : le besoin de s'accomplir. Quelle stupéfaction d'entendre ce langage pour des femmes que l'on avait encouragées à tout miser sur le foyer et l'amour! Quel soulagement d'apprendre qu'il n'était plus nécessaire d'être idiote pour être heureuse et pour rendre un homme heureux; que l'intelligence était une qualité, même en amour; que l'épanouissement personnel n'était pas un obstacle, au contraire, à l'épanouissement sexuel. Cette vérité toute neuve et pourtant vieille comme le monde, c'était enfin la lumière au bout du tunnel, qui marquait peut-être l'aube de la dernière étape dans la longue marche des femmes américaines pour conquérir, avec le plus entêté des optimismes, l'optimisme américain, cet autre produit typiquement américain : le bonheur garanti sur facture.

En face de cette implacable organisation, les choses en France semblaient se passer en douceur, dans un plaisant désordre. Pas d'univers parallèles, pas de domaines réservés, ou si gentiment, simplement le carcan de lois révoltantes mais peu ou mal appliquées, et le poids d'une galanterie bien latine, d'un déluge de petites attentions, de compliments dérisoires, d'indulgence ravie devant nos faiblesses, qui servaient à masquer le fait que partout nous étions coincées : hors du mariage, les femmes sont mal défendues, on le sait. Mais dans le mariage, élever des enfants ne constitue pas non plus une profession reconnue puisqu'une mère de famille, même nombreuse, n'a droit en tant que telle ni à la Sécurité sociale, ni à une retraite de travailleur. Par ailleurs, les maîtresses femmes ou les insoumises sont peu appréciées. Le seul emploi public bien toléré est celui de muses. Au point que pour éviter de rendre hommage à leur originalité ou à leur indépendance d'esprit, un récent numéro spécial du *Crapouillot* (100 000 exemplaires) sur les femmes célèbres du XXe siècle s'intitulait précisément *les Égéries* et mettait dans le même sac Magda Fontanges et Simone de Beauvoir, Louise Weiss et Arlette Stavisky, Elsa Triolet et la vicomtesse de Ribes!

Louise Weiss est un « bas-bleu en mal de voyage, bâtie en force, la poitrine agressive, le verbe insolent, une vraie sans-culotte... », jugement délirant pour qui connaît un tant soit peu la vie édifiante et l'œuvre d'une des premières agrégées de France. Mais a-t-on le droit d'être agrégée quand on mesure 95 de tour de poitrine? Il semble que ce soit toujours un handicap.

De Jacqueline Thome-Patenôtre, député maire, tout ce qu'on trouve à dire c'est qu'elle est jolie, mais que ses jambes, en revanche... « Les jambes? Ça s'écarte » aurait répondu Moro-Giafferi. Exit Jacqueline et ses trente ans de carrière.

Quant à la « Grande Sartreuse », comme de coutume on s'acharne sur elle avec une délectation vicieuse : le célèbre Paul Champsanglard (!) qui intitule son étude *Une vendeuse de magasin sans humour,* se contente des ragots d'un amant indélicat (Nelson Algren) pour juger « Madame Blabla » sur le seul plan de ses performances sexuelles, présumées lamentables.

Madame Steinheil, elle, fut atteinte d'une « boulimie utérine aiguë »; Geneviève Tabouis aurait pu être charmante « si elle ne se fût déversée dans la politique », et Françoise Giroud n'a d'autre existence que celle des hommes qu'elle a connus : « On la retrouve dans l'entourage de Mendès, dans le voisinage de Mitterrand, dans les papiers de Mauriac, derrière la caméra de Jean Renoir, en avion avec Saint-Exupéry et dans la bibliothèque d'André Gide. Elle se définit en conclusion comme le Chou En-lai de Mao Servan-Schreiber. »

Il était instructif de consacrer quelques lignes à ce magazine qui se prétend non conformiste alors qu'il ose encore enfourcher en 1973 les vieux chevaux de bataille fourbus de la misogynie la plus grossière. Il prouve que ces chevaux courent toujours et qu'ils courront tant que trop d'hommes continueront à préférer les personnes du sexe désarmées, puériles, maladroites, gentiment débiles, ne sachant pas réparer un pneu, pleurant pour un rien et ne comprenant pas grand-chose aux chiffres et à la politique... « Douce, admirablement sotte et toujours plus convoitée à mesure que plus sotte », écrivait Montherlant qu'ont lu et admiré tant d'Andrée Hacquebaut, tant de « jeunes filles » de ma génération, dont j'étais, bien sûr, avec une humilité masochiste.

Une bonne partie de la presse se délecte encore visiblement à entretenir cette piètre image : solution de facilité qui fournit bon an mal an aux journalistes un contingent d'articles bien parisiens et de plaisanteries éculées. On crée même encore des journaux pour remuer cette vieille soupe-là dans des marmites pimpantes dues aux meilleurs designers pour faire croire à la nouveauté du contenu. Lisant le n° 1 d'un magazine dit féminin qui a récemment cru utile de se créer en France sur le modèle d'un journal américain, j'y ai retrouvé les ingrédients cent fois remâchés que l'on s'attend — à la rigueur — à trouver dans un journal humoristique masculin, mais qui devraient nous écœurer quand ils prétendent s'adresser à nous. Parmi des articles sur l'inépuisable ruse des épouses quand il s'agit de tromper leurs maris ou sur l'humilité qu'il faut savoir déployer quand on gagne plus d'argent que son conjoint, afin de ne pas blesser sa virilité, toutes choses qui ne font pas évoluer la situation, une éditorialiste proposait à un mari pour la mille et unième fois « 50 trucs pour plaire à sa femme » :

1° Dites-lui qu'elle a maigri.

2° Passez toute une soirée à examiner sa garde-robe en lui disant ce que vous aimez et, avec beaucoup de tact, ce que vous aimez moins. *(Beaucoup de tact parce*

que les femmes, comme les singes et les nègres, sont très
susceptibles!)

3º Laissez-la gagner au gin.

4º Laissez-vous surprendre en train de relire ses vieilles lettres d'amour...

Je vous épargne les 46 autres trucs nauséeux proposés
à un homme, qui ne peut être qu'un médiocre s'il les
emploie, pour séduire une femme qui ne peut être qu'une
débile si elle marche.

Ces manigances qui se font passer pour des échanges
normaux et adultes entretiennent chez la femme une
coquetterie bêlante et chez l'homme un paternalisme
guilleret qui les empêcheront toujours l'un et l'autre de
déboucher sur le vrai rapport, passionnant et dangereux,
du couple. Sans fierté de soi-même et sans respect de
l'autre, il n'y a pas de couple. Et la fierté de l'un ne se
construit pas sur l'abaissement de l'autre. Cette sinistre
habitude de pensée a été la plus grande cause des mal-
heurs que les hommes et les femmes ont trouvés à vivre
ensemble. C'est plus qu'une faute : c'est un mauvais
calcul. Mais la vanité d'une part, une peur ancestrale
et obscure de la féminité d'autre part, ont conduit
l'homme à vouloir une femme faible et insipide plutôt
qu'égale et excitante, malgré les déprimants résultats
de ce genre d'alliance. Hervé Bazin l'a démontré dans
le Matrimoine, le roman le plus lucide qui ait été écrit
sur le mariage traditionnel.

Pendant combien d'années encore les mâles feront-ils
passer leur sécurité conjugale et ce qu'ils appellent si
bêtement leur honneur viril — comme si l'honneur pouvait avoir un sexe — avant la belle inquiétude d'une

liberté partagée? Pendant combien d'années encore se
croiront-ils obligés de bâtir leur personnalité sur l'écra-
sement d'une autre personnalité et seront-ils longtemps
encore atteints de cette infirmité d'esprit qui mutile
aussi le cœur?

« Ma mère? C'était une sainte! » disait récemment
l'ex-président Nixon lors d'une interview. Cette phrase,
combien de milliers de fils l'ont prononcée sans remords
à travers les âges, à commencer par Jésus? Plus lucides
ou plus compatissants, quelques-uns précisent : ma
pauvre mère.

CHAPITRE VI

NI CALENDRIER NI HARMONICA

> « Nous pouvons affirmer en toute certitude
> que la connaissance que les hommes peuvent
> acquérir des femmes, de ce qu'elles sont, sans
> parler de ce qu'elles pourraient être, est
> déplorablement limitée et superficielle et le
> restera tant que les femmes n'auront pas
> dit tout ce qu'elles ont à dire. »
>
> JOHN STUART MILL.

« Il écarta la vulve... ce n'était qu'un trou béant où il n'y avait ni calendrier ni harmonica. »

Description par un homme de l'organe sexuel féminin.

« Si fier, murmura-t-elle inquiète, et si seigneurial! Mais au fond si beau... et dur et présomptueux comme une tour... Le poids étrange de ses couilles entre ses jambes! Quel mystère! Quel poids étrange, lourd de mystère... les racines, la racine de tout ce qui est beau, la racine primitive de toute beauté complète. »

Description par un homme de l'organe sexuel masculin.

Cher Lawrence! Grand prêtre de la religion du phallus et obligé de se faire le propre prophète de son pénis [1].

Cher Miller que sa misogynie égare, il ne croyait pas si mal dire! Le sexe féminin précisément possède un calendrier et un harmonica auxquels le pénis, si présomptueux et si mystérieux soit-il, ne saurait prétendre. Un calendrier lunaire qui règle le temps au rythme de l'univers et un harmonica, le clitoris, organe de luxe non voué à la procréation, capable de jouer seul sa partition ou bien d'induire au plaisir, par sa mélodie, ce violonsexe qu'est le corps féminin. Cette variété des zones érogènes, pour employer le langage des sexologues, cette richesse d'expériences que comporte une vie de femme pleinement vécue, y compris la grossesse, l'accouchement et l'amour maternel qui est, au début du moins, un phénomène quasi sexuel, auraient dû convaincre les femmes qu'elles n'étaient pas, comme Freud l'a prétendu après tant d'autres, « une image dégradée de l'homme ». Ce sont les hommes qui auraient dû l'envier. Mais quand on tient par la force le pouvoir, on ne le partage jamais. Faute de pouvoir supprimer ces richesses — mais non pas faute d'avoir essayé —, il ne restait qu'une solution logique : discréditer les fonctions féminines, en faire des phénomènes imposés par la nature, des fatalités biologiques à supporter ou à apprécier en silence. Et les femmes, prises dans la toile d'araignée des foyers, des lois et des tabous, souvent épuisées pendant les meilleures années de leur vie par une fécondité qui

1. Subtil écrivain, c'est Lady Chatterley qu'il charge de prononcer ce panégyrique de 300 pages sur le pénis d'Olivier Mellors, garde-chasse.

était dans ces sociétés une condition de survie, ont fini par vivre leur destin comme malédiction, souillure et douleur.

Comment a pu s'opérer cette escroquerie, dira-t-on? Eh bien il suffisait de commencer... par le commencement. Ayant pris la précaution d'écrire eux-mêmes la Genèse, les Évangiles, l'Ancien et le Nouveau Testament, les fondateurs (tous mâles) de notre religion judéo-chrétienne purent faire remonter l'indignité de la femme à la première femme.

— Pas de chance, Ève... dès le début, vous voyez...

Pour se débarrasser par la même occasion de cet ennuyeux pouvoir créateur de la femme, ils eurent l'aplomb, contrairement aux données évidentes de l'expérience, de faire naître Ève d'une côte d'Adam.

— Pas de chance, Ève... mais Adam était là avant vous, mon témoignage est formel...

Ayant ainsi fait de la femme un « être occasionnel et accidentel » (saint Thomas d'Aquin) il ne restait qu'à humilier intellectuellement cette créature qui parfois manifestait des velléités incongrues de ressembler à son maître. Ne pouvant décemment rééditer l'affaire d'Ève et faire naître Jésus d'une côte de saint Joseph, les temps mythologiques étant révolus, on fit en sorte du moins que la mère de Dieu fût un modèle impossible pour toutes les autres femmes, une sorte de reproche vivant. On en fit un monstre physiologique, la seule qui ait pu raconter qu'elle était enceinte par l'opération du Saint-Esprit et s'en trouver sanctifiée. Échappant au destin féminin, reniée dans sa chair — les théologiens n'eurent de cesse d'établir (!) que lors de la naissance du Christ « le sein

de la Vierge était resté fermé [2] » — elle pouvait alors
seulement racheter la tare d'être née femme. Mais pour
toutes les autres demeuraient la tache, le péché, la
conception maculée.

C'était le coup imparable. « Pour la première fois
dans l'histoire de l'humanité, la mère s'agenouille
devant le fils et reconnaît librement son infériorité.
C'est la suprême victoire masculine qui se consomme
dans le culte de Marie. » (Simone de Beauvoir.)

Jésus possédait un sexe d'homme et il n'est pas exclu
qu'il en ait fait usage. Cela ne change rien à sa divinité.
Mais le sexe de Marie, voué aux œuvres célestes, dut
renoncer à ses fonctions sur les instructions d'un ange
qui jugea inopportun de lui faire connaître les plaisirs
de l'amour. Zeus, lui, accompagnait ses visitations de
plaisirs inoubliables tout en prenant le temps au passage de procréer un ou deux demi-dieux. Autres temps,
autres mœurs !

Cette malédiction religieuse n'est pas d'ailleurs le
fait de Jésus, qui atténua la dureté de la loi hébraïque.
On la doit à ce misogyne névrotique que fut saint Paul [3]
et aux phobies non moins obsessionnelles d'un saint
Augustin ou d'un Tertullien dont il faut rappeler

---

2. Ce qui fut obtenu au VIᵉ siècle par le concile d'Ephèse dans
l'Église orientale et celui de Latran en Occident et permit d'affirmer que Jésus n'avait pas transité par l'inacceptable vagin.
Conçu par l'opération du Saint-Esprit, il était né de même.

3. Émile Gillabert, dans *Saint Paul, le colosse aux pieds d'argile*
(Ed. Metanoia) démontre comment Paul de Tarse, qui n'avait
pas connu Jésus, faussa son enseignement dans le sens d'une aver-
sion phobique de la chair, identifiée au mal, et d'une religion
exclusive du Père.

l'apostrophe haineuse bien connue : « Femme, tu es la porte du Diable... C'est à cause de toi que le Fils de Dieu a dû mourir. Tu devrais toujours t'en aller vêtue de deuil et de haillons. »

Forte de toutes ces condamnations, l'Église a exclu les femmes de toute fonction religieuse, ostracisme qui, des siècles plus tard, ne s'efface qu'à regret. Les lieux du culte se sont ouverts aux femmes menstruées, les conciles s'entrouvrent à quelques pisseuses subalternes admises comme auditrices, mais ne pouvant prendre la parole ; mais sait-on que c'est en 1970 seulement qu'un chœur féminin fut autorisé à chanter pour la première fois à Saint-Pierre de Rome ?

Cette mise à l'index qui puisait sa source à de si hautes références encouragea la société tout entière à perpétuer un état de soumission féminine qui servait si bien les intérêts des chefs de famille, des chefs d'entreprise, des privilégiés et des hommes en général. Ce cheptel docile, travailleur, procréateur et dont les revendications se bornaient aux piailleries de quelques mégères, contribuait à l'équilibre et à la prospérité de l'ensemble. L'essentiel, c'était que les femmes se maintiennent à leur place, cette fameuse place fixée d'avance par le règlement, comme les sièges nº 1 et 2 réservés aux mutilés dans le métro.

Tout le monde allait s'y employer avec zèle, jusqu'aux savants qui firent dire à la science des choses à peine croyables. Un naturaliste comme Linné pouvait écrire il y a seulement deux siècles en tête de son *Histoire naturelle* : « Je n'entreprendrai pas ici la description des organes féminins car ils sont abominables. »

Elle règne toujours, cette sainte terreur des organes féminins que le psychiatre William Lederer explique d'une manière si glaçante (et si complaisante aussi) dans son livre *la Peur des femmes* [4]; sainte terreur qui s'est muée dans notre civilisation chrétienne en une sainte horreur. Depuis le jour où la petite fille devient l' « enfant blessée, douze fois impure » dont parle Vigny, jusqu'au jour où la ménopause fait d'elle un être sans sexe avouable, tout est vécu pour elle comme une humiliation, une honte à cacher ou une frustration. Le précepte de Mahomet : *La menstruation est un mal, tenez-vous à l'écart des femmes jusqu'à ce qu'elles redeviennent pures*, est l'exacte réplique de celui du Lévitique : *La femme qui aura un flux de sang en sa chair restera sept jours dans son impureté et quiconque la touchera sera impur jusqu'au soir* et répond à l'obligation en Inde de ne toucher ni l'eau ni la nourriture des siens pendant ces « journées maudites ». Mille traces en subsistent, ne serait-ce que le mot anglais qui désigne les règles : *the curse*, la malédiction. Des croyances dignes des mentalités tribales se perpétuent. Il y a exactement mille neuf cents ans, Pline écrivait dans son *Histoire naturelle* en 37 volumes : « La femme menstruée gâte les moissons (bigre, quel pouvoir), dévaste les jardins, tue les germes, fait tomber les fruits, tue les abeilles et fait aigrir le lait si elle le touche. »

Près de deux mille ans plus tard, la médecine n'avait pas évolué en ce qui concerne ce sujet puisqu'en 1878 le *British Medical Journal* affirmait que « la viande se

4. *Gynophobia*, édité chez Payot.

corrompt quand elle est touchée par des femmes ayant leurs règles ». Suivaient les cas de deux jambons gâtés de cette façon. Et les mayonnaises qui ratent, les fleurs posées sur la table d'un directeur par une secrétaire menstruée et qui se fanent aussitôt (exemple très sérieusement cité) et bien d'autres superstitions...

Une seule voix à ma connaissance a eu l'indépendance et l'audace de parler avec douceur de ce sang « menstruel » — ce mot affreux qui confère un air de maladie à la chose —, celle d'Annie Leclerc [5] dans un livre troublant et qui va bien au-delà des revendications féministes habituelles, ou plutôt bien à côté. Modelée comme tout le monde par dix ou vingt siècles de misogynie bien digérée, j'ai lu avec un certain recul, un dégoût parfois, les lignes qui suivent : « Vivre est heureux. Voir, entendre, toucher, boire, manger, uriner, déféquer, se plonger dans l'eau et regarder le ciel, rire et pleurer, parler à ceux qu'on aime, voir, entendre, toucher, boire ceux qu'on aime et mêler son corps à leur corps est heureux.

« Vivre est heureux. Voir et sentir le sang tendre et chaud qui coule de soi, qui coule de source, une fois par mois, est heureux. Être ce vagin, œil ouvert dans les fermentations nocturnes de la vie, oreille tendue aux pulsations, aux vibrations du magma originaire, main liée et main déliée, bouche amoureuse de la chair de l'autre. Être ce vagin est heureux.

« Vivre est heureux. Être enceinte, être citadelle, hautement et rondement close sur la vie qui pousse et se dilate au-dedans, est heureux.

5. *Parole de femme*, chez Grasset 1974.

« Mais accoucher, c'est vivre aussi intensément qu'il est possible de vivre... expérience nue, entière de la vie. Accoucher est plus que tout heureux.

« Vivre est heureux. L'avons-nous jamais su ? Le saurons-nous jamais ? »

Et puis, sous mille couches de honte de mon corps, d'acceptation des répulsions masculines, de résignation à ce que je croyais mes infirmités, et de silence surtout, car il faut bien trouver le moyen d'être malgré tout une femme heureuse, j'ai soudain ressenti une douceur et un orgueil de moi-même.

« Vous avez même dégradé ce que l'homme vous accordait dans un mouvement de répulsion-fascination, poursuit Annie Leclerc dont je voudrais citer tout le livre, l'horreur de votre sang menstruel, la malédiction acharnée pesant sur votre gésine, l'écœurante nausée au spectacle de votre lait. »

C'est vrai, nous en avons fait des choses à vivre en cachette, comme des maladies.

Paroles de femme, enfin.

De tout ce qui fut tenté pour déprécier la fonction féminine, c'est l'histoire de l'enfantement qui constitue la plus triste et la plus scandaleuse illustration. La moins connue aussi. Non qu'elle ne soit pas CONNUE, au sens propre du terme. Mais elle est négligée, mise au rang des fatalités. C'est comme ça... C'est la vie... C'est le sort des femmes... Toutes phrases qui scellent irrémédiablement notre défaite.

Tout date du jour où l'homme découvrit son rôle dans la procréation, ce qui bouleversa le rapport des sexes et provoqua une mutation dans des sociétés souvent matriarcales jusque-là. Possédant déjà la force physique, indispensable pour survivre en ces temps anciens, les hommes s'emparèrent alors du pouvoir de procréer. « La mère, dit Eschyle, ne saurait donner la vie. Elle n'est qu'un vase où le germe vivant du père se développe... C'est au père que sont dus le respect et l'amour des enfants. Qui tue sa mère n'est pas parricide. »

Effaçant des siècles de jalousie pour ce mystérieux pouvoir féminin, les mâles allaient pouvoir fonder, sur une erreur biologique, des sociétés où les femmes ne pourraient plus jamais revendiquer la première place. Cependant, le goût des plaisirs et les mœurs démocratiques maintinrent en Grèce et à Rome un respect certain à l'égard des femmes. Après le naufrage de la civilisation gréco-romaine, le statut de la femme, sa vie quotidienne furent bouleversés. L'accouchement en particulier était entièrement passé, dans le monde chrétien comme dans le monde arabe, entre les mains des femmes. Nul homme, même médecin, ne devait être présent à l'heure d'une naissance. Contrairement à ce qui s'était passé dans l'Antiquité, on n'exigeait plus aucune connaissance particulière des sages-femmes qui allaient être pendant des siècles les seules à assister les parturientes. Au point que les découvertes de l'ancienne médecine, telles que la « conversion par le pied », qui permettait de faire naître normalement les enfants qui se présentaient par le siège (15 % environ) au lieu de les découper en morceaux pour les extraire du ventre maternel, furent OUBLIÉES. On comprend mal comment cette conversion, découverte par l'école d'Alexandrie sous les Ptolémée et pratiquée sans problème dans le monde antique, a pu tomber dans l'oubli pendant un millénaire et demi, si on ne se rapporte pas au grand courant chrétien et islamique de misogynie. Sous l'influence globale de ce mépris du corps et de l'âme de la femme, « l' obstétrique se dégrada au rang d'un artisanat ignoble [6] ». Les sages-femmes n'étaient tenues à aucun code professionnel et allaient de maison en maison avec un vieux fauteuil d'accouchement et un crochet de rétameur à la ceinture. Personne n'a jamais raconté les supplices sanglants qu'ont affrontés les femmes, le plus souvent 10, 12 ou 20 fois dans leur existence et cela pendant tant de siècles, se transmettant leurs terreurs de mère en fille.

Même les naissances sans complications étaient des épreuves redoutables par suite des tabous concernant une des « vertus naturelles » de la femme, la pudeur, qui obligeait les matrones à travailler à l'aveuglette sous les jupes de la parturiente, ainsi qu'on peut le voir sur les terrifiantes gravures de l'époque. Leurs mains restant presque à demeure pour écarter le col de l'utérus, les déchirures du périnée étaient tenues pour normales et personne ne savait les recoudre, alors qu'en chirurgie « normale », les sutures étaient chose courante. Les fistules internes et les infections chroniques constituaient les « suites habituelles » des naissances.

Si l'accouchement se prolongeait trop, la seule solu-

6. *A la recherche du grand secret ou les labyrinthes de la médecine.* Dr H. S. Glasscheib, traduit de l'allemand, la Table Ronde.

tion était ce qu'on appelait le « morcellement », opération affreuse qui exigeait de l'adresse et une grande robustesse. L'enfant était débité à l'intérieur de l'utérus et extrait en pièces détachées à l'aide de divers crochets. Est-il besoin de dire que l'anesthésie n'existait pas? Et que, lorsqu'elle fut découverte par un dentiste du nom d'Horace Wells, en 1844, on ne jugea pas souhaitable de l'appliquer aux parturientes? On se souvient du scandale que souleva la reine Victoria en demandant quelques bouffées de chloroforme lors d'un de ses nombreux accouchements.

Pour comble d'infortune, l'Église aggrava encore les risques de l'accouchement par un règlement de fer : elle imposa de ne considérer la femme enceinte que comme la dépositaire d'une nouvelle vie, plus importante que celle de la mère. En conséquence, au lieu de morceler le fœtus pour délivrer la mère, ce qui le privait du baptême, elle exigea qu'on ouvrît l'utérus pour en extraire l'enfant vivant. Les conciles et les synodes rappelaient sans cesse cette prescription bien qu'elle fût l'équivalent d'un arrêt de mort pour la mère, étant donné l'incapacité totale des sages-femmes à exécuter une césarienne. Elles attendaient l'agonie de la mère pour l'entreprendre. Aucune femme n'a survécu pour décrire cette torture, cet assassinat légal perpétré avec la bénédiction de l'Église.

Pour les médecins grecs, l'avortement était licite quand la *santé* ou la *vie* de la mère étaient en danger. Maintenant, il relevait de la damnation perpétuelle. Et en 1974 encore, une bonne part du corps médical était en recul sur l'humanisme grec puisque les femmes

étaient autorisées à préserver leur vie, mais non leur
santé.

Les fameuses Écoles de médecine du Moyen Age,
à Paris, à Padoue ou à Montpellier, ne faisaient même
pas allusion à l'obstétrique, « domaine interdit par
les bonnes mœurs, la religion et le respect humain ».
Le terme « respect humain », que pouvait-il évoquer
pour les hommes qui osèrent s'en prévaloir ? Cet interdit
était si puissant qu'en 1521 un médecin de Hambourg
sera brûlé — comme une sorcière — pour avoir osé
diriger une naissance difficile déguisé en sage-femme.

C'est la Renaissance qui délivra les hommes et les
femmes du joug de la pensée du Moyen Age. Alors
Ambroise Paré put impunément effectuer les premières
recherches anatomiques sur les femmes et c'est vers
1550 qu'il redécouvrit à l'Hôtel-Dieu la fameuse conversion par le pied. C'est en 1500 qu'un castreur de porcs
suisse, Jacob Nufer, tenta et réussit la première césarienne sur une femme bien vivante, la sienne, que les
sages-femmes se déclaraient impuissantes à délivrer.
L'opération fut si adroite que l'enfant fut extrait sans
dommage. Nufer ne sut pas recoudre la matrice et se
contenta de suturer la plaie du ventre, mais l'accouchée
survécut et mit au monde, normalement, quatre autres
enfants ! Cependant l'opération, atrocement douloureuse, tomba en discrédit.

Assez curieusement, c'est aux goûts peu banals de
Louis XIV que nous devons la véritable révolution
dans l'accouchement. C'est parce qu'il éprouvait le
désir d'assister aux accouchements de ses maîtresses
qu'il fit remplacer la sinistre chaise en demi-lune par

le lit, ce qui lui permettait de tout observer derrière une tenture. Il exigea pour mieux voir qu'on enlevât les lourdes jupes des parturientes pour les dénuder jusqu'à la ceinture, innovation scandaleuse. Une reine ayant été accouchée pour la première fois de l'histoire de France par un médecin, Julien Clement, en 1670, la mode se répandit de livrer les processus de la naissance à l'observation oculaire, ce qui allait transformer les données et le pronostic de l'accouchement.

Bien sûr, les conservateurs, les traditionalistes s'y opposèrent farouchement. Il fallut cent trente ans pour que la géniale invention du forceps, qui améliorait dans des proportions incroyables l'espoir de vie des nouveau-nés et les chances de survie de la mère, remplaçât les meurtrières « pinces à dents ». On ne s'en étonnera pas. Encore aujourd'hui la vie ou la santé des mères n'est pas un argument pour les doctrinaires. Il y a à peine plus de cent ans, lorsqu'un tiers des femmes se mirent à mourir de la fièvre puerpérale, qui se développait d'une manière foudroyante depuis que l'on n'accouchait plus chez soi mais dans des maternités surchargées où les médecins passaient d'une femme à l'autre sans la moindre désinfection, l'Église prêcha la résignation et déclara comme une vérité révélée : « La mort en couches est le tribut exigé par Dieu que les femmes doivent payer pour les joies de la maternité. » Comment mieux détourner les médecins de tout progrès en ce domaine?

Tout près de nous enfin, on se souvient de l'opposition hargneuse et obstinée des plus hautes autorités lorsque le Dr Fernand Lamaze ramena de Russie soviétique en 1951 le principe de l'accouchement psycho-

prophylactique, appelé un peu à la légère l'accouchement sans douleur. Ce fut une opposition d'ordre moral
surtout, comme si l'on ne se résignait pas à libérer
les femmes de ce tribut qu'elles avaient si longtemps payé.
L'Ordre des médecins, toujours à la pointe du progrès,
alla jusqu'à menacer de l'exclure. Il fallut l'accord du
pape en 1956 pour oser dissocier naissance et punition.
Que Paul VI se rassure d'ailleurs : l'accouchement
n'est pas devenu une partie de plaisir.

On put lire à l'époque, sous la plume d'un médecin
— disons plutôt d'un homme car quel médecin digne
de ce nom déconseillerait l'anesthésie à un patient qui
crie? —, ces lignes d'une grande élévation de pensée :
« Pour ma part, je garde encore toute ma tendresse pour
ces femmes qui, pleines d'espérance et de sérénité,
attendent sans crainte l'heure des suprêmes douleurs
et les acceptent avec la volonté stoïque d'être la première
à entendre le cri de leur enfant. Ne laissons pas perdre
cette source de joie profonde. »

Les femmes ont un immense courage devant la souffrance, c'est vrai, et un amour souvent si impatient
pour leur enfant qu'elles peuvent, pour le connaître
plus vite, choisir de refuser l'anesthésie. Mais comment
des hommes, des médecins ont-ils le front de nous
vanter les bienfaits de ces « suprêmes douleurs » que
nous sommes seules à pouvoir apprécier? Comment
accueilleraient-ils, eux, l'infirmière les exhortant à
refuser l'anesthésie lors d'une extraction dentaire,
au nom des satisfactions profondes qu'un homme
peut tirer du stoïcisme et de la maîtrise de soi?

L'élément masculin est d'autant moins fondé à nous

encourager à cette joyeuse sérénité que la grossesse comme l'accouchement sont des phénomènes auxquels il ne s'est jamais beaucoup intéressé. Jusqu'à la seconde moitié du xxe siècle, sauf exceptions, ce n'étaient pas les plus brillants sujets qui se dirigeaient vers la gynécologie ou l'obstétrique et, d'une manière générale, la femme enceinte continuait à émarger à un sentiment de crainte ou de dégoût très largement répandu.

La mère en noir, mauve, violet,
Voleuse des nuits
C'est la sorcière dont l'industrie cachée vous met au
[monde...
La mère,
Flaque sombre éternellement en deuil de tout et de nous-
[mêmes,
C'est la pestilence vaporeuse qui s'irise et qui crève,
Enflant bulle par bulle sa grande ombre bestiale
Honte de chair et de lait
Voile roide qu'une foudre encore à naître devrait
[déchirer [7]...

Un autre homme exprimait la même horreur, mais en prose :

« Ce corps bouffi et fissuré... fait pour la maternité et pour cette fin même assorti de toutes sortes de tumeurs, de rondeurs et de protubérances, n'a que trop tendance hélas! à s'affaisser sur lui-même dès qu'il s'est délivré de son office, comme l'outre déchargée de son eau retombe en bourrelets indécents et stupides. L'homme de qualité se détourne de la femme comme le gastro-

---

7. Poème de Michel Leiris intitulé *la Mère*.

nome répugne aux viandes molles. » (S. Hecquet, une vieille connaissance...)

Dans un numéro des *Temps modernes* paru en avril 1974, de nombreuses femmes ont exprimé le reflet de cette horreur qu'elles rencontraient dans les yeux de tant d'hommes : « C'est quand nous sommes enceintes ou que nous allaitons qu'on voit les blocages de l'entourage en ce qui concerne l'animalité. On est des mammifères. C'est nous, les femelles, qui définissons l'espèce mais peu d'adultes aiment se souvenir qu'ils sont nés d'une femme. Les signes extérieurs de maternité sont vécus comme plus obscènes que les obscénités sexuelles. C'est le scandale de notre nature qui éclate. »

C'est ce que pensait déjà Sade deux cents ans plus tôt : « Représentez-vous-la quand elle accouche. Est-ce bien la peine de s'enthousiasmer devant un cloaque ? Voyez cette masse informe de chair sortir gluante et empestée du centre où vous croyez trouver le bonheur... »

Et c'est également la façon dont saint Jérôme ou saint Augustin voyaient la chose : « La grossesse n'est qu'une tuméfaction de l'utérus. » « Nous naissons entre les excréments et l'urine. » « La répugnance du christianisme pour le corps féminin est telle, fait remarquer Simone de Beauvoir, qu'il consent à vouer son Dieu à une mort ignominieuse, mais qu'il lui épargne la souillure de la naissance. »

C'est en tant que mère que la femme était redoutable, c'est donc dans sa maternité qu'il fallait l'humilier. « C'est pourquoi l'accouchement est la fête la plus maudite, la plus persécutée... celle où la répression fasciste de l'homme triomphe dans la torture. » (Annie Leclerc.)

Comme d'habitude ce n'est ni par l'humanisme ni par le libéralisme politique que ces tabous et ces résistances allaient s'effacer, la lâcheté ou l'indifférence masculines étant bien trop profondes, mais tout simplement par l'information. L'oppression féminine s'était toujours fondée sur des mensonges tout comme l'opposition au progrès. On se souvient de l'insensée campagne de contre-vérités qui nous a si longtemps détournées de la pilule. La grande innovation de l'accouchement dit sans douleur, c'étaient bien sûr les techniques employées pour faciliter l'enfantement, mais c'était surtout un changement radical d'attitude vis-à-vis de la femme enceinte. La parturiente cessait enfin d'être considérée comme une pauvre vache qui vêle et qui meugle sans rien comprendre à ses douleurs, pour devenir quelqu'un qui sait ce qu'il a dans le ventre et qui assume dans toute la mesure de ses forces les phénomènes qui vont s'y dérouler.

De nombreux films montrent aujourd'hui au grand jour, et pas seulement aux futures mères, ce happening, le plus beau du monde, si longtemps considéré comme une opération indécente et répugnante que les femmes devaient subir dans la solitude affective, l'ignorance et la peur, rachetant ainsi en quelque sorte le plaisir pris à deux. Les femmes ont toujours servi de sacrifice expiatoire aux hommes... Devant ces images qui viennent du début du monde, c'est l'émotion, la fascination et le respect qui succèdent à l'horreur et au dégoût. En vingt-cinq ans, l'obstétrique aura fait plus de progrès qu'en vingt siècles, les femmes enceintes sont sorties du ghetto et les médecins de leur routine pour s'ouvrir aux disciplines les plus nouvelles, depuis la psychologie fœtale jusqu'à l'écologie puisqu'on commence à se préoccuper du tout premier environnement que va rencontrer le nouveau-né [8]. C'est la fin de ces « salles de travail » où l'on abandonnait les femmes à des techniciens qui ne s'intéressaient qu'au diamètre du col de l'utérus, sans se soucier de cette angoisse millénaire où rôdaient tous les spectres et toutes les superstitions d'une aventure qui fut si longtemps hasardeuse.

Les femmes ne sont pas toujours entourées des soins nécessaires; du moins osent-elles aujourd'hui s'en plaindre, car il s'agit d'incurie ou d'indifférence, mais plus d'une malédiction. Il s'agit en profondeur de cette obscure résistance de la société à tout changement dès qu'il s'agit du sort des femmes. Jusqu'à la seconde moitié du XXe siècle, même dans les cliniques les plus mondaines, l'accouchement semblait retrancher les femmes dans un monde à part : les plus grands médecins n'accouchaient pas telle amie rencontrée dans un dîner parisien ou telle femme peintre ou telle personnalité, mais une sorte de femelle anonyme, qui pour quelques heures n'avait plus rien d'humain, pouvait hurler comme une bête et perdre toutes ses qualités propres pour n'être plus qu'un chaînon anonyme de l'espèce.

On sait aujourd'hui que chacune accouche à sa façon, comme chacun aime ou vit ou meurt et qu'il n'est pas plus déshonorant de réclamer une anesthésie qu'il n'est déshonorant de faiblir devant la torture. Qui peut juger de la souffrance d'un autre et l'honneur consiste-t-il à souffrir au maximum?

8. *Pour une naissance heureuse*, Dr Leboyer.

Pourtant cette accession des femmes à la conscience, c'est-à-dire à la liberté, continue à rencontrer les obstacles les plus divers depuis l'obscurantisme jusqu'aux théories sociales de droite ou d'extrême droite; au point que Françoise Parturier a pu écrire très justement que « même le sexe de la femme est politique : son vagin est conservateur et son clitoris révolutionnaire ». Elle ajoute d'ailleurs que le nouveau féminisme a remporté « cette victoire amusante que le vagin est passé de mode! L'orgasme vaginal n'est plus considéré comme le seul plaisir normal et équilibrant... Quelle bonne nouvelle! ».

C'en est une en effet. Tout ce qui est dédouané, tout ce qui nous est rendu pour que nous en fassions l'usage qui NOUS convient, est heureux. Mais il reste à convaincre les femmes qu'elles doivent s'exprimer et ne plus attendre l'autorisation des médecins pour être heureuses et les conseils des psychiatres pour se définir.

De même il est utopique d'attendre la révolution, de ne compter que sur le socialisme, le communisme ou le gauchisme.

« N'écoutez pas les hommes qui vous disent que la révolution suffira à résoudre le problème des femmes. Dans trois ou quatre ans, quand ils se seront fait couper les cheveux pour devenir directeurs à leur tour, ils seront aussi esclavagistes que papa [9]. »

Le mouvement de libération qui débuta à Vincennes après mai 68 lui a donné tragiquement raison : « La vulgarité politique et sexuelle des alliés masculins

9. Betty Friedan.

fut incroyable... Quand une femme prend la parole,
les hommes deviennent fous : « A poil! Emmenez-la...
Va te faire baiser. » Ils huent, s'esclaffent aux mots à
double sens... Nous nous attendions, nous craignions
même une sérieuse opposition des hommes, déclarèrent
les femmes de la Base rouge de la révolution, mais nous
n'attendions pas une telle bordée d'injures. Tandis que
nous distribuions des tracts dans la rue, des hommes de
notre mouvement nous suivaient en nous injuriant :
« Lesbiennes!... A poil... T'as besoin de baiser [10]! »

Aucun mouvement, que ce soit la gauche, les ouvriers,
les Noirs ou les étudiants, n'est exempt de ce type de
réaction. C'est toujours la même alternative : le respect
mystificateur ou l'injure; on passe sans transition
de la mère à la putain. Simone de Beauvoir, qui ne
voulait pas faire du féminisme un combat particulier
et qui espéra pendant vingt ans que la libération des
femmes découlerait automatiquement d'une évolution
marxiste, a changé d'avis aujourd'hui : « Moi-même,
du fait que j'ai plus ou moins joué un rôle de femme-
alibi, il m'a longtemps semblé que certains inconvénients
inhérents à la condition féminine devaient être simplement négligés ou surmontés; qu'il n'y avait pas besoin
de s'y attaquer. Ce que m'a fait comprendre la nouvelle
génération de femmes en révolte, c'est qu'il entrait
de la complicité dans cette désinvolture... La lutte
antisexiste n'est pas seulement dirigée, comme la lutte
anticapitaliste, contre les structures de la société, elle

---

10. Juliet Mitchell, *l'Age de femme*, aux éditions des Femmes.

s'attaque en chacun de nous à ce qui nous est le plus intime et ce qui nous paraissait le plus sûr [11]. »

Il ne faut donc plus espérer qu'une politique d'hommes résoudra nos problèmes, ni nous laisser enfermer dans les sections féminines de quelque parti que ce soit, sections aussitôt transformées en bureaux d'études marginales préposés aux tâches traditionnellement féminines. Il faut nous mettre à compter sur nous-mêmes et d'abord cesser d'avoir peur du mot féministe auquel on a habilement réussi à donner une nuance si péjorative que personne n'ose plus se poser en défenseur des femmes sous peine de mériter cette étiquette. Françoise Giroud elle-même, qui ne s'occupe actuellement que des droits des femmes, prend soin périodiquement de préciser qu'elle n'est pas féministe. Nous-mêmes renchérissons trop souvent sur ce dénigrement systématique, car se critiquer, c'est une manière de se désolidariser de l'infériorité de son groupe et de se faire bien voir de l'autre...

Il faut maintenant que les femmes prennent conscience d'elles-mêmes et cessent de croire que leur situation, leurs angoisses, leurs problèmes sont une affaire purement personnelle. Insérer leur malaise et leurs craintes dans un sentiment commun de leur oppression dans la société, c'est précisément ce qui constitue l'indispensable prise de conscience. C'est elle qui débouche sur le désir puis le pouvoir d'agir. Le symptôme majeur de notre faiblesse, c'est précisément la conviction que nous sommes isolées, vouées au mutisme et à la résignation.

11. *Les Temps modernes.*

C'est en lisant ces affreux livres féministes, qui sont parfois si émouvants, que les femmes se découvriront enfin solidaires, non pas d'un groupe ou d'une classe sociale, mais de la moitié de l'humanité. Car l'histoire n'est plus tout à fait la même depuis que les hommes ne sont plus les seuls à en rendre compte. L'histoire du féminisme notamment avait toujours été écrite par des hommes. La dernière en date, celle de Maurice Bardèche, est comme on pouvait s'y attendre, sarcastique, indulgente ou amusée, syndrome de la plus classique des misogynies, et elle est truffée de ces anecdotes ridiculisant *ces dames* qui *se piquent* de faire de la politique, *sont frottées* de littérature, et *pérorent* dans les salons. Vocabulaire vieillot, soigneusement choisi pour remettre les femmes à leur place et dévaloriser leur conscience politique, leur talent littéraire ou leur courage. L'histoire du mouvement féministe vue par ces messieurs, qui *se piquent* d'objectivité et *pérorent* du haut de leur virilité, ce n'est jamais que l'historiette de quelques emmerdeuses, nymphomanes si elles font l'amour, viocques stériles si elles sont vertueuses, mais de toute façon hystériques et méritant une bonne fessée... ce qui ne pourrait d'ailleurs que leur faire plaisir. Ne dit-on pas en effet une *bonne* fessée?

Même les livres qui reçoivent un accueil honorable de la critique, combien de femmes se décident à les acheter? Je ne pense pas pourtant qu'une seule d'entre elles puisse lire celui d'Annie Leclerc par exemple, sans sentir vibrer en elle une corde inconnue, longtemps muette, mais profonde et puissante et qu'elle ne pourra plus oublier.

Dans la curieuse petite *Librairie des femmes* qui s'est ouverte rue des Saints-Pères à Paris et qui ne vend que des livres écrits par des femmes, romancières ou essayistes, classiques ou modernes, féministes ou simplement féminines [12], on ressent en entrant pour la première fois une gêne peut-être, une timidité, mais qui se muent très vite en un plaisir bizarre. Depuis l'école, nous n'avons plus jamais été *ensemble*. Pas de service militaire, peu ou pas de clubs féminins en France, pas de week-ends de chasse ou de dîners d'anciens combattants. L'amitié se case où elle peut dans les interstices de la vie conjugale ou familiale. Elle passe toujours après. Et tout à coup, là, on trouve des femmes qui attendent d'autres femmes, qui sont là pour parler des femmes et vendre des femmes... On respire autrement, c'est une sensation neuve et bonne. L'autre jour un homme, jeune, feuilletait un livre dans cette librairie... il m'a paru délicieusement incongru, un intrus chez nous (mais sympathique), alors que nous sommes si souvent des intruses dans le monde des hommes.

Des intruses aussi dans le monde de la critique où l'on ne parle jamais « normalement » des livres de femmes. L'un des plus récents livres féministes, la *Lettre ouverte aux femmes* de Françoise Parturier, plein de constats lucides, d'idées neuves et d'humour, a été accueilli avec ce mélange de bonhomie et de condescendance qui est le mieux que puisse espérer ce genre d'ouvrage, la réaction

12. Elle a d'ailleurs créé sa propre maison d'édition qui publie d'excellents livres et s'est mise à vendre également des livres d'auteurs masculins mais toujours sur des sujets intéressant les femmes.

habituelle étant plutôt l'indifférence ou l'ironie. Et c'est vrai pour tous les écrivains femmes. Colette n'est pas à sa vraie place dans la littérature. De Madame de Staël, pas plus ennuyeuse que Fénelon ou Joseph de Maistre, loin de là, on est visiblement ravi de dire : « C'est pas grand-chose, hein? » sans en avoir lu une ligne. C'est vrai pour George Sand qu'on affecte de considérer surtout comme une dévoreuse de grands hommes, alors qu'elle se conduisît avec Chopin en amoureuse maternelle, et qu'on ne songerait jamais à mettre en avant la vie sexuelle de Théophile Gautier ou de Lamartine quand on parle littérature.

Quant à une femme comme Gisèle Halimi, pour ne citer que cet exemple parmi mes contemporaines, faites l'expérience : vous recueillerez quatre fois sur cinq la réaction suivante : « Oh, celle-là, elle m'énerve. Je ne sais pas pourquoi, je ne peux pas la voir! »

Le pourquoi me semble assez clair : si elle était sans talent, sans amour ou sans beauté, quel soulagement! Tout serait alors dans l'ordre. Mais elle a privé ses ennemis de ce triple plaisir. Les féministes d'aujourd'hui commencent à être sans pitié avec les hommes! Gisèle Halimi est combative et elle n'est pas hommasse; elle se bat pour l'avortement libre et elle a deux fils; elle exerce avec passion un métier accaparant et trouve le temps d'être une militante politique, mais elle n'a pas renoncé à l'amour... tout cela est bien irritant!

Mais rien ne changera profondément aussi longtemps que ce sont les femmes elles-mêmes qui fourniront aux hommes des troupes d'appoint, aussi longtemps qu'elles seront leurs propres ennemies. De très inquié-

tantes expériences ont été faites aux États-Unis qui
démontrent à quel point nous sommes intellectuellement colonisées, à quel point nous avons intériorisé
l'opinion que l'on a de nous : deux cents étudiantes
ont été invitées à juger un essai philosophique. Aux
cent premières, on a remis un essai signé John Mac Kay ;
aux cent autres, le même essai mais signé Joan Mac Kay.
Le travail de John, dans la grande majorité des cas, a
été considéré comme original, profond et fécond. Celui de
Joan a été estimé superficiel, banal et sans grand intérêt.

Tout aussi désolant le fait que bon nombre de femmes
continuent à préférer un gynécologue mâle alors que
tout, leur fameuse pudeur naturelle, une connivence
d'organes et une élémentaire fraternité, devrait les
inciter à parler plus facilement de « cette chose-là »
à un médecin de leur sexe, qui par ailleurs a satisfait
aux mêmes épreuves que son homologue masculin,
dont le seul avantage (?) est de posséder un pénis,
mais d'ignorer ce que peut représenter le fait de sentir
bouger une vie dans son ventre.

De même, on sait que les femmes ne votent pas
volontiers pour une autre femme lors des élections.
Comment espérer dans ces conditions qu'il en parvienne
jamais en nombre suffisant dans les conseils municipaux
ou régionaux, ou au Parlement ? On se doute bien que
ce ne sont pas les hommes qui vont promouvoir les
femmes si celles-ci ne font rien. Et comment espérer que
les 8 femmes noyées à l'Assemblée parmi 480 hommes
soient autre chose que des alibis, des femmes-sand-
wiches ? D'ailleurs ont-elles jamais pris une position
en flèche, prononcé un discours remarqué, sont-elles

jamais intervenues d'une manière violente dans un débat quelconque? Trop flattées d'être élues *bien que* femmes, elles n'ont cherché qu'à ne plus se faire remarquer, qu'à se conduire comme des hommes, sans soulever d'indécentes questions féminines.

Il est déjà difficile pour une femme de se porter candidate à une fonction publique, alors qu'elle exerce, en plus d'une activité professionnelle normale, la profession complémentaire de mère ou d'épouse. Quand en plus l'échec est régulièrement au bout de l'effort, quand la désaffection des électrices amène les partis politiques à ne proposer aux candidates que des circonscriptions perdues d'avance (pour ne pas risquer un siège qu'un homme emporterait à coup sûr), alors c'est la plus sûre manière de décourager les femmes de s'occuper des affaires de leur pays.

Mais on continue hélas! à entendre des dames dire avec satisfaction, presque avec fierté : « Moi, la politique ne m'intéresse pas. » Ou bien : « La politique, ce n'est pas l'affaire des femmes. » Alors que c'est ce qui détermine leur vie quotidienne, le nombre même de leurs enfants, leur place dans le monde du travail, leur retraite, leur vieillesse. Alors que c'est aussi pour un proche avenir la guerre ou la paix, le désarmement ou la bombe atomique. Et elles osent dire qu'elles n'ont rien à dire? Faut-il que la séculaire propagande masculine pour les river exclusivement au berceau, au plumeau, au dodo, ait réussi!

Nous ne ferons peut-être pas mieux? Si nous avons le courage d'être nous-mêmes, nous ferons peut-être autre chose. Tout est dans peut-être.

CHAPITRE VII

LES PORTIERS DE NUIT

Ah! Cette chère vieille image de la femme! Beaucoup ne la voient pas s'estomper sans nostalgie, sans inquiétude ou sans colère. Ce mouvement irréversible qui s'amorce, cette indifférence naissante de la femme aux divers chantages qui avaient si bien fonctionné jusqu'ici, ce goût qui leur vient pour l'amour sans déchéance et sans péché, sans obligation de don total non plus, voilà qui bouleverse la grande, la bonne tradition de l'humiliation féminine, qui fondait la superbe masculine; voilà qui déclenche une rage hystéro-sadique chez tous ceux qui ne se résignent pas à l'abandon des rapports fascinants et dégradants du bourreau et de la victime.

Ayant épuisé l'effet d'un grand nombre de méthodes, ces gens-là viennent d'avoir une idée de génie : la récupération par le bas. Sous couvert d'exalter cette liberté de mœurs qu'a apportée la révolution sexuelle, il s'agissait de traiter toutes les femmes comme des putains en puissance, contrebalançant ainsi les droits qu'elles venaient d'acquérir par l'avilissement, la souillure et la torture, présentés sous l'emballage artistique de l'érotisme ou de la pornographie. Comme la vertu avait été obligatoire, il fallait que la licence devienne un devoir, théorie dont on trouve un écho sordide dans un certain nombre de comportements masculins d'aujourd'hui.

— Tu n'es pas vierge? Alors pourquoi fais-tu tant d'histoires?

Raisonnement courant, utilisé ici par un militant gauchiste à l'égard d'une militante, pour récupérer en quelque sorte son indépendance politique par sa dépendance sexuelle. (Cité par *les Temps modernes*, 1974.)

Le flot d'adolescentes nues et enchaînées qui déferle sur les écrans, de vieillardes lubriques et déchaînées, de femelles goulues, et la description complaisante dans la littérature spécialisée de tant de cons méprisés et puants, torturés, écartelés, compissés, révolvérisés, n'est qu'un autre aspect, plus commercial, de cette récupération.

Toujours soucieux d'illustres cautions, quitte à les déformer pour les besoins de leur cause, les théoriciens du mouvement ont déterré le marquis de Sade dont ils ont entrepris la divinisation et, comme on ne saurait se passer aujourd'hui de référence psychanalytique, ils se réclament de Freud, qui, malgré sa vie puritaine et assez terne sur le plan du sexe, apportait un peu d'eau à leur sinistre moulin. Forts du snobisme entourant le culte de Sade et de la crainte révérentielle que suscite encore le nom de Freud, ils se permirent d'affirmer que la cruauté constituait le comble de l'amour puisqu'elle répondait à la nature profonde des deux partenaires, satisfaisant à la fois le masochisme passif de la femelle et l'agressivité naturelle du mâle.

En réalité, cette sexualité liée à la violence et à la mort, n'est qu'un avatar soi-disant neuf d'une morale vieille comme le péché.

« La volupté unique et suprême de l'amour gît dans la certitude de faire le mal », a écrit Baudelaire et auraient pu écrire Sade, Lautréamont, Masoch, Bataille, Leiris et mille autres. « L'essence de l'érotisme est souillure... Je n'éprouve qu'un mouvement d'effroi et de répugnance devant la vie sexuelle... Je puis dire que la répugnance, l'horreur sont le principe même de mon désir... J'ai couramment tendance à regarder l'organe féminin comme une chose sale ou comme une blessure, pas moins attirante pour cela, mais dangereuse en elle-même comme tout ce qui est sanglant, muqueux, contaminé... La femme, cette horreur obscène et infectée... » Peu importent les auteurs de cette monotone litanie, dignes fils spirituels des Pères de l'Église, tous éprouvent la même horreur fascinée pour les organes sexuels féminins. Pour eux, la fente, c'est le Diable : velue sous la robe, elle est ouverte à l'ordure et charrie le sang menstruel qui est l' « horreur informe de la violence ». Très vieux langage qu'un style parfois admirable ne suffit pas à justifier. Le désir se réduit au goût pour ce qui est sale, dégradant et destructeur, donc pour la mort. Nous progressons là en terrain connu et sous la houlette du « Divin Marquis », qui eut au moins le mérite de manifester ouvertement « le plus monstrueux mépris de la femme qui ait jamais fondé une philosophie ».

Sa réhabilitation aujourd'hui devrait nous mettre en garde. En réalité, « c'est par la faute d'une détention

abusive, d'une censure rancunière et pusillanime, que
Sade fut mis sur un piédestal et consacré martyr, grand
philosophe, écrivain majeur et spécialiste de l'érotisme,
écrit le cher Gérard Zwang. Du coup, la névrose dont
il peint sans se lasser le tableau barbouillé de merde et
de sang s'est parée des couleurs de l'érotique... » Mais
terminées leurs décharges, poursuit l'auteur, et c'est
bien bon de lire ces lignes sous une plume masculine,
les personnages « n'aspirent qu'à prendre la parole pour
d'interminables sermons, dans un style aussi terne
qu'emphatique », dont même Georges Bataille admet
qu'on doit les lire avec patience et résignation.

Un point commun chez tous ces auteurs : le mode
d'emploi de la femme.

« Il n'y a pas d'attention à porter aux propriétaires
de cons. »

« Il n'est nullement question de l'état où peut être
son cœur ou son esprit. »

« Avez-vous pitié du poulet que vous mangez? Non,
vous n'y pensez même pas. Faites-en donc autant pour
la femme. »

« Je me sers d'une femme par nécessité comme on se
sert d'un vase rond et creux dans un besoin différent. »

« Pendant le coït, tout cela s'écoulait hors de moi
comme si je déversais des ordures dans un égout. »

« Il n'est nullement nécessaire de leur donner des plaisirs pour en recevoir. Que les hommes ne voient en elles,
ainsi que l'indique la nature, ainsi que l'admettent les
peuples les plus sages, que des individus créés pour leur
plaisir, soumis à leurs caprices, dont la faiblesse et la
méchanceté ne doivent mériter d'eux que du mépris. »

« Tu n'ouvriras désormais ici la bouche en présence d'un homme que pour crier ou caresser. »

C'est au style, non aux thèmes, que l'on peut reconnaître les auteurs. Pas l'ombre d'un baiser chez ces écrivains mortuaires, pas l'ombre d'une tendresse, pas un geste de complicité, pas un échange, tout est vécu sous le signe d'un égoïsme monstrueux, d'une scatologie morbide, de la plus classique des régressions sadico-anales. Dans ces ouvrages, pratiquement pas une allusion au clitoris, les « héros » ne se souciant pas de perdre du temps à susciter le plaisir féminin. Cet organe n'est jamais mentionné chez Georges Bataille, qu'on fait pourtant passer pour le grand théoricien de l'érotisme. Leurs phantasmes, leurs jouissances sont exclusivement basés sur l'ignominie du con. Est-elle de Sade, de Miller ou de Bataille, cette rêverie amoureuse? « Je voudrais une putain très impure, je voudrais qu'elle débouchât pour moi de la lunette des commodités, que son cul sentît bien la merde et que son con sentît la marée. »

De Bataille, de Miller ou de Sade, cette éjaculation anticléricale? « Simone suça de nouveau [le prêtre] et l'amena au comble de la rage des sens puis :

— Ce n'est pas tout, dit-elle, maintenant il faut pisser.

« Elle le frappa une seconde fois au visage puis se dénuda devant lui et je la branlai. Don Aminado remplit bruyamment d'urine le calice maintenu par Simone sous la verge.

— Et maintenant bois, dit sir Edmund.

« Le misérable but dans une extase immonde. »

L'Œil est un beau livre tragique, peut-être. Bataille est un grand écrivain, sûrement. Mais est-ce suffisant pour présenter comme un bréviaire de l'érotisme une œuvre où l'émission d'urine passe pour l'une des plus hautes manifestations de l'émotion sexuelle? Qu'elle s'écoule dans une armoire normande ou dans la bouche d'un mourant, l'urine ne parvient jamais à sentir le soufre... et la brave odeur du pipi serait plutôt de nature à couper les effets de cette littérature!

Un autre « maître de l'érotisme », Henry Miller, qui passe pour représenter la liberté sexuelle la plus joyeuse, est en réalité, comme le démontre brillamment Kate Millett dans *la Politique du mâle*, le « point de rencontre de toutes les névroses sexuelles américaines ». Pas question d'amour dans son œuvre mais seulement de « séances de foutre » et de l'obsession constante d'humilier « tous ces cons en chaleur, cons prétentieux qu'on force, cons offerts, merveilleusement impersonnels... », cons américains, pas fameux... cons français, les meilleurs parce qu'à Paris la prostitution est bien au point. « A l'hôtel, je n'avais qu'à sonner pour avoir des femmes, comme on demande un whisky et soda. » *(Jours tranquilles à Clichy)*.

C'est aussi Norman Mailer, prisonnier du culte de la virilité, qui pose l'humiliation de la femme comme condition indispensable au triomphe de l'homme. Selon Miller, la liberté pour les femmes, c'était la liberté de se conduire en putes, leur désir secret à toutes. Pour Mailer, l'idée même de liberté est insoutenable et tout ce qui peut faire échapper les femmes à leur destinée passive est à proscrire : « Je hais la contraception. C'est une abomination. Je préférerais encore avoir ces foutus communistes chez moi. »

Quel aveu! Quels aveux!

C'est Lawrence, horrifié lui aussi par les prémisses de cette libération et qui veut sauver ces « êtres bizarres » par le mystère admirable du phallus. Dans ses romans, les organes féminins ne sont *jamais* décrits, le plaisir féminin est sans importance, passif, peu souhaitable. Là aussi les dames ne doivent pas remuer sous peine de voir l'homme, « mystérieux et implacable », se retirer d'elles plein de répulsion devant l'extase féminine (*le Serpent à plumes*).

C'est Michel Bernard qui, dans *la Négresse muette* (une manière de femme idéale en somme, triplement soumise!) définit le désir du mâle : « Rien ne me plaît, grogna-t-il. Vous devez m'obéir, c'est tout. Et m'obéir, c'est d'abord être humide, toujours, pour que je puisse toujours profiter de vous. Car je veux profiter, comprenez-vous? Pas vous aimer, ni vous faire jouir, mais satisfaire mes besoins, mes vices; et vous prostituer car je suis voyeur. »

Même programme aguichant pour l'héroïne d'*Histoire d'O* : « Vos mains ne sont pas à vous, ni vos seins, ni tout particulièrement aucun des orifices de votre corps que nous pouvons fouiller et dans lesquels nous pouvons nous enfoncer à notre gré. »

Quel que soit le livre, c'est toujours le même héros masculin qu'on retrouve, jouissant avec la même superbe d'une créature qui se réduit pour lui à deux orifices au bas du corps, plus un troisième au bas du visage, et qu'il s'obstine à appeler femme bien qu'elle ne soit plus qu'une poupée qui se mouille et qui pleure, mais qui ne sait même plus dire maman.

Aujourd'hui encore, il paraît que la seule vraie subversion, le meilleur moyen de libérer la société de la morale bourgeoise, c'est de récrire *Justine*, *Sexus* ou *Histoire d'O*, assaisonnés d'un peu plus de violence et de haine comme l'autorise et l'apprécie notre époque. Les prestiges du style, un talent parfois éclatant peuvent faire de ces livres des œuvres d'art ou des aphrodisiaques, mais que Roland Barthes, Philippe Sollers ou Michel Leiris en parlent comme d'actes révolutionnaires est atterrant, alors qu'ils ne font que renouer avec le plus banal sadisme. Que Madeleine Chapsal déclare du *Paysage de Fantaisie* de Tony Duvert que « sa lecture difficile retrouve la dimension trop souvent perdue d'activité *subversive* », que Poirot-Delpech, parlant du même livre, évoque également « la seule vraie *subversion* conduisant à un monde *libéré* », tout cela paraît d'autant plus surprenant que les auteurs, loin d'apparaître libérés, manifestent tous les signes d'un esclavage à des obsessions et à des phobies très anciennement répertoriées. En fait, sous leurs théories pseudo-révolutionnaires et pseudo-modernes, ils perpétuent fidèlement la vieille malédiction du péché originel et toutes les superstitions et les tabous de cette société qu'ils prétendent détruire.

C'est ainsi que *Eden*, *Eden*, *Eden* (qui serait mieux baptisé « Géhenne, Géhenne, Géhenne »...), œuvre de Pierre Guyotat, nous est présenté comme un texte libre : libre de tout objet, de tout symbole. « Il s'écrit, paraît-il, dans ce creux... où les constituants traditionnels du discours seraient de trop [1]... » Il me semble à moi, qui ne suis pas critique il est vrai, que l'on retrouve chez Guyotat, comme d'ailleurs chez Tony Duvert, sinon les constituants traditionnels du discours, du moins tous les constituants de la littérature pornographique la plus classique.

« Ils sont à poil le vieux la vieille... J'ai emporté plusieurs fouets on est là les plus costauds on a un fouet chacun on les met en sang et ils obéissent... La bonne femme couchée en croix chaînes aux quatre membres et qu'on tend avec des treuils ses jambes s'écartent de plus en plus ça craque horrible aux hanches sa moule bâille on y enfonce une massue hérissée de pointes mouillées de liqueur qui rend fou... »

Il y a 270 pages de « texte libre » de ce style.

Eh bien merde! Marre de ces obsessions toujours les mêmes, même en « modern style » sans ponctuation; marre que d'éminents philosophes ou sociologues nous présentent comme *libres*, *neufs* et *révolutionnaires* ces vieux schémas malades qui s'efforcent en vain de mettre en scène d'une manière originale l'éternelle panoplie du petit sadique : la merde, le pus, le sang, le sperme (tout de même!) le fouet et les chaînes dans un habillage pimpant mais dans des œuvres rétrogrades où les femmes ne cessent d'être prisonnières et bafouées par des mâles nés de rêves mégalosexistes qui déchargent des déluges de sperme sur des créatures qui n'en ont jamais assez.

La révolution, ça? La subversion? C'est très exacte-

1. Roland Barthes, dans la préface de ce livre.

ment le monde bourgeois qui continue, où quelques
obsédés de violence virile qui se croient des prophètes
conchient les femmes, leur écartèlent la moule et les font
mourir en les baisant tant ils les haïssent d'avoir envie
d'elles. Un monde complètement falsifié où le sexe est
artificiellement séparé de la vie et servi en concentrés
vomitifs jusqu'à ce qu'on en crève d'indigestion. Le premier appétit émoussé, on se sentirait presque envahi
d'une revigorante rigolade, si tout cela n'était aussi
mortellement haineux et triste.

Bien entendu ces textes-là doivent comme tous les
autres avoir le droit de paraître, d'être lus, éventuelle-
ment savourés, mis en pratique à deux, à trois, à dix,
tout ce qu'on voudra. Ils répondent sans doute chez
un plus grand nombre d'hommes qu'on ne pense à une
nostalgie de violence et de domination. Ils peuvent avoir
un intérêt thérapeutique, une valeur de défoulement, car
dans la vie courante il n'est pas facile de trouver le décor
et les acteurs de pareils psychodrames. C'est le camp
de concentration décrit par Lilianna Cavanni dans son
film *Portier de nuit* qui se rapproche le plus finalement
de ces châteaux de cauchemar, univers clos où s'épan-
chent en toute quiétude les bas-fonds de l'âme humaine.

Mais il ne faut pas nous laisser impressionner par
les vaticinations, même des hommes les plus intelligents.
Ces livres sont merveilleusement écrits, parfois. Exci-
tants, souvent. Jouissifs, d'accord. Mais ils sont irrémédiablement vieux, esclaves de vieux phantasmes, défenseurs d'une très vieille imagerie de la femme et écrits
par de vieux enfants demeurés au stade du pipi-caca, ce
qui n'exclut pas, bien sûr, le génie poétique ou littéraire.

« Il la garderait prisonnière dans la cabane toujours attachée nue, sans eau, sans nourriture il vient en secret après l'école il la baise il ne lui parle jamais elle crève à petit feu il lui mord l'abricot jusqu'au sang il lui défonce aussi le cul il a cloué dans la paroi derrière elle un morceau de bois en équerre qui lui pique l'anus et il la déchire dessus en la baisant il lui pisse au ventre avant de partir il revient encore le soir il boxe sa figure de mourante il écartèle la vulve avec les doigts il y plonge la main il referme le poing dedans il détache la fille il la jette par terre s'agenouille l'enfile en la soulevant par les pieds il la balance sur sa bite et jute jute en balançant [2]... »

Apothéose du mâle qui jute. Ce n'est pas la révolution, c'est la « grande bouffe » du sexe.

« Pour opérer cette sape (de la morale bourgeoise), l'auteur, Tony Duvert, compte notamment sur la pornographie, jugée moins bourgeoise, moins récupératrice que l'érotisme. » (Poirot-Delpech.)

Mais est-ce que nous ne sommes pas récupérées précisément dans ce texte de Tony Duvert? « Rien de tel n'a été tenté depuis Sade », prétend Roland Barthes dans la préface. Mon œil, comme dirait Bataille! La pornographie a toujours existé et n'a jamais rien sapé. Elle a toujours fait plaisir aux mêmes hommes et aux mêmes femmes et choqué les mêmes autres. Elle a toujours snobé les mêmes gogos qui, au lieu d'avouer tout simplement que ces livres les aident à se branler, pérorent doctement sur ces manifestations viriles de violence

2. *Sur un paysage de fantaisie*, Tony Duvert.

et de mépris, « par moments insoutenables ». (C'est là
que c'est le meilleur !)

Les lecteurs pétris de chrétienté éprouvent la divine
excitation d'une transgression en savourant des « livres
que la morale condamne, que la société réprouve, que
la justice châtie, que le conscient refoule » (M. Chapsal). En fait les éditeurs ne les refoulent pas, la justice
les châtie rarement et la société adore ça... ou l'ignore
royalement.

Avec son habituelle lucidité, Zwang met l'accent sur
les vrais mobiles de la censure, dont les représentants,
sans oser l'exprimer avec la même obscénité, sont au
fond tout à fait d'accord avec la vision baudelairienne
ou sadienne de l'amour-souillure : « Le plus grand artiste
peut décrire, peindre, dessiner, filmer les plus belles,
les plus émouvantes, *les plus heureuses* des scènes érotiques : il risque d'avoir des ennuis. Y introduit-il de
la violence, du malheur, de la laideur, de l'horreur et
cette sauce fétide conviendra au palais des goûteurs
sociaux... L'adolescent tourmenté par l'érotisme (le
vrai) ne risque pas de se faire une image plaisante, donc
néfaste, du sujet. »

Il n'y a AUCUN danger — sauf à perdre un peu de
fric — à écrire de tels livres et ils n'ont AUCUNE valeur
révolutionnaire, ils sont même extraordinairement colo-
nialistes.

Cette vision de la sexualité, domaine réservé, coupé
de la vie, est d'ailleurs responsable de l'étonnant changement à vue qui s'opère chez tant de nos contemporains
quand ils se déshabillent pour sacrifier à ce qu'ils croient
être la part d'ombre, la part animale de leur vie.

Qui n'a vu — je parle de femmes libres pour qui le mariage n'est pas l'équivalent civil du Carmel, ni la jeunesse une chaste attente du prince charmant — l'étudiant timide à lunettes, savant exégète de Platon ou de la théorie des quanta, se muer, à l'instant d'enlever ses lunettes et son slip, en bouc brutal et sommaire, s'encourageant d'obscénités de corps de garde et mimant pour s'exciter le viol d'une captive?

Qui n'a rencontré un distingué énarque, un homme politique, un élégant aristocrate, brusquement obligés par je ne sais quelle résurgence préhistorique, quelle imagerie d'Épinal du sexe, à parler comme des soudards, à injurier leur partenaire et à décrire leur sperme comme la manne céleste venant féconder le désert? Pourquoi est-il si souvent impossible de faire l'amour avec l'homme qui vous a plu, l'homme tout entier, plutôt qu'avec le bestiau qu'il croit préposé à cet usage et qu'il cache soigneusement dans son complet veston après la corrida, avant de se laver les mains, de réendosser sa vraie personnalité et de penser à autre chose avec un soupir de soulagement et les couilles légères? Heureux encore s'il ne se croit pas tenu de dire à la bête estoquée : « Alors... heureuse? » confondant le contentement et le bonheur.

On peut très bien aimer ce style-là... les femmes sont si promptes à s'attendrir! C'est parfois une surprise piquante. « Non! Alors celui-là aussi... » Mais d'une manière générale, quel exil!

Si par miracle un jour la censure scolaire, familiale, religieuse et culturelle cessait de reléguer la vie sexuelle et le plaisir dans des domaines inavouables, si l'on pou-

vait aborder la « fonction érotique » de tout son être
avec un appétit légitime et à l'occasion un peu d'humour,
quel soulagement soudain pour tous les malades de
l'amour, les impuissants, les frigides, les timides, les
éjaculateurs précoces, les éjaculateurs parcimonieux et
ceux qui ont très peur des femmes et celles qui ont très
peur des hommes et tous les autres aussi...

Les livres éroto-pornographiques ont le grave inconvénient d'être tristes, ceux qui sont écrits par des hommes
du moins. Ils finissent par impressionner le lecteur à
force de cruauté pompeuse et de sérieux. Je te tiens,
tu me tiens, par la bistouquette... Le premier de nous
deux qui rira...

On rêve de soumettre ces croque-morts à une trans-
fusion de gaillardise rabelaisienne. Mais ils en mour-
raient peut-être.

Nos enfants au moins, quand ils jouent à touche-
pipi, se tordent-ils de rire. Nos auteurs, eux, se prennent
au sérieux et préfèrent se tordre de douleur. Ils jugeraient
sans doute blasphématoire de s'aborder dans les chemins
de la vie avec la joyeuse interjection des Polynésiens :
« Que fornique ton pénis! » à laquelle il est de bon ton
de répondre gentiment : « Et que jouisse ton clitoris! »

CHAPITRE VIII

C'EST ROUGE ET PUIS C'EST AMUSANT

C'est dur, mais y a pas d'os dedans. Ça bouge tout seul, mais ça n'a pas de muscles. C'est doux et touchant quand ça a fini de jouer, arrogant et obstiné quand ça veut jouer. C'est fragile et capricieux, ça n'obéit pas à son maître, c'est d'une susceptibilité maladive, ça fait la grève sans qu'on sache pourquoi, ça refuse tout service ou ça impose les travaux forcés, ça tombe en panne quand le terrain est délicat et ça repart quand on n'en a plus besoin ; ça veut toujours jouer les durs alors que ça pend vers le sol pendant la majeure partie de son existence... Mais, comme disaient les chansonniers de *la Tomate* il y a quelques dizaines d'années : « C'est rouge... et puis c'est amusant ! »

Il paraît que nous aurions adoré avoir un truc comme ça. Il paraît que quand on n'en a pas, c'est bien simple, on n'a RIEN.

Et puis ce n'est pas fini : à côté du machin il y a les machines. Et là c'est nettement pire. Ces objets-là gagneraient évidemment à être dissimulés à l'intérieur. On ne met pas en vitrine une marchandise aussi peu engageante. Si nous avions ce genre de valseuses à la place de nos seins par exemple, j'entends d'ici les plaisanteries, les remarques perfides et les horreurs qu'on débiterait sur le corps féminin! Où elles sont placées, pauvres minouchettes, on dirait deux crapauds malades tapis sous une branche trop frêle. C'est mou, c'est froid, ni vide ni plein; ça n'a aucune tenue, peu de forme, une couleur malsaine, le contact sépulcral d'un animal cavernicole; enfin c'est parsemé de poils rares et anémiques qui ressemblent aux derniers cheveux d'un chauve. Et il y en a deux!

Vues de dos, le porteur étant à quatre pattes, elles font irrésistiblement penser à un couple de chauves-souris pendues la tête en bas et frémissant au moindre vent, comme on en rencontre par milliers sur les arbres des îles du Pacifique. Un ingénieur qui aurait inventé ce système-là pour entreposer des spermatozoïdes se serait fait mettre à la porte.

Disons-le tout net : votre panoplie, mes chéris, même si vous ennoblissez la pièce maîtresse du titre de phallus, ne forme pas un ensemble extraordinaire. Toutes celles qui l'ont découvert sans éducation préalable, le soir de leurs noces par exemple, ont d'abord été horrifiées. Les religions qui en ont fait un symbole à adorer ont été amenées à le styliser sérieusement. Et pourtant nous l'aimons, cette trinité, avec humour parce qu'elle est objectivement laide, avec amour parce qu'elle est subjectivement émouvante. Mais qu'on ne nous empoisonne plus avec cette prétendue envie de pénis, qu'on ne nous définisse plus, au physique et au moral, par rapport au pénis et qu'on nous soulage de tous ces psychanalystes et sexanalystes qui s'acharnent à réanimer nos vieux conflits au lieu de nous apprendre à nous aimer nous-mêmes, ce qui est une condition essentielle pour aimer l'autre. Sinon, nous allons le prendre en grippe, l'objet, comme certaines ont commencé à le faire. Ce serait dommage pour tout le monde.

Nous avons chacun nos jouets et ils sont faits pour aller ensemble. Quelle merveille! L'un sans l'autre a l'air idiot. Quelle plus jolie preuve qu'ils sont faits pour aller l'un dans l'autre? Tout le reste n'est que compensation, bricolage et pis-aller. Bien sûr, le zizi peut servir également à faire pipi debout. Viser, c'est amusant. Mais enfin, sérieusement, peut-on penser que les modalités de la miction influent sur le psychisme? Pour d'autres besoins aussi peu passionnants l'homme s'assied comme nous, sans en tirer de conclusions métaphysiques.

La vérité, c'est que cette soi-disant supériorité du joujou masculin est le résultat d'un matraquage publicitaire entrepris depuis des millénaires en faveur de l'organe mâle. Matraquage si réussi qu'une de mes amies à qui j'ai mis un jour un crapaud dans la main en lui demandant si ça ne lui rappelait pas quelqu'un, s'est tout d'abord récriée comme si je blasphémais.

— Ne me dis pas que tu n'avais jamais fait le rapprochement?

— Je n'aurais jamais osé y penser de cette façon, m'a-t-elle avoué... Par déférence!

Tout comme les promoteurs d'une lessive, les concepteurs de la promotion du pénis se sont battu les flancs depuis toujours pour prouver la supériorité de leur marchandise et comme tout bon publiciste, ils n'ont pas

hésité à proférer des absurdités. C'est thermovariable...
Ça nettoie tout comme une tornade blanche... Ça, c'est
du meuble... Je suis le bonhomme en bois... C'est Shell
que j'aime... Homo lave plus blanc... Tous ces slogans
avaient déjà servi. Il parut plus simple, au lieu de
célébrer leur appareil génital en tant que tel (au nom de
quels critères? esthétiques? moraux?), de dénigrer
l'appareil de l'autre. Alors que ce phare de l'humanité
qu'était le phallus a été glorifié, chanté et statufié, son
organe complémentaire non seulement n'a pas été
décrit pendant des siècles, mais s'est heurté aux tabous,
au dégoût ou à une vertueuse ignorance, interdits si
puissants qu'aucun sculpteur dans notre civilisation
jusqu'à ces derniers siècles, n'a esquissé même une
fente simplette au bas des ventres féminins. Léonard
de Vinci lui-même, qui inaugura la tradition du dessin
anatomique artistique, dessina des « vulves criantes
d'inexactitude » (Zwang). Pour la médecine arabe classique, le sexe féminin n'avait tout simplement pas de
« configuration descriptible ».

L'organe étant condamné, sa fonction fut, elle aussi,
discréditée. Toutes les indignités que la femme a subies
durant son histoire furent la conséquence de cet ostracisme qui a frappé la sexualité féminine au départ. La
« faute » d'Ève — on ne pouvait remonter plus haut —
ou celle de Pandore qui incarne le même mythe de la
nuisance féminine, toutes leurs descendantes ont dû
l'assumer et l'expier du seul fait qu'elles naissaient
femmes. Privées d'organes convenables et d'une jouis-
sance légitime, il ne leur restait qu'à adorer et à désirer
cette huitième merveille du monde, le BON organe sexuel.

Et puisqu'elles l'enviaient, c'est qu'il était effectivement supérieur. La boucle était bouclée et la promotion réussie.

Le masochisme féminin avait été affirmé par bon papa Sade, l'envie de pénis fut institutionnalisée par bon papa Freud, nos deux terribles grands-pères. On peut admirer Freud et remarquer néanmoins qu'il a dit sur les femmes des conneries et j'insiste sur ce mot car précisément toute son œuvre s'emploie à démontrer que l'absence de pénis, c'est con! La féminité étant sommairement définie comme une non-masculinité, toutes les femmes selon Freud vivent en négatif : la maternité n'est qu'un substitut du pénis, on l'a vu. C'est « l'envie de pénis qui pousse les femmes à cultiver leurs charmes, compensation tardive à leur infériorité sexuelle initiale ». La seule invention dont il leur reconnaît la « paternité » (encore un mot qui en dit long), c'est l'art de tisser et de filer, mais elles ne l'ont fait que pour cacher leur « déficience génitale ». Trouvaille ingénieuse! Enfin, « la femme manque de sens moral et a à peine le sentiment de la justice ce qui *est sans aucun doute* en relation avec la prépondérance du désir de pénis dans sa vie mentale ». Dans toute cette affaire, l'obsédé de pénis, n'est-ce pas Freud?

Cette théorie, dont on comprend aisément qu'elle ait pu être dévastatrice pour la personnalité féminine, a survécu à bien des études modernes qui en démontrent la fausseté. Il est reconnu aujourd'hui qu'on « n'observe nulle part chez les filles le désir de posséder un pénis » (Lederer), désir trop longtemps confondu avec celui d'acquérir les avantages réservés aux possesseurs de pénis. Au contraire, la plupart des garçons examinés manifestaient un sentiment de frustration devant la maternité. Sentiment très ancien puisque la plupart des cycles d'initiation virile d'Afrique noire font renaître le garçon, pour nier symboliquement sa mise au monde par une femme. Les dieux eux-mêmes ont cherché à égaler la mère : Zeus fait sortir Athéna de son crâne pour embêter sa femme, et Dionysos de sa hanche. Groddeck a très bien exprimé cette vieille rancune : « La jalousie de ne pas devenir mères... Il n'y a pas qu'à moi que ça arrive, tous les hommes en sont là... et la seule étrangeté qu'on relève dans l'idée qu'un homme puisse désirer mettre un enfant au monde, c'est qu'on le nie avec autant d'entêtement. »

Malheureusement, les séquelles de ce phallocentrisme obstiné ont entraîné une surévaluation de la virilité dont les glorieux phallus sont les premières victimes aujourd'hui. Car la plupart des femmes ont perdu leur sentiment d'indignité sexuelle, sans que les hommes aient pu pour autant devenir... plus supérieurs. Il s'en est suivi une modification du rapport des forces qui laisse l'homme inquiet et désemparé. Dominer facilement et baiser puissamment une femelle sans exigences et sans esprit critique lui a si bien été inculqué comme l'A.B.C. de son rôle masculin, que son honneur s'effondre et que sa sécurité fout le camp si cette femelle se met à dire : « Je ne jouis pas, Jérôme, fais quelque chose. »

Comme le musulman qui a tant voulu s'assurer la possession exclusive des femmes qu'il ne possède plus rien qui vaille, le mâle occidental a tant investi de sa virilité dans sa fonction érotique que c'est Waterloo s'il ne parvient pas à se présenter devant le sexe féminin sabre au clair. Cette idée misérable qu'un homme, chaque fois qu'il ne bande pas, n'est plus un homme, suffit à empoisonner sa vie et la nôtre. « Il faut avoir vu de près, un jour, un homme que cette pensée traverse, pour sentir tout le malheur stupide de l'homme. Comment ne pas souhaiter un monde où l'on pourrait vouloir faire l'économie aussi de ce malheur-là ? » (A. Leclerc.)

Le mâle de l'espèce humaine n'est pas, comme le singe, un distributeur d'orgasmes à gogo ? Et après ? L'amour c'est aussi autre chose que l'amour. C'est la complicité, c'est la compréhension, c'est cet état d'amitié amoureuse où l'on mesure ce qu'il y a de miraculeux et de précieux dans le désir et ce qui sépare justement le pénis du godemiché imbécile, toujours prêt comme un scout... Il faut faire taire les réflexes désolants qui datent des temps patriarcaux, selon lesquels la « honte » de l'homme implique l'humiliation pour la femme. Il se croit inférieur... elle se juge dédaignée. Pensées aussi fausses que nuisibles qui entretiennent cette insécurité masculine devant la performance toujours attendue, toujours à recommencer, et cette exigence féminine odieuse dans un domaine où ELLE peut tout feindre et où LUI ne peut rien cacher. La caricature de l'épouse américaine, exigeant du mari son vison et ses orgasmes pour se considérer comme une vraie femme, est la plus triste déformation du couple moderne. Frigide et en manteau de lapin synthétique on est tout de même un être humain et le reste viendra par surcroît si on sait bien le chercher.

Malheureusement les femmes ont découvert si récemment qu'elles aussi avaient le *droit* de jouir, qu'elles ont parfois tendance à considérer que le *devoir* de l'homme est de leur assurer un pourcentage défini de plaisir. Elles réclament un S.M.I.C. du sexe, oubliant que le plaisir n'est pas un dû mais un cadeau, que l'accord charnel relève plus souvent d'un miracle que d'une recette; enfin que l'amour partagé ne conduit pas immanquablement à l'orgasme simultané que trop de sexologues présentent comme un produit de consommation courante, illusion propre à provoquer d'amères frustrations.

Mais les femmes ne sont pas les seules responsables : de leur côté les hommes s'obstinent à entretenir cette inflation de leur puissance virile par une vaste et lancinante littérature, par le cinéma, l'érotisme et le culte monotone du héros, shérif, cow-boy, gangster ou conquérant, cherchant toujours qui dominer et quoi soumettre, négligeant les gémissements des faibles, les raisonnements des intellectuels et les supplications des amoureuses. La télévision a encore aggravé ce battage autour du *vrai homme*, indigeste personnage débité au mètre dans les milliers de westerns qu'on nous jette en pâture et que contrebalance si rarement le portrait d'un *homme vrai*. Les femmes n'ont pas d'existence dans ces sagas, n'apparaissant que dans les entractes de l'action violente, dans leurs trois rôles classiques : la pute, la jeune fille pure ou la mère. Pas de mélange et pas de nuances : la jeune fille pure n'est destinée qu'à être épousée, la pute, même au grand cœur, ne devient jamais une mère, elle meurt pute. Et la mère est là pour admirer, servir et souffrir. Mais souffre-t-on quand c'est un dieu qu'on sert? Le héros, lui, que tous respectent sauf les salauds, vit, tue et meurt en seigneur. Ses filles rêvent d'en épouser un comme ça et les meilleurs de ses fils sont déjà des tueurs en herbe malgré leurs taches de rousseur.

Côté vie quotidienne, il faut bien remplacer dans nos pays les grands espaces et les bagarres héroïques par toutes sortes de comportements destinés, comme chez le chien qui marque son territoire, à délimiter le nôtre. Faute de fusil ou de lasso, on se contente de vantardises de *Café du Commerce* (qui ont l'inconvénient d'accréditer un niveau de performances sexuelles ridiculement élevé) et de grossièretés de corps de garde, car l'obscénité est elle aussi une forme de violence, mais facile et sans danger. Le camionneur qui insulte en rigolant une femme au volant, ou le terrassier qui adresse une plaisanterie obscène à la dame du xvie qui longe son chantier, affirment leur domination sur elle en tant que mâle, quelle que soit la différence des classes. En tant qu'objet sexuel, une femme peut toujours être inférieure au dernier des hommes. Et il ne se prive pas de le lui rappeler.

C'est vrai qu'une femme commence à pouvoir circuler seule dans une paix relative, à sortir le soir, à voyager. Mais elle éprouve encore une insécurité latente dont les hommes imaginent mal à quel point elle nous contraint.

Combien de femmes ont passé des vacances infernales en Italie? Qui n'a pas changé 5 fois de place dans telle salle de cinéma, du côté de Saint-Lazare par exemple,

pour finalement renoncer à ce genre de sortie? Avant
les clubs et les voyages organisés, quelle femme seule
pouvait imaginer de partir à Bangkok, à Tahiti ou
visiter l'Algérie? La nuit et l'espace extérieur appartien-
nent aux hommes et nous commençons seulement à y
être tolérées.

Comme la peur qu'on inspire ou l'obscénité, la
vitesse est aussi une manière de s'imposer[1]. L'auto-
mobile devient un appendice viril comme le colt de
John Wayne et il faut la conduire comme on fait l'amour,
brutalement. Ceux qui se sentent humiliés de freiner
aujourd'hui sont les mêmes qui se seraient sentis dimi-
nués hier de s'attarder au plaisir féminin. On est un
homme, que diable! Les Méditerranéens, si maladive-
ment soucieux de ce qu'ils croient être leur virilité,
affectent très souvent une manière de conduire qui
trahit bien autre chose que le simple goût de la vitesse.
Et combien d'épouses ont serré les fesses toute leur vie
au côté de leur mâle au volant, hargneux comme un
roquet, qui sourit de leurs craintes et ne ralentirait
pour rien au monde. On n'est pas des femmes, que
diable!

Le jour où les hommes renonceront à ces fanfaronnades qui débouchent toujours sur le même rapport
falsifié, le jour où les femmes sauront les délivrer de leur
responsabilité sexuelle, le jour où ils brûleront ensemble
le mythe imbécile du pénis et son corollaire encore plus
bête, l'absence de pénis, pour se retrouver dans la

1. François de Closets, dans *le Bonheur en plus* a consacré des
pages très lucides à ce problème de la conduite « virile » dans
différents pays.

complicité naturelle de leurs organes, dans la tendresse et dans l'estime, la vraie révolution aura commencé.

Elle a d'ailleurs commencé. On s'aime mieux aujourd'hui qu'hier, on commence à savoir rire ensemble, à se faire du mal ensemble. Mais qu'est-ce qu'il reste encore à trimbaler ! Comme dit Marguerite Duras : « Faut attendre que ça se passe. Il faut attendre que des générations entières d'hommes disparaissent [2]... »

Eh bien, on attendra.

2. *Les Parleuses*, M. Duras et Xavière Gauthier, Le Seuil.

CHAPITRE IX

UN PROBLÈME DE ROBINET

« Tel est le misogyne : une des composantes de sa haine est une attirance profonde et sexuelle pour les femmes... C'est d'abord une curiosité fascinée pour le mal. Mais surtout, je crois, elle ressortit au sadisme. On ne comprendra rien en effet à la misogynie si l'on ne se rappelle que la femme est parfaitement innocente, je dirai même inoffensive. »

Ce texte est de Jean-Paul Sartre... ou presque. Il est tiré des *Réflexions sur la question juive*. Si l'on s'amuse à remplacer le mot « antisémite » par le mot « misogyne » et celui de « Juif » par « femme », il apparaît soudain avec une évidence fulgurante que la misogynie n'est rien d'autre qu'un racisme, le plus universel, le plus profond et le plus subtil des racismes, le plus honorable aussi et le plus facile à exercer, encore beaucoup plus facile que le fut l'antisémitisme pendant tant de siècles. On peut ainsi lire tout le livre de Sartre au féminin, ce qui placera dans une lumière étonnamment neuve et révélatrice des comportements que nous avons tendance à croire individuels et localisés, sous prétexte qu'ils s'exercent le plus souvent à l'intérieur d'un couple, marié ou non :

« Le misogyne a soin de nous parler d'associations féminines secrètes (cf. le M.L.A.C., le M.L.F.), de franc-maçonneries redoutables... Mais s'il rencontre une femme face à face, il s'agit la plupart du temps d'un être faible et qui, mal préparé à la violence, ne parvient même pas à se défendre. Cette faiblesse individuelle de la femme qui la livre pieds et poings liés... le misogyne ne l'ignore pas et même il s'en délecte à l'avance!... Puisque pour lui le mal s'incarne dans ces femmes désarmées et si peu redoutables, celui-ci ne se trouve pas dans la pénible obligation d'être héroïque. Il est amusant d'être misogyne! On peut battre et torturer les femmes sans crainte : tout au plus en appelleront-elles aux lois de la république. Mais les lois sont si douces... »

Pour le misogyne (comme pour l'antisémite), ce qui fait la femme, ce n'est pas telle ou telle conduite, c'est la présence en elle de la féminitude (analogue à la « juivitude »), principe indéfinissable semblable au phlogistique ou à la vertu dormitive du pavot! A travers l'antisémitisme distingué qui a longtemps régné en France, Sartre décrit parfaitement cette attitude qu'on croit bénigne, la misogynie de salon, qui passe en général pour une manifestation d'esprit et que professent tant d' « hommes du monde » charmants, charmeurs, de ceux qui n'omettraient jamais de s'effacer pour laisser passer une femme.

« Purs reflets, roseaux agités par le vent, ils n'auraient pas inventé la misogynie si le misogyne conscient n'existait pas. Mais ce sont eux qui, en toute indifférence, assurent la permanence de la misogynie et la relève des générations. »

Je voudrais à cette occasion, grâce à Sartre, fournir une réponse aux malheureuses qui restent sans voix devant l'argument final asséné par le misogyne de salon pour nous prouver que notre infériorité est congénitale : « Citez-moi donc un Beethoven femelle ? Un Descartes ou un Picasso femmes ? » Et le dernier des minus de nous regarder, triomphant, comme si ces génies étaient de sa famille et que leur gloire rejaillît tout naturellement sur lui par le seul fait qu'il possède lui aussi une robinetterie apparente !

« Il faut le reconnaître, écrit Sartre, si le Juif se retourne vers le passé, il voit que sa race n'y a pas de part. Ni les rois de France, ni leurs ministres, ni les grands capitaines, ni les grands seigneurs, ni les artistes, ni les savants ne furent des Juifs... La raison en est simple : Jusqu'au XIXe siècle, les Juifs, comme les femmes, étaient en tutelle. »

Cette fois c'est Sartre lui-même qui fait le rapprochement. On pourrait remarquer de même qu'on ne trouve pas beaucoup de savants ou de ministres dans la classe ouvrière... L'explosion à laquelle on a assisté depuis le XIXe, Disraeli, Freud, Bergson, Einstein, Proust ou Kafka, suffit à démontrer que dès que les Juifs ont pu accéder à l'enseignement supérieur et à un certain stade de liberté, ils sont eux aussi devenus des créateurs. Pour les femmes, il faudrait simplement corriger deux notions : d'une part la tutelle sur elles ne s'est relâchée qu'au XXe, et d'autre part, leurs fonctions maternelles, tant qu'elles y sont restées aveuglément soumises, les empêchaient de parvenir à ce seuil de liberté.

Or, le génie artistique est un luxe, même s'il s'accompagne de misère matérielle, le luxe de la disponibilité de l'esprit et du cœur. Abandonner pour toujours sa famille comme Gauguin, vivre en pestiféré comme Van Gogh, en hors-la-loi comme tant d'autres, n'est pas encore à la portée des femmes : on les considérerait non comme des artistes mais comme des folles ou des criminelles. La liberté qu'exige l'épanouissement du génie inclut la cruauté, l'égoïsme, l'acceptation de l'insécurité, le suicide social, toutes choses encore inadmissibles chez une femme.

L'histoire nous prouve qu'on n'extirpera pas plus le sexisme que le racisme. Il faut donc trouver une autre méthode. Dans les ex-colonies d'Afrique par exemple, les Noirs n'ont pas réussi à rendre les Blancs moins racistes, ils se sont tout simplement soustraits à leur pouvoir. De la même façon, il ne faut plus que les femmes entrent dans le jeu des hommes. Il faut leur enlever le pouvoir de nuire puisqu'il est reconnu que huit personnes sur dix, quand elles détiennent ce pouvoir, en abusent. Cela n'empêchera ni le misogyne conscient de tonner, ni le misogyne de salon de susurrer ; mais ils le feront dans le vide, un vide créé par notre absence. A qui s'adresseront leurs discours paternalistes si nous ne sommes plus des enfants, si nous refusons d'entrer même par amour — surtout par amour — dans le rôle d'une poupée articulée qui dit merci et je t'aime, rôle qui mène tout droit, la quarantaine passée, à celui de martyre ou de mégère, si, grâce à la contraception, la plus grande révolution de tous les temps pour les femmes, nous ne sommes plus des mécaniques qui fournissent des enfants quand l'usager met ce qu'il faut dans la machine, si nous prenons nous-mêmes la direction de nos existences? Car ce qui opprime les femmes, ce n'est pas seulement le système masculin, c'est la réponse féminine, c'est ce qu'il a réussi à faire de nous. C'est ce sentiment d'incompétence et de faiblesse qu'il a réussi à nous donner, doublé de culpabilité si nous nous dérobons au rôle qu'il nous assigne et que nous devons accepter avec enthousiasme. Car là est la malignité, le détail subsidiaire qui, comme dans les concours radiophoniques truqués, vient tout remettre en question : il faut que nous soyons ravies d'être vouées à des fonctions dites sublimes, mais que les hommes se refusent à exercer. Or, les hommes s'étant attribués par définition les fonctions dites supérieures, comment ne pas conclure que les nôtres sont subalternes, « ennuyeuses et faciles » (Valéry), « inintéressantes et abêtissantes » (Lénine), en un mot inférieures [1]?

Comment, alors que le métier de « bonne à tout faire » est considéré comme le dernier des métiers, les femmes admettraient-elles que pour elles le même travail devienne une admirable vocation?

Élever un enfant, s'occuper d'un mari, c'est un élan du cœur, ce n'est pas une profession, répondent les

---

1. Quand un homme consent à faire la cuisine ou à servir, il s'intitule *Maître* d'hôtel ou *Chef* de cuisine et exige d'être payé deux fois plus que la femme de chambre ou la cuisinière!

chattemites. Mais peindre ou soigner ses semblables peut représenter aussi un élan du cœur et pourtant les peintres ou les médecins reçoivent une rémunération pour ce travail, bien qu'il leur plaise. A vrai dire, on adore le bénévolat pour les femmes et c'est pourquoi le métier de mère au foyer est le seul qu'on refuse d'évaluer en termes économiques. Fournissant à la collectivité une contribution considérable en élevant leurs très jeunes enfants, les mères (malgré quelques discours émus et une allocation de salaire unique dérisoire), restent ignorées quand elles travaillent à la maison et pénalisées quand elles travaillent au-dehors (frais de garde élevés, insuffisance de crèches). Il faut qu'elles parviennent à échapper à cette dévalorisation de tout ce qui est féminin. Dévalorisation si profondément ressentie et si destructrice que c'est elle qui donne souvent aux « mères au foyer » ce ton aigri ou revendicateur en face des femmes qui travaillent, option *supérieure* puisque masculine, alors qu'elles devraient pouvoir dire très simplement : « J'ai choisi pour *métier* d'élever mes enfants car c'est mon goût ou ma vocation à moi. » Et il faut qu'elles s'en persuadent : on n'est pas meilleure femme avec dix-huit enfants qu'un seul ou même pas du tout; on est une *autre* femme. Et on n'est pas davantage femme en consacrant sa vie à un paralysé de guerre qu'en montant pour gagner sa vie un commerce de prêt à porter ou une boîte de nuit. On est une autre femme. Il ne faut pas nous laisser escroquer. Tous les hommes n'ont pas à être des Mermoz ou des Charles de Foucauld. Les femmes non plus.

Barrès enseignait en 1897, avec le cynisme que l'on

affichait à l'époque, que la « première condition de la paix sociale est que les pauvres aient le sentiment de leur impuissance ». La première condition de la paix domestique a été elle aussi que les femmes aient ce sentiment. Mais toutes les conditions sont réunies aujourd'hui pour qu'elles s'en délivrent. La difficulté est qu'il faudrait commencer au berceau, dès le premier biberon! Cela dépend de chaque mère.

Un terrible petit livre vient de paraître aux éditions des Femmes justement [2], un joli petit livre traduit de l'italien et dont la couverture s'orne de trois petites filles modèles en robe rose, jouant aux grâces dans un parc de la Bibliothèque rose. Gracieuses et insignifiantes, ayant déjà sur les lèvres le sourire féminin de rigueur, elles se livrent à leurs jeux idiots avec une satisfaction qui fait peine à voir. Et pourtant au départ, ces petites filles étaient nées inventives elles aussi, spontanées, débordantes de vie et de curiosité pour le monde. Leur extinction ne s'est d'ailleurs pas faite d'un seul coup : « A un peu plus d'un an, en dépit des pressions éducatives différenciées auxquelles les nourrissons ont été soumis, il est encore difficile de classer les garçons et les filles selon leur comportement, tant ils *se ressemblent*, tant ils *aiment, choisissent* et *font les mêmes choses*... En fait, il se présente souvent des différences de comportement plus marquées entre enfants du même sexe qu'entre enfants de sexes différents. »

Ces « pressions éducatives différenciées » ont été

2. *Du côté des petites filles* par Elena Gianini Belotti.

étudiées. Elles vous étonneront : dans un échantillon-
nage de mères d'enfants des deux sexes, 34 % des mères
qui alléguaient des raisons pour ne pas nourrir leur
bébé étaient des mères de filles. 99% des mères de garçons
acceptaient de le nourrir. La durée de la tétée était
régulièrement plus longue pour les garçons : à l'âge de
deux mois, quarante-cinq minutes, contre vingt-cinq
minutes pour les filles (dont on ne veut pas encourager
le côté goulu, considéré comme peu féminin). Enfin,
en règle générale, les filles étaient sevrées plus tôt.
Or c'est précisément dans cette « disponibilité du corps
maternel à l'égard de l'enfant que naît la confiance
et l'estime de soi, souvent si rares chez les filles et si
excessives chez les garçons [3] ».

A l'âge de l'école, le processus va s'accélérer : du
fait de ce conditionnement précoce et instinctif dans la
famille, puis à la maternelle, on peut dire « qu'à cinq
ans tout est joué et que l'adéquation aux stéréotypes
masculin et féminin est déjà réalisée : le garçon agressif,
actif et dominateur est déjà modelé. Il en va de même
pour la fille, soumise, passive et dominée ». La conclusion est simple et nue : « Chez les petites filles de six ans,
à l'âge de l'entrée à l'école primaire, la créativité est
définitivement éteinte. »

Et ce ne sont pas les jeux ou les livres que l'on donne
ensuite aux filles et aux garçons qui vont modifier
ces caractères acquis. Les rayons de jouets d'un grand
magasin à Noël sont sous ce rapport édifiants : on
dirait un stock de données déjà classées pour entrer

3. *Le Développement psychologique de la première enfance* par
Odette Brunet et Irène Lézine.

dans un ordinateur. Pour qu'une fille sorte de la machine à éduquer, il faut mettre des dînettes, des aspirateurs miniatures, des berceaux, des poupées, des panoplies de maquillage, d'infirmière ou de ménagère. Pour qu'un garçon sorte, il faut choisir au contraire tout ce qui encourage l'initiative et l'intelligence, des bateaux, des avions, des établis, des constructions, des panoplies de chef indien, de Zorro ou d'astronaute.

Il est de même « sorti » un nouveau jouet en 1974 : un joli W.C. miniature, avec le réservoir, la chaîne, le petit balai à m... et le distributeur de papier hygiénique! Je vous laisse deviner à quel sexe ce « jouet » s'adresse... Je ne peux pas croire que si Freud se promenait aujourd'hui au rayon fillettes des Galeries Lafayette, il ne tomberait pas d'accord avec Simone de Beauvoir pour reconnaître qu'on ne naît pas femme, mais qu'on le devient. De gré ou de force.

La littérature enfantine vient parfaire le travail : chaque fois que l'on y présente une femme qui n'est pas totalement passive et irresponsable, c'est une sorcière ou une ogresse. Les héroïnes proposées à l'admiration des petites filles, de Cendrillon à Blanche-Neige, sont toutes des gourdes, sans courage ni dignité, dont l'unique but dans la vie est d'attendre un prince qui leur apportera « tout ce qu'une femme peut espérer de la vie ». Connaissant le pouvoir de suggestion émotive des personnages donnés en pâture à l'imagination des jeunes, il est désespérant de ne trouver comme modèles féminins que la dévouée Florence Nightingale, la triste Pénélope ou la mère des Gracques.

Toutes les mères de filles devraient lire le petit livre

d'Elena Belotti. On s'y reconnaît avec stupeur, avec
incrédulité, parfois avec honte et on les reconnaît aussi,
toutes nos petites filles modèles, nos petites filles mode-
lées, si tendrement, mais peut-être aussi si mal aimées.

J'ai moi-même eu trois filles. Mais quand je le dis,
j'ai l'impression idiote d'en avoir fait moins que si je
pouvais répondre : « J'ai trois garçons. » Pour trois
garçons, on vous dit Aah, d'un air admiratif. Pour trois
filles, ou pire pour quatre ou cinq, on vous regarde
en hochant la tête : « Ah? C'est dommage... » Et pourtant, j'aime les filles. Et pourtant, je suis féministe
et convaincue de l'égalité des sexes.

Alors?

Alors elles ont raison bien sûr les féministes radicales.
Shulamith Firestone a raison de faire des propositions
utopiques et de penser que seule une révolution des
structures changera la condition féminine. Kate Millett
a raison de penser que les femmes, groupe qui par
le nombre et la durée de son oppression forme la base
révolutionnaire la plus vaste de notre société, réussiront
peut-être, si elles s'unissent, à arracher la moitié de
l'espèce à sa subordination millénaire et — ce faisant —
à améliorer l'espèce tout entière. Marcuse a raison de
dire que l'émancipation féminine est un « facteur décisif
dans la construction d'une vie qualitativement meilleure ». Germaine Greer a raison d'estimer que la per-
version masculine de la violence est le facteur fondamental de la dégradation des rapports humains et que si les
militaires étaient assurés d'être exclus du lit des femmes,
la guerre aurait moins de prestige; que le jour où les
femmes cesseront d'aimer les vainqueurs d'affronte-

ments violents, d'assister aux combats de boxe ou de catch, ce serait le début d'une nouvelle vie. Toutes elles ont raison de penser que le monde ne changera pas si bon nombre de femmes n'acceptent pas individuellement de passer pour des réprouvées, des excentriques, des perverties. « Celles qui s'imaginent encore manœuvrer le monde par la rouerie et la cajolerie sont des imbéciles : ce sont des tactiques d'esclave. » C'est vrai enfin que la structure familiale est la source de l'oppression psychologique. C'est vrai dans les manuels.

Mais dans la vie? Comment empêcher que le jeune mâle poussé par un instinct millénaire, gonflant le jabot en guise de parade sexuelle, s'approche de la jeune femelle attirée par un instinct millénaire et ornée de plumes, pour perdre tout esprit critique et lui faire perdre toute prudence, de telle sorte qu'ils tomberont tous les deux la tête la première, à moins que ce ne soit le sexe le premier, dans le piège velouté du mariage, dont ils pensent à chaque fois que pour eux tout sera différent...

Bien sûr, le mariage est responsable de tous les maux... mais finalement « il n'est ni plus ni moins malheureux que la vie même » (Johnson). On ne sortira pas de cette évidence-là. Il faudrait changer les structures, d'accord. Mais d'abord les êtres. Alors les structures se transformeront d'elles-mêmes. La révolution n'est supportable que pour les âmes fortes.

Mais ces âmes fortes, nous en avons besoin. Ce n'est pas à coup de majorité silencieuse, ni même à force de vertu que les sociétés ont progressé vers plus de justice. Sinon l'insondable océan de vertus et d'amour déversé par les femmes aurait depuis longtemps transformé la terre en paradis. Les combattantes, les théoriciennes ou les révoltées jouent un rôle plus important qu'on ne croit, ne serait-ce qu'en prouvant que les femmes aussi peuvent se montrer folles, violentes, absolues, désintéressées, comme les insoumis du monde entier, elles qui sont restées si longtemps assises au foyer, souriantes sous leurs chaînes et feignant de les trouver légères. Ce sont elles qui permettent aux autres de ne pas choisir les chemins de la violence sans pour cela être taxées de passivité, de lâcheté, de masochisme. Leur douceur devient alors un acte positif, à condition qu'elles la présentent comme telle, comme un choix.

Elles ont aussi le mérite, ces militantes, de contrebalancer l'important contingent de femmes-objets qui subsiste encore et qu'on ne fera jamais disparaître tout à fait, ce stock de nanas dociles, de pépées, de nénettes, ravissement de tant d'hommes, variété couvée et portée au pinacle par toute une presse spécialisée, utilisées parce qu'elles font vendre du papier, ou bien pour combler les vides de l'image dans certaines émissions télévisées. « Vous m'en mettrez 3 mètres carrés, du panaché blond et brun... » Ça n'a pas le droit d'ouvrir la bouche sauf pour sourire, c'est simplement déposé çà et là entre les vraies personnes, petits tas de féminité anonyme. Imagine-t-on un seul instant l'inverse? L'émission *Aujourd'hui Madame* se déroulant dans un espace peuplé d'éphèbes... Quel ennui! Quel ridicule! Sans doute sommes-nous plus civilisées...

Ce goût pour la femme-objet, il faut le reconnaître sous son déguisement galant : ce n'est qu'une forme de plus de la misogynie, maladie vieille comme le monde, tenace comme la peste et qui a pollué tant de comportements humains. Est misogyne aussi le monsieur qui dit à ses voisines dans un dîner : « Excusez-nous, nous allons être obligés de parler de choses sérieuses. » Est misogyne celui qui « vénère » sa mère, celui que la pilule rend impuissant, celui qui exalte la Femme, ce qui lui permet de rabaisser sa femme, celui qui croit à l'instinct féminin, celui qui prétend que les femmes adorent être prises à la hussarde, celui qui leur parle des lois de l'espèce quand elles ont des ennuis, celui qui dit à son épouse : « Tiens, je vais TE descendre TES poubelles » et d'une manière générale tous ceux qui commencent une phrase par : « Vous, les femmes... » ou « Nous, les hommes... »

Ils se faneront d'eux-mêmes, tous nos chers vieux miso, le jour où nos filles — pour les femmes de ma génération il est un peu tard — n'auront plus peur d'eux, le jour où ils ne seront plus anxieux de jouer le rôle du mâle, mais éblouis de rencontrer leur semblable, et pourtant différente, et de trouver dans cette merveilleuse différence toutes les magies de la vie.

Dans de trop nombreux pays où règne encore le dogmatisme politique, religieux ou phallique, les hommes et les femmes restent soumis à des modèles rigides, qui excluent sans doute l'angoisse et le doute, mais aussi la plus belle aventure humaine : l'épanouissement de toutes les facultés d'un être.

Mais dans nos pays, l'aventure vient de commencer, non sans résistances. Elle n'est pas sans rapports d'ailleurs avec cette autre aventure qu'ont vécue, que vivent, les parents des jeunes générations d'aujourd'hui :

Comme les maris subitement confrontés à des femmes
nouvelles, les parents se sont retrouvés devant une pro-
géniture qui ne correspondait plus du tout aux rassu-
rantes définitions du passé. La bonne volonté, l'effort
de compréhension, ou du moins d'acceptation, l'amour
que beaucoup de parents se sont efforcés d'offrir
sans contrepartie à des garçons ou à des filles qui
piétinaient pratiquement tout ce qui avait fondé et
motivé leurs vies à eux, est un des spectacles les plus
émouvants et les plus positifs qu'offre actuellement
notre société.

Les maris ou les compagnons des femmes nouvelles
sauront-ils se montrer aussi désintéressés que ces
parents? Aussi humbles et compréhensifs devant ce
phénomène qui sera parfois excessif lui aussi, ou douloureux à vivre comme tout changement qui affecte les
structures intimes?

L'avenir de la relation homme-femme, en cette occur-
rence difficile, dépend de la tendresse de l'une et de
l'acceptation de l'autre. Les raisonnements qui fon-
daient « scientifiquement » l'infériorité féminine se sont
effondrés; les arguments de moralité se sont révélés ce
qu'ils sont : un moyen de coercition; les fanfaronnades
viriles ne sont plus désormais qu'une survivance d'atti-
tudes rituelles, vides de sens. Mais beaucoup se battent
encore, bêtement, pour l'honneur! Pourtant le jour
n'est plus éloigné où ils accepteront de ramener leur
fameuse supériorité phallique à ce qu'elle est : un problème de robinets et de se laisser persuader que l'instinct profond des êtres humains n'est pas de dominer,
mais de se faire plaisir.

CHAPITRE X

MA FEMME AU SEXE DE GLAIEUL...

(ANDRÉ BRETON.)

Je n'ai pas envie de conclure. Surtout par un verdict. Ce livre n'était pas un procès ou alors c'est celui des Hommes et non des hommes. Nées avec la force physique dans un monde où le hasard aurait fait supporter aux mâles les servitudes de l'espèce, qui peut jurer que nous ne nous serions pas conduites comme eux?

Une évidence s'impose : il ne faut plus priver l'humanité de cette moitié d'elle-même, celle qui précisément a maintenu et vécu les valeurs de vie à travers la violence, l'oppression, l'égoïsme et la haine qui ont marqué l'histoire de tous les peuples et leur propre histoire. Quand on voit comment des hommes ont traité d'autres hommes, comment s'étonner de la façon dont ils ont traité les femmes?

Il faudrait que nous puissions dire ensemble : c'est fini, cette oppression-là au moins est révolue. Mais tout est dans cette condition : ensemble. Or la solidarité est une notion neuve pour les femmes, si longtemps sorties de la maison d'un père pour entrer dans celle d'un mari, contraintes à ne connaître d'autre forme d'absolu que la passion amoureuse, d'autre forme de grandeur que le dévouement.

Pourtant, contrairement à ce que laissent croire les apparences, contrairement à ce qu'elles-mêmes pensent souvent, les femmes sont plus proches les unes des autres qu'un homme ne l'est d'un autre homme. Soraya est plus près d'Arlette Laguiller que Giscard n'est le frère d'un O.S. du Mans. Car, dorée ou misérable, c'est la même dépersonnalisation qu'elles ont subie, c'est le même système qu'elles représentent. En bas, servante du foyer, en haut, poupée de luxe, ou pire, reproductrice officielle, elles ont dans les deux cas été privées de ce qui caractérise l'humain, la faculté de ne pas vivre comme une femelle animale, le don merveilleux de participer au monde, la possibilité de se faire confiance et de se réaliser. C'est pourquoi l'existence d'une femme, à mesure que passent les années et que diminuent les marques d'adulation qu'elle avait pu prendre comme un hommage à sa valeur personnelle, se met souvent à ressembler à celle des schizophrènes, morcelée en une suite de journées identiques qui ne débouchent ni sur l'avenir, ni sur un espoir, ni sur la simple certitude d'appartenir au monde et de se sentir concernée par lui. Elle y perd parfois jusqu'au sentiment de son identité et le suicide de telle épouse d'armateur grec, c'est finalement le suicide d'une midinette.

Aujourd'hui, un phénomène neuf est apparu : des femmes se battent et des femmes se rencontrent. Non plus pour garder ensemble leurs enfants ou s'avouer leurs difficultés conjugales, mais pour réfléchir, pour discuter, pour imaginer. Et c'est pour elles — de là vient la force des mouvements féministes d'ailleurs — la découverte de la fraternité. Passé les amitiés d'école, les fous rires d'adolescentes et les complicités sans lendemain des « jeunes filles à marier », dont cette expression montre bien les limites, c'est à la cellule familiale que les femmes consacraient toutes leurs richesses affectives. Pour elles, entrer dans les ordres et entrer en famille n'était pas fondamentalement différent. Les deux passaient pour une vocation et exigeaient de renoncer au monde, à ses pompes et à ses œuvres.

Toutes les femmes qui aujourd'hui se défroquent, celles qui se trouvent démobilisées par le mariage de leur dernier enfant ou délogées d'elles-mêmes par le modèle féminin qu'on leur a imposé et dont elles s'éloignent chaque jour davantage avec leurs rides, leur fatigue et cette indifférence masculine qui les nie, toutes celles-là qui ont été soudain prises d'angoisse à l'idée des quarante années que les statistiques leur donnent encore à vivre, cherchent une issue positive. « On pourrait croire, dit Simone de Beauvoir, que c'est la femme qui s'est le plus ardemment enivrée de sa beauté, de sa jeunesse, qui connaît les pires désarrois... mais non. La femme qui s'est oubliée, dévouée, sacrifiée, sera beaucoup plus bouleversée par la révélation soudaine : « Je n'avais qu'une vie à vivre et voilà quel a été mon lot. Me voilà! » Et elle s'épouvante des étroites limitations que lui a infligées la vie... Du fait qu'étant femme elle a subi plus ou moins passivement son destin, il lui semble qu'on lui a volé ses chances, qu'on l'a dupée, qu'elle a glissé de la jeunesse à la maturité sans en prendre conscience. »

Que ces femmes-là deviennent militantes politiques ou féministes ou qu'elles entreprennent des stages de recyclage et de réactivation de leurs aptitudes, on assiste au même spectacle émouvant : les retrouvailles avec leur jeunesse plus ou moins trahie ou étouffée par la vie et la découverte dans les larmes et dans les rires de la douceur d'être entre femmes. Une douceur, un plaisir extrêmes, que les hommes connaissent entre eux et cultivent depuis les Grecs et dont ils ont trop bien éprouvé les vertus et le pouvoir de diversion pour n'avoir pas cherché à en priver les femmes afin de les conserver pour eux seuls. On — on, surtout les hommes — a longtemps fait courir le bruit que des femmes réunies entre elles ne pouvaient que s'arracher les yeux. Il faut avoir assisté à une réunion du M.L.A.C., où elles découvrent enfin la chaleur humaine, face à l'angoisse de devenir mère malgré soi, qu'elles ont vécue isolées et coupables dans les siècles des siècles... Il faut avoir vu à un stage de *Retravailler* [1] des femmes de tous les âges et de tous les milieux qui croyaient n'avoir rien à faire ensemble et rien à se dire, s'aborder dans l'anxiété et la réticence puis très vite se reconnaître et s'étreindre en se disant : « Alors, toi aussi...? » Il faut avoir vu ces femmes retrouver leurs rires et leur liberté de petites filles, rajeunir, changer de visage, se mettre à oser « voler » du temps à leur famille pour leur usage à elles, il faut

1. Organisme créé par Évelyne Sullerot pour celles qui désirent rentrer dans la vie active.

avoir assisté à cette sorte de deuxième naissance pour comprendre ce qui a tant manqué aux femmes jusqu'ici. Et ce qu'elles sont en train de conquérir.

Et cette fois, il ne s'agit plus seulement d'intellectuelles, de bourgeoises émancipées ou de personnalités exceptionnelles; l'avant-garde se trouve désormais dans toutes les classes sociales. Dans une étude remarquable éditée par le C.N.R.S. [2], la sociologue Andrée Michel cite cette phrase d'une jeune aide-soignante, habitant une H.L.M. de banlieue, et qui résume d'une manière brutale et profonde toute la nouveauté du regard que les filles portent sur elles-mêmes et sur les garçons : « C'est drôle, tu prends dix filles et un gars : on ne lui fait pas la loi; on le laisse parler. Mais deux filles et deux gars, c'est fini; la loi, c'est eux. Pourtant on aurait nous aussi quelque chose à dire. Quelque chose d'autre. Qu'eux, ils ne savent pas qu'ils n'ont pas en eux; et qu'on a, nous... »

Elles savent maintenant qu'elles ont quelque chose à offrir au monde.

Alors? Le féminisme ou la mort, comme disent certaines [3]? Il serait peut-être plus modeste et plus juste de dire : le féminisme et la vie.

Le spectacle du monde tel qu'il est, la famine dont on annonce tranquillement qu'elle va tuer un demi-milliard d'êtres humains avant l'an 2000, entre une publicité pour Kitekat et une incitation à acheter *Salut les copains*, la sécheresse au Sahel dont nous regardons

2. *Activité professionnelle de la femme et vie conjugale.*
3. Comme Françoise d'Eaubonne dans un livre qui porte ce titre aux éditions Pierre Horay.

les images le cœur sur la main et les mains dans les
poches, les fils et les filles des éléments les plus achevés
de notre société capitaliste, les grands bourgeois et les
cadres, partant mendier ou se détruire à Katmandou
et chercher des raisons de vivre dans une civilisation
qui crève, l'incapacité de renoncer à cette merveille de
la science, la fission de l'atome, dussions-nous mettre
au monde des enfants de Minamata... tout cela ne
devrait pas nous donner une si haute idée de l'industrie des hommes, qui ont eu tous les pouvoirs depuis
10 000 ans.

Qu'avons-nous à perdre à associer les femmes à ce
pouvoir? Elles sont plus près des arbres, de l'eau originelle qui baigne leur descendance, elles ont le sens du
bonheur ayant survécu si longtemps au malheur, et elles
l'ont aussi, cette étincelle qu'il faut bien appeler divine,
faute de mieux.

Il faut que les femmes crient aujourd'hui. Et que les
autres femmes — et les hommes — aient envie d'entendre
ce cri. Qui n'est pas un cri de haine, à peine un cri de
colère, car alors il devrait se retourner aussi contre
elles-mêmes. Mais un cri de vie. Comme celui du nouveau-né, dans lequel on ne peut s'empêcher d'enclore,
à chaque fois, un nouvel espoir.

TABLE

CET OUVRAGE A ÉTÉ ACHEVÉ
D'IMPRIMER LE 10 JUIN 1975
PAR FIRMIN-DIDOT S. A.
PARIS - MESNIL

Dépôt légal : 2e trimestre 1975
No d'édition : 4206
No d'impression : 7265

ISBN 2 246. 00182. X Broché
2 246. 00183. 8 Luxe

THE GHOST DRUM

THE
GHOST DRUM

A CAT'S TALE

SUSAN PRICE

Farrar Straus Giroux

New York

Ku pamię Leona Stanisława Hessa
IN MEMORY OF LEON STANISLAW HESS

THE GHOST DRUM

ONE

In a place far distant from where you are now grows an oak-tree by a lake.

Round the oak's trunk is a chain of golden links.

Tethered to the chain is a learned cat, and this most learned of all cats walks round and round the tree continually.

As it walks one way, it sings songs.

As it walks the other, it tells stories.

This is one of the stories the cat tells.

My story is set (says the cat) in a far-away Czardom, where the winter is a cold half-year of darkness.

In that country the snow falls deep and lies long, lies and freezes until bears can walk on its thick crust of ice. The ice glitters on the snow like white stars in a white sky! In the north of that country all the winter is one long night, and all that long night long the sky-stars glisten in their darkness, and the snow-stars glitter in their whiteness, and between the two there hangs a shivering curtain of cold twilight.

In winters there, the cold is so fierce the frost can

be heard crackling and snapping as it travels through the air. The snow is so deep that the houses are half-buried in it, and the frost so hard that it grips the houses and squeezes them till they crack.

My story begins (says the cat) in this distant Czardom, on Midwinter Day: the shortest, darkest, coldest day, followed by the longest, darkest, coldest night of the whole year. On this day-night, this night-day, a slave-woman gave birth to a baby.

The woman lived with her husband's family in a small wooden house. At the centre of the house was a big, tiled stove. All day long a fire burned in the stove and sank its heat into the tiles. All day, and all night, the hot tiles gave their heat back to the house. At night the family spread their blankets on top of the stove, and slept there. With them, on the stove's top, tired and warm, the woman lay with her baby. Of them all, only the mother lay awake, as the night grew colder.

The slave-woman lay listening to the tiny sound, humming like the singing of a cracked cup, that the stove made as it breathed out its warmth. She heard the deep, sleeping breathing of the family around her, and the frost snapping about the roof.

'If only I had been born the Czar's daughter!' said the slave-woman to herself. 'Then my baby would be an Imperial Princess and all her world would be warm, safe and rich . . . But I was born a slave's daughter, so my baby is a slave and she won't even own herself.'

That made her so sad that tears began to run from

2

her eyes. She thought, 'I have laboured like a she-donkey so my master, the Czar, can have another little foal to work and kick and sell as he pleases. I wish that neither I nor my baby had ever been born!'

Something struck the outer door of the house then. The door boomed at the blow, and the warm air of the house quivered among the roof-beams and round the walls. The slave-mother jumped with fright; but none of the sleepers near her missed a breath.

From outside, where the frost crackled, a throaty, rough voice called, 'May I come in? You in there! Say – may I come in?'

The family slept, unaware, as if the knocker at the door was in the mother's dream, and her dream only.

Another booming blow was struck at the door, and the slave-woman cried, 'Come in, and welcome!' For, who knew? It might be a traveller lost in the snow, and needing shelter.

She heard the outer door of the house open, and slam shut. Raising her head, she looked down from the stove-top and saw the inner door fly open. In hurried a tall figure, hidden under a big fur hat and a long, quilted, padded, fantastically embroidered coat. Bulky, beaded and patterned Lappish boots were on its feet, and large Lappish gloves on its hands. Over its shoulder was slung a flat drum.

This tall, odd figure crossed the room and climbed up to sit beside the young mother on the

3

stove. None of the sleepers woke. The stranger whipped off the fur hat, and the mother saw the face of an ancient woman, a face criss-crossed with wrinkles like fine old leather that has been crumpled in the hand. A thin beard of long white hairs grew from the old woman's chin, though her pink scalp could be seen through the white hair on her head. In the heat of the little house, the old woman opened her thick, padded coat, showing a tunic of leather beneath, decorated with beads and feathers. She pulled off her large gloves. She smiled at the young mother. Her few teeth were black or brown, with large spaces between them.

'A good night to you, daughter,' said the old woman. 'I've come a long, cold journey to congratulate you on the birth of a fine child.'

The young woman hugged the baby tight. This was a witch, come in the night as witches did come, to steal her baby and roast and eat it. She began to call out the names of her family, hoping they would wake her from this dream, or wake and drive the witch away; but they slept as if not a sound had been made.

'Daughter, my little one, don't be afraid,' said the witch. 'I've not come to hurt you or your baby, but to tell you this: the baby you hold in your arms is the child whose birth I have been awaiting for a hundred years.'

The mother opened her mouth softly, as if she would taste the witch's words. Her baby's birth expected for a hundred years? What was her baby, then? A saint-to-be? Would there be candles lighting churches for her baby a hundred years from now?

'Give her to me,' said the witch. 'Let me raise her. Then she will be a Woman of Power, and the son of a Czar will love her. Keep her and raise her yourself, and she will be a slave and a mother of slaves, nothing more. Give her to me.'

The mother clung to her baby and shook her head.

'You see the Ghost-drum at my back,' said the ancient woman. 'You know by that I am a shaman. I can shift my shape and follow the dead to their world. I know all the magics, and am a Woman of Power, yet I was born a slave too. On the night of my birth, a shaman came to my mother and begged me from her. The shaman raised me as her daughter, and gave me a gift of three hundred years of life. For a hundred years now I have beaten my drum every day, and asked the spirits to tell me when and where my witch-daughter would be born. This is the night: your child is the child. Give her to me. In my care she will never be hungry or frozen or cruelly treated; she will not be a slave. Give her to me, and she will be free; she will have Power.'

Tears wetted the slopes of the mother's face and neck. 'I cannot,' she said. 'My baby doesn't belong to me. I am a slave, her father is a slave, and she and we belong to Czar Guidon. If I gave you the baby, we should be whipped for giving away our master's property. We should be executed for stealing from him.'

5

The old woman hopped down from the stove and hurried to the door, which opened before she reached it, and slammed after her. The mother heard the outer door open, and slam too; and she lay quietly in the dark, with tears running over her face, wondering if the witch had gone away.

But the doors opened and slammed again, and the witch came back. She carried a snowball as large as her head. She sat on the stove and shaped the snow in her hands, and it didn't melt.

As her strong, wrinkled hands, with their sharp, shifting bones, worked at the snow, the witch sang. Her voice travelled warm and humming through the dark, and seemed to set motes of darkness spinning. Lengthening, the notes of her voice rose into the rafters; and the young mother became calm and content as she listened.

The witch shaped the snow like a baby.

'Mine is a cold, pale baby,' said the witch. 'I have sung a spell into this snow, and even if you put it into the fire, it will not melt until summer comes again. When I have gone, and have taken my foster-daughter with me, you must show this snow-baby to your family and say that it is your baby's dead body. No one will be surprised. Many babies die in winter. They will take the snow-baby away and bury it, and no one will see it melt in the earth when summer comes. You won't be punished because a slave-baby died in a hard winter. Now give me your baby and take this one of snow.'

The mother brought her baby from beneath the

covers, but still clung and hesitated.

The witch laid her hands on the baby. 'Come; have sense and give her to me. Keep her, and you keep her enslaved.'

The mother released her hold on the baby, and the witch pressed it to her own chest, refastening her thick coat, so the baby was fastened inside. The cold snow-baby, the witch put into the mother's arms.

Then the witch jumped down from the stove, put on her fur hat and her big gloves, cried, 'I wish you well,' and rushed to the door. The door flew open, and the witch was gone through it. The young mother pushed herself up on one elbow to see the last of the witch, but saw only a closed door, and heard nothing more than the slamming of the outer door, and the crackling of frost about the house.

The snow-baby lay chillingly cold against her.

Before the night was over the mother couldn't remember if she had given her daughter to a night-visiting witch, or if the cold baby she held was her own baby frozen to death, and all the rest a dream.

So uncertain was she that she told no one about the witch, but only said that her first child, a daughter, had died a few hours after birth, in the coldness of a winter night. But all her poor life the woman remembered the witch, and hoped that she had been no dream.

TWO

At the end of its golden chain, the scholar cat walks round the oak and, as it walks, it tells this tale.

Did the slave-woman dream (asks the cat) or did a witch truly take her baby?

And, if a witch truly came, did the witch tell the truth, or did she take the baby, roast it, and eat it at a witches' picnic?

I shall think of the answers to these questions (says the cat) and while I am thinking, I shall tell of the Czar who rules this Czardom, the Great and Mighty, the Royal, the Compassionate, Czar Guidon.

Czar Guidon, that spindly-legged, spindly-armed, fat-bellied man, like a spider. That man who calls himself God on Earth, and who murdered all his brothers and uncles and cousins to make himself Czar. That wicked (but whisper this) wicked, wicked man, the Czar Guidon.

I shall tell of the Czar's sister, the Imperial Princess Margaretta, who dyes her hair blue and never says what she means, but lies all the time. She was a small girl when her brother murdered all their relatives, and so he let her live. Now he wishes he had murdered her too.

I shall tell (says the cat) of how the Czar found and married the woman Farida.

And I shall tell of Czar Guidon's son, the unfortunate, the lonely Safa Czarevich.

Now (says the cat) I begin.

The riches of Czar Guidon were beyond all counting, all reckoning, for he owned everything in his Czardom: every coin, every jewel, every crumb of soil and clod of clay; every mountain, every hill, every hole.

He owned every animal, wild or tame, alive or dead; and he owned every flower, every shoot, whether it grew in a wood, or in a field, in a garden, a window-box, a pot, or a crack in a wall.

If a bird or an insect flew over the border into his Czardom, then he owned it. He owned the air they flew in. He owned the air in the lungs of his people. He owned the people.

But he had no wife and no children.

The Czar's chair stood at the top of a tall flight of steps in the court-room at the centre of the Imperial Palace. The chair's back was like the spread tail of a peacock, covered with bright eyes of enamel and jewels. The Czar's advisers came and lay on their bellies at the foot of the Czar-chair's steps, and they cried, 'Oh, Compassionate Czar, do not punish us, but let us speak.'

The Czar nodded to his captain, who stood on the Czar-chair's lowest steps, and the captain stamped his foot as a sign that the advisers might speak.

'Oh, Compassionate Czar,' said the oldest of the advisers, 'we beg you, take a wife, and have children with her, so there will be a Czar to rule us in the years to come.'

This angered the Czar, but his anger passed, and he said, 'There shall be a bride-choosing.'

Among those who gathered in the court-room was the Imperial Princess Margaretta. Smiling, she stepped forward in her blue silks and blue sapphires, and she said, 'I am *so* pleased that my Imperial Brother is to take a wife. May I wish him, with *all* sincerity, a *very* happy marriage, and a dozen beautiful children to sit on his knee?'

All the courtiers politely clapped the Princess's speech, but not one of them believed her. Everyone knew that the Princess wanted to be Czaritsa after her brother's death, and if he had children, she would only have the trouble of murdering them. Everyone knew this: but still the Princess made her polite little speech and tried to sound as if she meant it; and still the courtiers applauded and tried to look as if they believed it. This is the way of Czars' courts.

But listen, (says the cat) the bride-choosing began.

Messengers were sent to every city, town and village, to every house and hut, in the whole Czardom; and the message they carried was: 'Every unmarried woman above the age of twelve must present herself at the Imperial City before the month is out. The Czar will choose a bride! Long live the Czar Guidon!'

The message brought sorrow to the land. Each family looked at their unmarried daughters or sisters and dreaded that they might be chosen to be the Czar's bride – a terrible thing, for Czars were cruel, and the relatives of Czars were crueller still. How long would the chosen bride live before being poisoned or smothered, or stabbed to death by the Imperial Princess? By slow carts, dressed in their oldest clothes, with their hair hacked short and ragged, all the unmarried women of the land made their way, from every part of the land, to the Imperial City. Their families wept for them, and prayed that the Czar would not like them.

In the Imperial City, hundreds of carpenters were at work, building houses where the women would live while the Czar chose from among them.

Hundreds of joiners made beds and stools and chests for the houses; and thousands of seamstresses stitched blankets, sheets, curtains and dresses.

Tons of food were brought to huge kitchens, where hundreds of cooks worked over hundreds of fires to provide meals for the women; barrels of water were brought into the city, for the women's washing, until it was said the rivers were dry.

Swarms of clerks wrote down the women's names, and the names of the places they came from.

There were thousands and thousands of women. Noble and slave-women; widowed women; old, middle-aged and young women; mere girls.

When the month was over, and every one of the

11

new houses was filled with women, the clerks went from house to house, inspecting and questioning them all. They were to decide which of the women could be sent home without even being seen by the Czar. They knew that the Czar wanted a pretty wife, but a clever one too, and they set tests for the women to pass: simple tests at first.

The women made the choice hard by trying to answer stupidly, to hide the skills they had. But the Czar was waiting, and the clerks were not over-long in making their decisions.

The next day, hundreds of women were sent home, a few in disappointed tears, the many in tears of thankfulness and relief. Back they went to their families and a happier life than they could ever have had in the Imperial City.

Those women who remained had to answer harder questions and pass stricter tests, sitting their exams in Czaritsaship. More of them were sent home; and the tests were made harder still. The clerks puzzled, argued, and made difficult choices, before sending home another hundred, and then another hundred, and another, until, of all the thousands who had come to the Imperial City for the bride-choosing, only one was left. That one was a young slave-woman from the south of the country. She was tall, dark-haired, dark-eyed, brown-skinned, beautiful and clever – but not so clever that she could be stupid. Her name was Farida.

She had been born in a small, poor house with

wooden walls and an earthen floor: now she was to be the lady of the Imperial Palace, which was as big as a town. A town of roofed streets which were corridors; of hills, which were stairs; of rooms as large as parade-grounds or market-squares, where fountains fell into marble bowls as wide as lakes.

It was dark in the Palace, even when it was daylight outside, because the windows were not of glass, but of fine, polished sheets of stone; and the stone was painted with the Imperial Eagle, and the Imperial Bear; with the Holy Golden Crowns, and the Flowering Tree of Life. Farida explored long passages, passing from a cloudily candle-lit gloom to a gloom turned golden and rich by light falling through the gold of the Holy Crowns; and then into an emerald gloom, darker and greener than that of any forest, and on into the rich blue and scarlet gloom of the Eagle.

Worse than the airless darkness of these corridors was the silence. No one spoke, not the guards nor the servants: talk was forbidden. Thick carpets swallowed the sounds of footsteps. This was the house of the Czar, the God on Earth, and only he was allowed to speak aloud without special permission. Servants and guards were whipped for making clatter. The Palace's silence was ancient and frightening.

It was all strange to Farida. She was given new clothes, taught to behave in new ways, and was not allowed to keep her own name. The day before her marriage, she was taken to the Imperial Chapel and baptized a second time. She was told that she had been reborn, and was no longer the slave Farida, but Katrina, the chosen bride of Guidon.

To herself, she was still Farida.

Czar Guidon and Katrina-Who-Had-Been-Farida were married, Katrina was crowned, and the feast lasted three days. All the nobles of the Czardom were there, to swear loyalty to the new Czaritsa. The Imperial Princess Margaretta, dressed in blue silk, blue diamonds and blue sapphires, and with her hair freshly dyed blue, swore not only loyalty but love, to her new sister. She spoke with such sincerity in her voice, and such a look of true affection on her face, that everyone watching her knew that she wished the Czaritsa dead, and was already planning ways to kill her.

Many, many people pitied the Czaritsa, and none of them expected her to survive for long; but weeks went by, and weeks went by, and then the weeks were months, and still the Czaritsa was alive and, it seemed, the Czar loved her. At least he spoke to her pleasantly, and rarely kicked her. He had taken some thought to discover what she liked and what she disliked; and if some fruit, or flowers, or fine cloth were brought him, he would have it sent to her.

Even the Imperial Princess Margaretta took notice of this liking the Czar had for his wife, and laid by her plans of murder.

Then the Czaritsa's doctor went to the Czar and told him that his wife had a child inside her. An heir to Guidon's Czar-chair, whether a boy or a girl, would be born in seven months' time.

Czar Guidon had married to get an heir, but now he was promised one, he was afraid. For two days he didn't visit the Czaritsa. He sent for his fortune-tellers and astrologers, and ordered them to foretell what the child would be, and how its life would run.

Now these astrologers and soothsayers could no more tell the future than the Czar could, though some believed they could. Those that did believe so went away to read the stars, throw the bones, scatter the sand, or whatever else they did while they made their guesses.

The rest called a most secret meeting in one of the Palace storerooms, to try to decide what would be the best and safest thing to tell the Czar.

What was it that the Czar was hoping to hear them say? The darkness of the storeroom was lit only by a single candle, and voices without faces spoke from the gloom.

'He wants us to say that his child will be as great a Czar as he is.'

'No!'

'We must say the child will be greater!'

'No, no! We must say the child will never be as great. That's what all fathers want to hear.'

'Not at all. Fathers want to hear their children will be greater than themselves.'

'If we say the child will never be as great, then Czar Guidon will execute us for calling his child a failure.'

'If we say the child will be greater, then he will execute us for insulting *him*.'

'What can we say?' they asked each other.

'Say the child will die young.'

'What if it doesn't? He won't forget what we foretold.'

'And what if it *does* die young? He will say we killed it by witchcraft.'

It began to be clear that whatever they said, the Czar would be displeased. Several of them left the meeting, packed their belongings, and ran away in the night. Those that remained at last went to their beds, dreading the time the Czar would send for them, but hoping things would turn out not so bad as they expected after all.

On the day the astrologers and soothsayers were called into the Czar's presence, they were sorry sights. One after another they tottered to the foot of the Czar-chair's steps, lay on their bellies, pressed their faces to the floor and begged for permission to speak. When permission was granted, they mumbled out whatever they hoped and guessed would please the Czar. None of them dared to look up at him. Many of them changed their minds about what they were going to say at the last moment. The child would be a girl – it would be a boy. It would be a great Czar or Czaritsa. It would quickly sicken and die. It would reign a hundred years.

Czar Guidon became calmer as he listened; and this alarmed everyone so much that the last few fortune-tellers could not croak a sound, and the place at the foot of the Czar-chair's steps was empty.

Into the space stepped the Imperial Princess Margaretta, carrying scrolls of paper in her hands. She looked into the Czar's face and said, 'Great Guidon, Czar and brother; these last years I have taken much interest in the stars and the ways they may be read. I have studied the best writers on the subject and, I believe, I am further advanced in the art of astrology than any of these wretches.' She held up her papers. 'I have made a horoscope for your unborn child, dear brother. It is rough, of course. When the child is born, I shall be more accurate, but this is as good a horoscope as can be made at present. Forgive my presumption, and allow me to tell you of it, Czar.'

Czar Guidon nodded his head.

The Princess unrolled her papers and studied them. 'The child will be a son, my dear brother; of that there is no doubt. He will have the beauty, courage and intelligence of his mother's people: in short, he will be a great man. The people will love him.'

Everyone in the court-room was peeping at the Czar. His face was white as plaster, and terrifying.

The Imperial Princess went on, 'The child's talents will make him ambitious. He will want the Czar-chair, and he will kill his father for it. Few will judge him harshly for that, however – you are hated, brother, and your son will be loved. It grieves me to tell you this, but the stars spell it by their progressions, and I know you value the truth.'

No one, from the most honoured courtier to the bravest soldier, could imagine how the Princess dared to say this.

It was a long time before the Czar was able to speak. His voice had to force its way past the fear and fury that filled him. In a scratchy whisper – but everyone in the room heard him – he said, 'Kill them, kill them. The astrologers, the fortune-tellers. Every one. Their heads – off!'

The soldiers left their places round the walls and herded all the fortune-tellers together. They were driven through the doors and, as they went, they broke the rule of silence by shouting out desperate pleas and explanations. There was no help for them. In the nearest courtyard, every one of them was beheaded.

'You my dear sister, my Margaretta,' said the Czar, 'you and only you tell me the truth, and the truth is what I love, above all. I shall reward you, my sister.'

The truth was that the Imperial Princess Margaretta could foretell the future no better than the astrologers, but she knew what it was that her brother dreaded.

Czar Guidon had never trusted his sister before, nor had he ever believed anything she told him; but he believed her this time, because what she told him was what he feared.

'Guidon, great Czar and brother,' said the Princess, smiling, 'if I have served you, I already have my reward.' She was sure that, because of what she had told him, he would have his wife and unborn child murdered. That was her reward.

But the Czar didn't have his wife murdered. The ways of Czars are not always to be understood.

At the top of the tallest tower in the Imperial Palace was a beautiful enamelled dome. Inside that dome the Czar had a little room built, and furnished with low tables and thick cushions. The Czaritsa Katrina-Who-Had-Been-Farida was carried to that room and locked in, with only one woman for company, a slave-woman named Marien.

Soldiers were set to guard the door of the tower, the stairs, and the door of the little dome-room. The Czar's orders were that his wife and her maid were never to leave the room, nor was anyone else to be allowed in.

The Princess Margaretta tried to visit the Czaritsa, but the soldiers would not let her by. She tried to send the Czaritsa poisoned gifts, but the soldiers would not deliver them. It was useless to try to poison the Czaritsa's food, for all the food served to the Czar and Czaritsa was first tasted by slaves who were specially trained to recognize the flavour of poisons. Those flavours could not be disguised from them by any spice, or any degree of sourness or sweetness. The Czaritsa was safe from everyone except her husband; the unborn baby from everyone except its father.

High in the little room inside the enamelled dome, the Czaritsa spent her days in grieving, and wishing that she had never been married. The

19

maid, Marien, tried to cheer her with promises of how happy she would be when her child was born, but the Czaritsa said, 'How can that be? My husband is a cruel man, and he is angry with me. The Princess hates me, and would kill me and my child if she could. How can there be any happiness for us in the future? It would be best if I died, and the child with me.'

'Oh no, no, no,' said Marien. 'You must look on the bright side of things, Farida, little sister.' Marien and Farida were country-women and fellow-slaves, and they cared nothing for new names and new titles, but called each other by the names their parents had given them.

For long hours Farida would sit silent, trying to think of a way she could make the future happy for herself and her child. She hated the Czar, and did not think of the child as his at all, but as hers alone. When it was born, she must somehow escape from this tower and find her way over the wild country between this Palace and her home. She had no idea which way to go, but she would find it. And when she reached home, she and all her family would travel away into another country, out of the reach of Czar Guidon. Her baby would go with them, and would grow up, loved by its grandparents, its aunts, its uncles and its mother. It would know nothing of its cruel father.

That was her plan, and it was still her plan on the day her child was born. It was a boy. Marien wrapped him and laid him in his gold and ivory cradle. 'Let me rest awhile,' Farida said, 'and then I will take him home.'

Her rest turned to a fever, and within three days she died. It was Marien who named the child Safa.

The Czar Guidon knew neither that his wife was dead, nor that he had a son. No one dared tell him.

The news had travelled from soldier to soldier down the steps of the tower; and from the soldiers to the other slaves, and from them to the nobles and priests and the Princess Margaretta. Everyone in the Palace knew, except the Czar.

The eyes of the courtiers followed the Princess everywhere, hoping that she would tell the Czar. But the Princess was too cunning and said nothing.

Meanwhile the Czaritsa's body lay on the bed in the dome-room at the top of the highest tower, and Marien needed clothes, milk and toys for the baby. She begged these things from the soldiers, who begged them from their wives, mothers and sisters, but soon Marien said to herself, 'This is foolish. My poor sister must be buried, and little Safa will need new clothes as he grows bigger.'

She asked a soldier to step inside the room and watch the baby, while she went down the stairs, winding round and round, passing soldier after soldier. At the bottom, she asked to see the sergeant.

The sergeant sent her to a lieutenant, and the lieutenant sent her to a captain; and the captain sent her to the Czar's steward, who was in charge of all the slaves in the Palace.

'Will you go to the Czar and tell him that his wife is dead and must be buried, and that his son is born and must be provided for?' asked Marien, as she had asked the captain, the lieutenant and the sergeant.

The steward would not, but took her to the most noble of the Czar's advisers. 'Has the Czar been told of his wife's death and his son's birth?' asked Marien.

The adviser took her to the apartments of the Imperial Princess Margaretta, and of her Marien asked the same question.

The Princess smiled kindly. 'I shall myself conduct you into the Imperial presence of my great brother,' she said. 'You shall have the honour of being the one to tell him.' And the Princess rose from her chair, and herself led the way, on her own Imperial feet, through the gloomily jewel-lit, silent corridors. Slaves opened doors before them and closed them after them. Each pair of doors opened on rooms higher and larger and more painted and gilded than the last, until they reached the immense private apartments of the Czar, where the Czar lived in state like a flea in a cathedral. There the Princess, still smiling, left Marien. Her brother would be so furious at the news, she thought, that he would order the dead Czaritsa, the newborn baby, and Marien to be buried in the same grave.

The Czar lay on his bed, his Bible beside him. He looked at Marien and waited for her to speak.

Oh, how Marien wished she had not come! Now

she realized that her words might bring about not only her own death, but also the death of the baby she had taken into her care.

What words should she choose? What words would make the Czar loving and gentle?

She knelt on the floor, bowed her head and made herself as small as possible. 'Oh Father, protector of us all,' she cried, 'do not punish me for daring to speak to you. I have sad news of your wife, forgive me. She is dead, Czar.'

The Czar did not speak, and Marien did not dare to look at him.

'Father, dear Czar, be patient – I have come to beg you to give orders for the funeral, please.'

Crouched on the carpet, with her nose in its fluff, Marien heard the words of the Czar.

'She shall have her funeral, she shall have her grave. A small grave, but over it I shall build an Imperial Church. Every day and every night it will be filled with candles burning for her. A thousand priests will pray never-endingly for her soul.'

A strange grave, thought Marien, for a woman who had spent so many months in a tiny dome-room.

'Czar, be merciful,' said Marien, her nose still in the carpet. 'Be kind to me when you hear there is more news. Your wife bore a living child before she died. I beg you, let me have all I need for this child. Czar, Czar, have tenderness for your own child.'

'Is this child,' came the Czar's voice, 'a boy, or is it a girl?'

What did the Czar mean? Poor Marien's mind ran round in her skull. Did this mean he would be angry if it was a boy and pleased if it was a girl? Or would he be pleased with a son and angry with a daughter? Both sons and daughters can rule a Czardom after their father is dead; sons and daughters both can murder a father for his power. Marien rocked to and fro on her knees, striking her forehead on the carpet, weeping and wetting the rich, soft carpet with her tears. She did not answer the Czar at all, but only cried out, over and over, 'Be merciful, great Czar, be merciful, I beg you, I beg you.'

The Czar called for his captain of guards, and that silenced Marien immediately. In came the captain, with his long, heavy sword that could chop off a head at a blow. To the captain, the Czar said, 'Take this woman back to the Czaritsa's tower. She is the Imperial Nurse, and anything she needs is to be given to her. Carry the body of the Czaritsa to the Imperial Chapel. Ring the bells for her.'

The Captain saluted and dragged Marien to her feet by one arm. She was trembling so much that she could hardly stand, and once outside the Czar's apartments, she had to kneel in the dim corridors and cover her face with her hands while she gave thanks and waited for her heart to recover its normal pace and her legs their strength.

When she at last climbed back to the dome-room, the body of the Czaritsa had already been taken away, and the Imperial bells were already shaking the stones of their tower and shuddering the air with their terrible tolling, doleful sound, as they announced the death.

'Never mind, my sister Farida, wherever you are now,' Marien said aloud. 'I have saved your son. I myself went to the Czar, when no one else dared to go, and I saved him.'

She hopped about the room, hugging herself, and danced round the cradle, so pleased and proud was she. She opened the door of the room and boasted to the soldiers of how she had gone to the Czar and told him straight that he had a baby son, and should provide for him and bury his dead wife. 'You are a heroine, Marien,' said the soldiers. 'None of us would have done it.' And very soon the soldiers began to pass up the stairs well-cooked meals for the Imperial Nurse, good milk for the Imperial Baby, and beautiful soft clothes and toys too.

The dead body of the Czaritsa Katrina-Who-Had-Been-Farida was dressed in grave-clothes of red silk, sewn all over with gold and red stones. She lay in the Imperial Chapel of the Palace, circled round with burning candles that made her sparkle from dead head to dead foot.

The Czar personally chose the spot where she was to be buried, and set architects, masons and sculptors to work, to build a beautiful church over the grave. More sculptors were working on the tomb itself, which was to show the Czaritsa in Heaven with the saints, and was to be covered in gold.

From every district of the Czardom musicians and composers were being brought, to write and play the music that would be heard in the Czaritsa's church, and only there. Artists came, eager for the job of painting scenes from the Czaritsa's life round the walls of the church – a difficult task, for no one knew much about the Czaritsa's life before she had come to the Imperial City, and after she had come there, she had spent most of her days in one small, round room.

In the midst of all his plans for the new church, the Imperial Princess Margaretta came to her brother and said, 'In all your grief for the dead, my Czar, you are forgetting the living. Our poor, beloved sister's child is alive – have you seen the baby?'

The Princess knew, as everyone but the Czar knew, that the child was a boy, just as she had said in her lying prediction. When Czar Guidon discovered this, she was certain his fear would drive him to have the child killed.

'Our dear, sweet, dead Czaritsa – may God receive her soul! – would have wanted you to see the child,' said the Princess.

So Czar Guidon climbed the steps of the tower, round and round, past soldier after soldier, to the little room in the enamelled dome. The arms of the soldiers rippled like a wave as they saluted him, one after another. At the top, the last soldier roared, 'The Czar Guidon!' and threw open the door of the room.

The baby, Safa, lay naked on Marien's lap. She, who had been so full of how she had bossed the

Czar, was stricken utterly dumb by his arrival, and slipped from her seat to her knees on the floor. She could only think he had come to murder the baby, and she hugged it tightly and held it away from him – which was brave of her, however dumb she was struck.

The Czar stooped and took the baby from her. Marien gave one squeal and covered her face, thinking to hide from the sight of the baby's murder.

The Czar saw the baby was a boy.

He handed his son back to Marien and turned away. To his captain of the guards, he said, 'This room is to be guarded night and day. That child is never to leave it.'

The captain thought of how long the child might live, and said, '*Never?*'

'*Never,*' said the Czar, and left the room. The arms of the soldiers rippled again as he passed. Not once, in all his life, did Czar Guidon ever visit that room again.

No one could understand why the Czar had not simply had his son smothered. It would have been much easier than keeping him imprisoned. Perhaps he did not want to put the idea of killing members of the Imperial Family into people's heads.

Czars were always hard to understand, though. No doubt, if the little Safa Czarevich lives to be a Czar, people said, he will be hard to understand too.

THREE

The cat walks round the oak, winding up its golden chain and telling its story.

Do you remember (asks the cat) the witch who visited a slave-woman and took away the slave-woman's baby?

What do you suppose became of that baby?

That is what I am going to tell now.

Do you remember that midwinter's night, when the snow was freezing to a crust of ice-stars? And how the old witch buttoned the slave-baby into her padded coat and rushed out of the house?

Out in the night, in the snow, stood another house. It stood on two giant chicken-legs. It was a little house – a hut – but it had its double windows and its double doors to keep in the warmth of its stove, and it had good thick walls and a roof of pine-shingles. The witch came running over the snow, and the house bent its chicken legs and lowered its door to the ground. The double doors opened, in went the witch, and the doors banged shut, one after the other.

The chicken-legs straightened again and lifted

the house into the air. The legs began to move. First they paced up and down on the spot, the talons on their toes raking through the crusted snow with splintering sounds of broken ice. Then the legs took a few quick, jerky steps, sprang, and began to run. Away over the snow ran the little house on its chicken-legs. Its windows were suddenly lit by a glow of candlelight. The hopping candlelight could be seen for a long time, shining warmly in the cold, glimmering twilight; but then the light was so distant and so small that it seemed to go out. All that was left of the little house was its footprints, the prints of a giant chicken. Snow fell and covered them, and by morning there was no sign left at all of the hut, nor of the witch who had taken the slave-baby.

The house bounded over the Czardom on its long chicken-legs until it was a thousand miles from any place where people lived, on the blank of a wide, snow-covered plain. Sky-stars glittered in the darkness above, snow-stars glittered in the white-ness below, and the long-travelling wind made its only sound as it blew round the corners of the little hut.

Inside the hut on chicken-legs was one small room, big enough for a witch and an apprentice. The stove, its door always gaping open, took much of the space, and the witch was careful to feed it often with wood and pine-cones, so the flames always burned high, and the room was never cold, nor the house faint with its belly empty.

There was a table and some stools, and a large cupboard where the witch kept her stores. The walls were hung with carved and polished lutes; with bells and drums and flutes; with psalteries and harps, and all other kinds of instruments for making music.

The witch could have lived in a far higher style, had she wished; but two hundred and fifty years before she had been born a slave, and she saw no reason to insult the memory of her parents by putting on unnecessary airs.

Now a witch has no time to waste in rearing babies, so, as soon as she had eaten, and built up the fire, the witch took down a drum and climbed on top of the stove with it and the baby.

The witch sat cross-legged, with the baby in the cup of her lap; she held the small, flat drum in one hand, and beat its tight skin with a bone. It was a quick, jumping rhythm that she beat, and in and out of it she sent her own voice, with a shout and a call.

It is easier to tell of singing a song than it is to sing it; and this song was a long one. It lasted a full year, and the witch often had to stop to eat and drink. She also had to move the baby from her lap, because the song made the baby grow.

Not at first; for the beginning of the witch's song was of all those things a baby learns in the first year of its life. Those verses sung, the witch called upon the baby's arms and legs to grow longer and stronger, and on its head and its body to grow, all in proportion.

It was a song with a strict and lively measure; and one in which there must be no mistake.

The next verses were of everything a child learns in its second and third years of life; and a call to it to grow. The witch took the little girl from her lap then, and laid her in blankets on the stove-top.

Verse by verse the song went on: long verses; a long song. But at the end of a year, when the song was finished, there was no toddler lying wrapped in blankets on the witch's stove, but a young woman of twenty years, sleeping and dreaming.

The witch laid aside her drum and flute and climbed down from the stove. She set on the table jugs of milk and bowls of butter, salt and pickles. She added plates of black bread and herrings, of sausage and blood-pudding; plates of hard, salty biscuits and dishes of soft cheese; a jumble of apples and sweet, wrinkled, long-stored oranges; onions, eggs, black pickled walnuts, apple cake, sloe vodka, lemons – in short, a plate or a dish or a bowl or a jug or a bottle of every kind of food and drink she had in store, until the table was so crammed that cups and plates were balanced half over the edge. The witch set all this out because, for a year, the little slave-girl (who was now a full-grown woman) had lived on nothing but magic, and, when she awoke, would have the appetite of a woman who hadn't eaten for a year.

When the witch woke her, the young woman came down from the stove and indeed she looked very thin, with arms and legs like sticks and a face so gaunt it was ugly. She sat herself down at the table and started to eat. For three days she did nothing – nothing – but eat and drink. Bread and more bread; cheese, pickles, vodka. A little fish, a little more; an orange, a sausage – her jaws never stopped chewing, her eyes never stopped darting hungrily about the table; her hands never stopped reaching for more food.

The witch left her to it, having work of her own to do, and, on the fourth day, the young woman's hunger was eased. Her face was no longer gaunt and ugly, though it still had a sharp look. The old witch paused by the table and its heaps of bread crumbs, walnut shells, apple cores and fish bones. 'You're welcome to as much more if you want it,' she said. 'What's your name?'

'My name is Chingis,' said the young woman. The old witch nodded, and left her to finish off what was left at the bottom of the bowls and bottles on the table.

The following day the old witch said to her apprentice, 'Now, Chingis, I have much to teach you and you have much to learn if I am to make you a shaman before I leave this world. Learn, Chingis, and become powerful: learn and I will reward you with three hundred years of life.'

'What must I learn?' Chingis asked.

'Oh, first, to be a mere herb-doctor: that is, to know the plants whose spirits heal and whose spirits kill, and to know that they are often the same plants. This should take you no more than a year, if you are as clever as I think you are, and pay attention.'

So Chingis and the old witch travelled from end to end of the Czardom in their house on chicken-legs, and they visited other witches in their houses, and hunted plants of seashore, forest, mountain and moor. They talked of the different plants, their shapes, their scents, the soils they grew in, and their uses; and Chingis stored such quantities of knowledge away in her head that she felt it must be growing bigger.

Other things were spoken of too.

'When you have been asleep, Chingis, has it ever seemed to you that you were awake and somewhere else?' the witch asked her foster-daughter.

'Yes!' Chingis said. 'I thought I was feeding a wolf snow from my hand. I was so sure of it, I felt the coldness of the snow, I felt the wolf's nose snuffle against my skin. But all the time I was on top of the stove asleep, and there was no wolf, and no snow.'

'Ah, you're wrong, Chingis. There was a wolf and there was snow. Only your body was asleep. Your spirit had crept from your mouth like a little mouse and run away into another world. It was there, in that other world, that you fed the wolf.'

'But I have seen many different places in my sleep,' Chingis said.

'When we fall asleep, and are dead to this world,' said the old witch, 'then the spirit that lives in us opens its eyes and goes wandering. There are a hundred thousand worlds it can wander in, some like this world, some not. You must learn to know these worlds, and the ways to and from them. Never be afraid, little daughter, never be afraid, no matter how frightening the dream. It is another world and it cannot hold a brave spirit. A spirit cannot be hurt, and it cannot be killed. Back it will fly to its own body. You may even venture into the ghost-world, where the dead go and the unborn wait, and when you have explored *that* world, and know all the ways to and from it, then we shall call you a shaman. But hear this warning – listen now if never again! While you are in the ghost-world, do not eat or drink. Not one sip, not one crumb. If you do, you will forget this world, and you will forget the ways back to the other worlds; you will be as lost as the dead.'

'How will I know the ghost-world from the other worlds, Grandmother?' Chingis asked.

'Oh, you will know it. It is entered by a gate, a tall, wide gate, hung on such strange hinges that it opens any way you push it. If, in your dreams, you should find yourself before that gate, go through it, daughter, go through it boldly and never be afraid – remember the old saying: "Anyone who pokes their nose out of doors should pack courage and leave fear at home". But remember my warning too . . . Now, can you tell me the four hundred and fifty plants that heal?'

Through a long night, Chingis named and told of them all.

'Good,' said the old witch, 'and can you tell me of the ice-apple?'

'The ice-apple, Grandmother? I can't remember that.'

'That's because I've never told you of it,' said the old witch, laughing to herself. 'The ice-apple is rare. It grows in the far north, where no other trees grow. Northern summers have no darkness. The ice-apple flowers in the summer, white and brittle flowers that spread their petals to white days and white nights with never an instant of dusk. But the fruit of the ice-apple sets in the northern winter, when midnight and midday are as dark as each other. The apple grows and ripens – and is harvested – without ever knowing an instant of warmth or sunlight. An ice-apple is as clear and transparent as the purest clear-water ice.'

'Does it heal?' Chingis asked.

'She who eats an ice-apple will never be ill again,' said her grandmother. 'It would freeze her very heart. It would be to eat winter. Tell me, quick now, the plants that poison.'

Chingis knew them all. In less than a year she knew all there was to know of herb-doctoring; and the other witches they met, in their houses that ran upon goose-feet, or cat's paws, spoke approvingly of her and said they wished their own apprentices were as quick.

'Don't think you've done with learning,' said the old witch. 'Now the hard work begins. You must learn the three magics, and the first of them is word-magic. Everywhere you will hear the magic of words used – in markets, in Czar's courts, by family fires. Small children work tricks with words. You must learn all the tricks of word-magic.'

'Tell me some,' Chingis said.

'Suppose that a Czar or Czaritsa ordered their people to fight a war, a stupid war, a war that should never have been fought. Thousands of people are killed for no good reason, and their families left to mourn them. Much, much money is spent on cannons and swords, so there is no money to spend on other, better things, such as seed to grow wheat to feed the people – and thousands of people are cold and hungry because of this war. The Czar is afraid that if the people find out how foolish and wasteful the war was, they will be furious and do him harm. So the Czar uses word-magic. He says to the people, "The war was not foolish – no! It proved that our people are the bravest and best in the world because they died for us, and killed so many of the enemy. I know you are starving, my children," he says to them, "but that shows how noble you are and how willing to make sacrifices for the Mother-land. I, your Czar, am proud of you!" He says this and repeats it over and over again, and he makes his servants repeat it over and over to everyone they meet – and the magic works. The people forget to be angry. They grow *glad* that their sons and brothers were killed, and proud that they themselves are cold and hungry. This is the very simplest kind of word-magic, but it is very powerful, little daughter, very powerful indeed. Words can alter sight and hearing, taste, touch and smell. Used with a higher skill they can make our senses clearer and protect us from the simpler magics. You will learn all this, Chingis, but you will never learn all of word-magic, even if you live three hundred years.'

So Chingis began to study words: the sound of them, the use of them, the shock, the smart and soothing cool of them. With her foster-mother, the old witch, she went to fairs, to markets, to cathedrals, to law-courts, to weddings, to funerals, where words and their magic may be heard flying.

Chingis was quick to learn the simplest word-magic, and could soon make anyone believe anything. And she learned to smell a lie, and to see the truth lying hidden under a liar's tongue. And no sooner had she learned that much than lessons in another magic began: the magic of writing.

From a chest the old witch took a book, opened it, and set it before Chingis so she could see the lines upon orderly lines of black shapes on the pages. From the wall the witch took a large, flat drum, a ghost-drum, and laid it beside the book. In the centre of the drumskin was painted an animal's skull and, round and round the skull, in circle after circle, in red and black, were painted more shapes, signs, symbols.

'Writing is another common magic,' said the witch, 'and the first step you must take in it is to learn the alphabet of this book, to learn what words these signs are speaking to you from the page. This is the simplest kind of writing-magic, but it is strong and not to be despised! When you can read this book, Chingis, the voice of a witch who has been dead two thousand years will speak to you from it. Every day, people who know nothing more of witchcraft, open books and listen to the talk of the dead. They learn from the dead, and learn to love them, as if they were still alive. That is strong magic.'

'What of the drum, Grandmother?' Chingis asked.

'That is a shaman-drum, a ghost-drum. On its skin you see an alphabet of a different kind. The alphabet in the book spells out words you can say; but the alphabet on the drum spells out things that can never be said. These signs on the drum are used only by shamans. With them you can read – and write – the movements of time, the thoughts of a fish, the moods that come and go through the heads of people without ever being spoken. The drum speaks these letters when it is beaten, and it speaks in the language of spirits. With this drum and its letters, you can read past and future; with these letters you can carve a spell in stone and throw the stone into the deep sea, beneath the waves, and the spell will last as long as the letters and the stone do.'

'This won't be an easy skill to learn, I think,' Chingis said.

'It won't be easy, and it is another art you will never cease learning,' said the old witch.

Chingis began; and had learned the simplicity of reading and writing the book's alphabet in a year. The letters on the ghost-drum were infinitely more difficult to learn, but Chingis knew that anything can be learned, with patience enough, and time enough. Slowly, she began to see in the black marks on silver birch-trees the writings of shamans and spirits. In rock grooves that seemed made solely by wind and water she found messages, curses and blessings, spelled them out, and was filled with eagerness to write her own.

The writings of spells is not for apprentices. Instead, the old witch taught her how to question the ghost-drum. A frail and brittle skull from some small animal – a mouse, a vole or a weasel – was set on the painted skull at the centre of the drum. Then the question was asked, and the drum was steadily beaten with the finger-tips. In skips, in slides and skitters, the skull travelled over the drumskin, driven by the vibrations of the drumbeat. On one letter it would rest a moment; another it would circle; some letters it connected by the straightness of its journey between them.

The drummer watched the travels of the skull with all attention. It spelt no words, but each letter gave meaning – though the next letter might change that meaning.

Either soon or late the skull would settle on a letter from which no time of drumming would move it. Then if the drummer had seen every movement of the skull, and had understood the meaning of the symbols it had touched, and had translated them into common words correctly, the answer to the question the drum had been asked could be given.

At last the old witch said, 'I can teach you no more in the magics of words and writing. From now on you must teach yourself in them. But I can teach you the last magic, the strongest and greatest magic of all.' From the wall the witch took a long-necked lute with a hollow belly of polished, ridged wood. She laid it in Chingis's lap.

Chingis drew her finger across its strings and a ripple of sound rose from the lute's belly through its round, pearl-edged mouth. 'Everyone on earth knows the power of music,' said the old witch. 'A village fiddler can play a dance tune and give all who hear new strength, though they have worked all day. And when their hearts are boisterous, then music can slow their hearts and bring them close to tears. A musician needs no words, spoken or written. Music is the language of the spirit that lives in us. Instantly the spirit understands, and understands all. But never forget how the fiddler has worked and practised, day after day, to learn the craft. You, my daughter, must work harder and practise longer, to learn a greater skill. Then, where the fiddler's music soothes, yours will heal: where the fiddler's music brings sadness, yours will bring sorrow, or despair, or death. Where common music brings laughter and dancing, yours will bring joy, or delirium, or even a shape-shifting . . . And when a shaman sets words to music, nothing in which a spirit lives can resist. When a shaman twines the two strongest magics together, all within hearing must do as the shaman wills.'

It is always easier to tell of a thing than to do it. In a minute I can say: Chingis learned all the magics so well that the old witch declared her an apprentice no longer, but a witch. Chingis's spirit came and went through a thousand worlds; and passed a thousand times through the gates of the ghost-world. She explored every sight and sound of that wide, forgetful land, and came hungry back to her body and her witch-mother – to be declared a shaman. In a minute I can say all this, but it took Chingis years to accomplish.

But once accomplished, what triumph! From every part of the world came huts walking on ducks' feet, bears' feet, donkeys' feet, bringing witches and apprentices to congratulate the old witch on her pupil's success. Far from any town or village, lost on the snow-covered plain, the houses met, and the witches came together and embraced and feasted and cheered Chingis as a new member of their order, and one destined to be great among them.

But there was one witch who did not celebrate the end of Chingis's apprenticeship. This was Kuzma, who lived in the far north and had never left it. He was the harvester of the ice-apples.

Kuzma was always alone, and he was often lonely, yet he would not leave the north. Instead he used his drum and his brass mirror to spy on the rest of the world and, alone in his hut in the far, cold north, he would laugh at the things he saw.

But when he looked into his mirror and saw the celebrations for Chingis he didn't laugh. He heard the laughter of others, and he heard their compliments to Chingis, and their praise of her, and he hated the sounds because they weren't for him.

He took his drum and questioned it concerning Chingis; and the drum told him that if Chingis lived out the three hundred years her foster-mother had given her, she would be a Woman of Power and a far greater shaman than he could ever hope to be, though he was two hundred and sixty years old already.

And Kuzma swore that if he could do Chingis harm, then he would.

FOUR

The scholar-cat tells its story to the chink of its golden chain.

Forget Chingis and her witch-mother for a little while (says the cat). But remember Kuzma, the harvester of ice-apples.

Best of all, remember the woman Marien and the baby Czarevich whose life she saved. Remember how the baby's father, the fearful Czar Guidon, gave orders that the Czarevich was never to leave the tiny room in which he had been born - that tiny room at the very top of the Palace's tallest tower.

Now I shall tell how Safa Czarevich lived and grew in that little room, under the care of the slave-woman, Marien.

The room was round, with round walls and a round ceiling and steps leading down to its locked door. It had no windows, and was always gloomily golden from the hot light of candles and oil-lamps. And, poked high, high above the silence of the Imperial Palace, it was full of the squealing of the baby and the singing of the nurse.

Every day soldiers carried tall wooden churns of

milk and water up the stairs, and left them just inside the door of the dome-room. They brought meals from the Czar's kitchens for Marien, and took away her empty dishes. Night and day they guarded the stairway, and allowed no one to pass up and down it except Marien. Even when the Princess Margaretta came herself, 'to visit her little nephew' as she said, the soldiers crossed their pikes across the steps and would not let her pass. They were afraid to look at her, or to speak to her, but she might not pass – not until she was Czaritsa.

Marien often ran down the stairs, rapidly whirling by soldier after soldier – and, a few minutes later, she would breathlessly run up them again, round and round. She could not bear the close, cramped, dim room, and she scuttled to escape it: but she could not bear to leave the baby alone either. Every moment she spent in the long, silent stretches of the Palace corridors, or out on the wide, fresh, brilliant Palace lawns, were plagued by the fear that, somehow, the Princess Margaretta was reaching the baby, like a cat that would smother him. Marien even imagined the Princess climbing the walls of the tower and biting her way into the dome through its enamelled bricks. She imagined the Princess creeping past the soldiers unnoticed, by witchcraft. She imagined the Princess with knives, with poison, with savage wild animals to eat the baby. And back to the room Marien would run, up all those stairs, reaching the top in an agony of breathlessness to find one of the soldiers poking the giggling baby in the belly, or holding him safely above his head in one hand and making silly noises.

The baby grew quickly – one month, two, three . . . One year, two years . . . And still the tiny dome-room seemed a large and interesting place to him, as he crawled and toddled over the expanse of the bed, mountained as it was with heaps of bright cushions. He tumbled the cushions and sheets about in search of his toys, and examined each pictured tile on the stove, and each embroidered scene on the cushions and wall-hangings. Marien told him the names of the things he saw. This stripey toy was a tiger, and this spotty one a cow. This flat, silk-stitched thing was a tree, with flowers on its branches, and here, painted blue on a white tile, was a ship on the ocean. This little wooden thing that looked so like Marien was a woman. Another wooden toy Marien said was a man, like the soldiers, but it didn't look much like the soldiers, having no overcoat and no pike. Safa decided that soldiers were soldiers, and that men were something he had not seen yet.

There were a thousand things he had not seen yet. Marien told him stories about knights and their horses of power; about forests and rivers, about fire-birds and singing-birds and princesses, who were always beautiful and truthful.

To Safa, the forests were like the embroidered forests on the cushions - immensely tangled with huge, silken, green leaves, yellow stems and flowers of sequins and pearls. He didn't know what birds were, but he knew what fire was, and through his fantastic embroidery forests flew flames that sang as Marien sang. The princesses were all like Marien, beautiful and truthful, and the knights were all like the soldiers, riding on stiff-legged, clumping wooden horses over carpet plains where wooden cows were hunted by wooden tigers.

In the middle of shuffling his toys about, the little Czarevich would stop and stare; and his eyes would be lit by the glow of the pearl and silk forests and the flame-birds in his head.

He began to understand that these things Marien told him of were on the other side of the door.

A short flight of white stone steps led down from their room to a tiny landing and a big, solid, polished wood door. It was always locked. On its other side stood the soldiers, on guard.

Sometimes Marien would open the door and a soldier would come in. The soldier would pick Safa up and talk to him, pretend to eat him, tickle him, put him on his shoulders and ride him round the room – but Marien would have gone, slipped away to the other side of the door.

The door would slam shut when she came back. Up the white steps she would come running, her face red and wet with the heat of her hurry. She would snatch Safa from the soldier and hug him too tightly, hurting him. Down she would sit with a thump, still grasping him tightly, kissing him and panting, 'I'll never let them hurt you, I never will, never.'

46

Safa thought she was talking about the tigers who lived on the other side of the door. She had told him what ferocious beasts they were.

Soon, whenever a soldier came into the room, Safa would run to Marien and beg her to take him to the other side of the door too. Instead, she lifted him and put him into the arms of the soldier, and promised to be back soon.

Safa would then scream and struggle in the soldier's arms, and though the soldier jounced him in the air and whirled him round, and held him upside down by the ankles, he would not be distracted or amused, but yelled all the while for Marien.

When Marien returned, she found the soldier irritable and Safa exhausted and whimpering. He wanted to know where she had been, and she tried to tell him about the Palace kitchens, and the lawns and rosebushes – with the result that, for days after, he begged her incessantly to take him to the other side of the door, and show him the roses, the grass and the kitchens. He had no idea what any of these things looked like, and for that reason he wanted to see them inordinately.

Marien longed to give way to him, but dared not. It would have been a pleasure to her to show him these things for the first time - but something very far from pleasure might result if the Czar were reminded of his son, or if the Princess Margaretta were to come upon the little Czarevich in some quiet part of the garden where he had run alone. In the dome-room he was safe. This Marien explained to him, saying that it was not permitted for him to see the other side of the door; he could not and he must not.

This made no difference to Safa. Please, please, Marien: he wanted to see where the water came from. He wanted to see forests (sequin-flowers glimmered in his imagination). He wanted to see real horses and talk to them.

'No!' Marien shouted in desperation. She picked up a wooden tiger and made it charge at him through the air. 'You know how fierce tigers are. They are big and strong, with big teeth, and they live on the other side of the door.' She made the tiger jump at his shocked little face, and he flinched. 'If I take you outside, they will come rushing at us and eat you. They like little boys' soft flesh.' She snapped her teeth at him, and he saw himself being eaten by a tiger, just as easily as Marien would eat a chicken leg.

'I'll hit the tigers,' he said, much afraid.

'Hit the tigers? They are bigger and stronger than – than the soldiers!'

He gasped; and was so afraid that, for a few hours, he stopped asking to be taken outside the room. But then he came sidling up to Marien and pushed into the folds of her skirt, leaning against her legs. 'We can run away if the tigers come, Marien. We can shut the door and they won't be able to get in.'

She snatched him into the air and held his face to

hers. 'Oh, but the tigers would see you and know you were here. They would chew down the door and eat us both.'

Safa's dark eyes showed white all round and he trembled. 'The soldiers wouldn't let them!'

'The tigers would eat the soldiers! Overcoats, buckles, belts and all!'

Then Safa knew the full terror of tigers, the fearsome strength of their jaws and bellies. When Marien put him down, he lay quietly on the cushions. For a week he did not ask to be taken from the room, but he lined up his wooden tigers, and killed them again and again.

The next week he crawled into Marien's lap and hugged her neck in his short little arms, kissed her and said he loved her until she was so silly with fondness she would have done almost anything for him. Then he said, 'If the soldiers go with us – and if we watch all the time for tigers – and if we run away fast when we see the tigers coming far off – can we go to the other side of the door, please, Marien?'

Marien roughly pulled his arms from her neck, shook him spitefully and pushed him away. 'I've told you, you can't leave the room! If you ask me again, I shall beat you! Naughty boy! Go and stand by the wall and cover your face, bad, bad boy!'

Safa was shocked by her unreasonableness and stood with his hands over his face, sobbing. Poor Marien turned her back on him, for she was crying too.

Marien went to the captain of the soldiers and

asked if leaves and flowers could be brought for the Czarevich to see; and perhaps a caged bird and a kitten. But the captain was not well that day – at least he was in an irritable mood and wanted to be unpleasant to all about him.

'Under no circumstances,' he said. 'My orders were to see that you had everything necessary. Flowers, leaves, cats – you don't need these things. It's out of the question.'

The more Marien argued, the more pleasure the captain took in refusing her. And when his bad mood had passed, and he would have liked to send potted trees, bouquets, sprays of leaves, to the Czarevich, he could not, because he could not go back on his own orders.

And so, to try to pacify the angry little boy, Marien had to go without her walks in the palace gardens, and shut herself, for all of every day, in the tiny round room, which seemed drearier and smaller as time went on. Nor did Safa ever forget that there was another side to the door, and he began trying to reach the other side by himself.

The door was locked, and he had, therefore, to wait until it was opened. Then he would make a rush – and be caught and lifted from his feet by a soldier and carried back inside. He glimpsed a landing, almost dark, and strange shapes of more soldiers in the further dark; and that was all. The whole world, it seemed, was roofed and walled and almost dark. Why did Marien talk about bright daylight, and space that had no walls? Did she invent these things? He could never be sure, and was for ever tantalized by the feeble efforts of his imagination to show him these unknown, unseen things. Every day he crept down the steps to the door, to wait for the door to be opened. Every day he quarrelled with Marien, who did not want him to wait there. And the soldiers had learned to expect his rush, and guarded the door so well that he never got further than the threshold.

Time passed by; the Czarevich grew bigger. He looked up at the overhanging, curving ceiling, which curved down and became the round wall, enclosing him as if he lived inside a nut. No windows. What was on the other side of this wall-ceiling, this ceiling-wall? Was there nothing on its other side? And what did nothing look like?

The Czarevich climbed the hangings on the wall, trying to reach the summit of the dome where – who knows? – there might be another door. His climbing tore the hangings in shreds, and then he climbed them simply to rip them.

He tried to batter a way through the walls, and broke many toys and bruised himself. He leapt on Marien's back and would not be dislodged, yelling that she must take him to the other side of the door, now, now! When she hit him, he hit her back.

Outside, the short summer was passing into the long winter. Marien knew it, and hated to be shut away from all knowledge of the sun's warmth. She was seldom loving any more; seldom told stories, but yelled and slapped.

There were long, dark days when she and Safa hated each other, and it was as if the little dome was packed with harsh noises, and thorns and barbs that scratched and annoyed; that exhausted them and made their heads ache.

But still Marien was afraid to do or say anything that would bring Safa to the notice of his father again. She was sure that the Czar had forgotten them, and that was why they were still safe. Orders had been given to the kitchens and the soldiers, and those orders would go on being obeyed for years without the Czar ever having to think about them. If the Czar was reminded of his son, everything might come to an end.

Safa Czarevich went on growing. He ran and jumped, even though the room was so small that his leaps took him crashing into the walls and into Marien. He ran round and round the circling walls until he was too giddy to stand, howling until the dome vibrated; he would throw himself down on the cushions, roll, spring up and rush at the wall with a yell; and run round and round again. Marien was distraught. She longed to walk on the lawns with space and quiet about her. I must, I must do something, she said to herself. I must go to the Czar.

But the soldiers brought her gossip of executions, and always she thought it best to wait a little longer. For another year she endured, always believing that she could stand no more of it; and for yet another year after that.

Safa grew. His running and whirling filled the

dome; and still he was determined to see what lay outside. Still he begged and pleaded, shouted and demanded, to be taken to the other side of the door. Now he fought with the soldiers.

By degrees Marien was pushed towards her decision. Every day she promised herself that *this* was the day she would go to the Czar. But then she would rethink matters and see that things weren't so bad as she had supposed. By the end of the day she would be so exhausted that she would make up her mind anew. *Tomorrow* she would go to the Czar.

With each new determination she was a little more determined, until there came the day when she went behind the screen, washed and changed, and, despite Safa's anger, got out of the dome-room. Down and round the stairs she ran, hearing the screams of Safa behind her.

Even then she stopped and wondered, and almost turned back; but no; she had come this far.

She did not waste her time on the soldiers, but went straight to the Palace steward. It did her no good. The steward was too clever a man to be responsible for reminding the Czar of his son, and he sent Marien away.

She went to the Czar's chief adviser, who was also too clever to help her. 'The time is inconvenient to speak to the Czar on this head,' he said, knowing he might lose his own if he did.

'Well, it seems that I must go to the Princess Margaretta,' Marien said, and to the Princess she went.

The Princess had her admitted to her apartments at once. Of *course* she remembered the nursemaid, and she listened with such a sweetly worried expression to all that Marien told her. She *quite* understood the nurse's anxiety; she realized *very well* what a miserable existence it must be in the dome. She herself considered the orders given by her great brother to be quite *mistaken*. And of *course* she would ask her brother to see Marien. Of *course* she would give Marien all the help she could. 'Why, there are apartments close to mine the Czarevich could have. Wouldn't that be *delightful*?'

Smiling kindly, the Princess led the way through the corridors to the grand court-room where the Czar was busy with his courtiers and advisers.

Oh, thought Marien as she walked behind the Princess, you are so smug because you think harm will come to my little Safa and me through this – but I'll show you! The Czar listened to me last time, and he'll listen again.

They reached the carved double doors of the court-room, all gilded and shining dully in the candlelight of the corridor. In the shadows on either side stood armed soldiers. They opened the doors for the Imperial Princess and closed them after her, shutting Marien outside.

A long unhappy wait. Then the doors were opened again, and Marien looked down the length of an immense room, hardly more brightly lit than the corridor. At either side of it stood crowds of people, their clothes darting out the subdued light of the jewels they wore, their faces all turned towards her in amusement. From them to her, carried on the draught of the opening doors, came a scent of powder and lavender; of musty roses and waxen candles burning. At the end of the corridor these people made, far away, was a high flight of steps; and, at the top of the steps, the most brightly lit thing in the room, was the Czar-chair with its gorgeous back like a peacock's tail. On the Czar-chair, looking down, sat the Czar to whom she must speak.

Marien started into the room and walked between the tall rows of courtiers. She looked at nothing but the steps leading to the Czar-chair. Her wooden shoes clacked and clapped on the tiled floor, and the courtiers sniggered.

She reached the steps of the Czar-chair, and crossed her arms on her breast and bowed her head low. In the proper manner, she went to her knees, touched her forehead on the first step, and called out, 'Do not punish me, Father, but let me speak!'

The captain of the Czar's guards stamped his foot to tell her that the Czar had given his permission.

Marien saw marble steps shining faintly green in the dim light, and a purple carpet that seemed black. 'Czar,' she shouted, 'I have come to remind you that you have a son!'

Every sound – of hair rustling on collars, of shoe-soles squeaking tinily on tiles, of breath shushing in throats – stopped. Marien's heart beat like a drum-roll, and rattled in her breast; but what was there to do but go on? 'Czar, your son cannot read or write; he is ignorant of everything and as unruly as an untrained dog. How is he to be Czar after you if he never leaves the dome-room? Czar; what are you going to do for your son?'

Marien never looked higher than the steps before her, so she did not see the Czar beckon to his captain. She started and raised her head, however, as the captain ran past her up the steps with his sword clattering on its harness at his side. Right to the top of the steps, to the throne-chair itself the captain ran, and bowed his head to the Czar's mouth. Then the captain straightened, turned to the room, and shouted orders in a voice so loud and high that Marien didn't know what he had said.

A soldier came to either side of her and squeezed her arms in tight, hard grips. They lifted her up and moved her away before she could begin using her legs for herself. Her head turned – she looked over her shoulder and all about, her face bewildered and afraid – and all the faces she saw looking back at her were afraid too, all those great, grand people – they were also terribly afraid.

Out through the gilded doors into the corridor she was carried. She didn't know what was going to happen, and she didn't struggle or ask questions. Swiftly, she was brought into the dazzling light of a small courtyard, open to the sky, and there – when the soldiers' eyes had grown used to the light – they cut off her head.

The rooms and corridors of the Imperial Palace

were always dark, filled with the frail, gauzy half-light of candles and painted windows; their corners piled with deep shadows. The rooms and corridors were always silent – silent for hours upon hours, and then disturbed only by the scratchiest and thinnest of whispers.

As night came, candles in the least used corridors would be allowed to burn themselves out; and those passages, those rooms, would vanish in utter darkness, utter quiet. The darkness and quiet crept through the Palace, making a silent, blotting leap to swallow a court-room emptied of courtiers; following the Princess to bed and the servants from the kitchen. At the deepest hour of the night the only faint smears of light were to be found where soldiers stood on guard – at the doors of the Czar's and the Princess's apartments; at the Palace gates; and on the steps of the highest tower.

In the dome-room at the top of the highest tower the candles had burned out, and even the smell of burning they had left had faded. In the darkness Safa Czarevich sat awake, waiting the return of Marien, his nurse. All the night passed over his open eyes, and Marien didn't come.

The morning light shone through the painted stone windows of the Palace, letting a many-coloured twilight of deep shadows into the rooms and passages. Servants walked silently, lighting candles which glowed in the dusk. But, high above the Palace, in the dome-room, where there were no windows, and no one to light candles, there came no new light. Safa waited in the continuing darkness.

The soldiers coming on duty and taking the place of the night-guards didn't speak, but Safa heard the dull tramping of their feet on the stone steps outside his room. He pressed to the door and called out for Marien. She didn't answer, but a soldier struck the door and said, 'Your nurse has gone away.'

In Safa's mind the world was the dome-room and the landing outside it. Where could Marien have gone? She was on the other side of the door, without him.

He waited, sitting cross-legged among the cushions. The door opened, and he thought she had come; but soldiers entered bringing food, water and lantern-light. They found fresh candles and lit them. Safa's sight returned from the darkness, and he looked carefully and saw that Marien wasn't among the soldiers.

'Where is she?' he asked.

The soldiers were leaving the room. One looked back and said, 'She's never coming back, ever.'

Safa had no understanding of 'never' or 'ever'. He thought the soldier was telling him to be patient and wait a little longer.

So began the years the Czarevich spent alone. His father the Czar had ordered the execution of the Imperial Nurse, but he had given no orders regarding his son. So the soldiers went on guarding the tower, and food, candles and fuel continued to be carried up the long staircase. These things would go on and on, and never stop, so long as there was a palace and a Czar.

At the beginning of this time the soldiers would speak to Safa through the door, or stay with him a while when they brought in his food. But Safa wanted to see what was on the other side of the door, and he wanted to find Marien. He rushed at the soldiers when they opened the door, and tried to force his way past them. They pushed him back easily, so Safa became more cunning, and wild. He would let them come into the room, and then attack them suddenly, with hard blows from his fists, or any weapon he had – a candlestick, a bowl, a jug. The soldiers were angry. They flung him bodily on to the low bed, to give themselves time to escape, and Safa would laugh uproariously, hilariously, at his own, half-expected failure. The loudest noise in the Palace was his laughter.

The soldiers grew afraid of him, and said he was mad. They retreated to their side of the door, and locked the door and kept it locked. Up the stairs they brought a carpenter of their regiment who – despite much interference from the Czarevich – succeeded in making a small hatch in the door, through which food and water and firewood were passed. After that the soldiers needed only to enter the room once a year – to light the stove for winter.

The rest of the time they guarded the staircase and the door, and kept quiet when Safa called out to them from his darkness. In time, he stopped talking to them, though they often heard him talking to himself, shouting aloud and running about the room, smacking into the walls. And then, for days on end, he would be silent.

Silent, in the darkness, Safa tried to force his mind to show him the other side of the door, where Marien was; but he could only imagine what he had already seen – round, walled places, wooden animals, sequinned vines, candlelight.

His body was imprisoned, but the spirit that lived in him, and was his thinking, strove until it ached, strove to leave the dome-room; and its fury made his body ache, at his heart, because his spirit was so firmly rooted there.

Even in dreams his spirit could not see beyond the dome's walls. It knew no way out of the dome.

But all night long – and all day too – this spirit made a long, shrilling calling – a high, unheard note that pierced the brick of the dome and travelled in the air, calling and calling hopelessly, hopefully, to the other side of the door.

FIVE

The cat still walks round the oak-tree, and it tells its story.

Now I have told you of the unfortunate, the lonely Safa Czarevich, I shall tell more of the old witch and her adopted daughter, the young witch Chingis – for, remember, Chingis is a witch now, and an apprentice no longer.

She had read and read in the big, heavy books kept in the old witch's oakwood chest: books written in shaman's alphabet and not easy to understand. But she had learned from them.

She had used the magic of words and music to change her shape, and the shape of other things; she had made trees walk in their bark. She had made herself so expert in questioning the shaman-drum that she never made a mistake, however complicated the message and faint the meaning. The old witch's pride in her could only be expressed by using the shaman's alphabet, which none of you could understand.

'Mothers and daughters are strangers to each other,' she told Chingis, 'but you are my witch-daughter. You were my hard work, and are now my precious reward.'

A while after the old witch said, 'Chingis, I am near three hundred years old, and you need me no longer. I am tired of this old body, and I shall go into the ghost-world now, and grow another.'

'I shall visit you often,' said Chingis.

'You will always be welcome. I leave you my little house – never let its fire go out. I leave you my books – read them and learn. I leave you all my makers of music – play them often.'

'I promise I will, Grandmother.'

'And remember, it is your duty to write down all you learn, for our sisters and brothers in the future; and before you leave this world for the ghost-world, you must adopt a witch-daughter of your own, as I adopted you.'

'Send your spirit into a baby girl, Grandmother, and I will adopt you. What daughter could I love more than my own little grandmother?'

'That is the future; for now, help me to build my funeral pyre,' said the old witch.

They dragged logs from the clinging grip of grass and ferns, from the damp forest scents, and with these logs they built the base of the pyre. Armfuls of fallen branches, interwoven, raised it higher, and on that they piled layers of bark.

With many journeys and much patience, Chingis made a deep, soft bed of pine-needles on the top of the pyre, and she helped the old woman to climb it, and lie down.

From the hut Chingis brought a skin tent, a drum and a small harp, and placed them on the pyre beside the old witch. Food and drink she set near her too. And she bent over the old woman and kissed her before climbing down.

Chingis sat in the doorway of the house on chicken-legs and waited. For a long time the old woman was silent; then she took up the harp and, to a slow, darkening tune, she sang of every step a spirit must take on the way to the ghost-world. To Chingis the old woman's voice became fainter and thinner, as if it was reaching her over a longer and longer distance. And finally the voice called, from the very gate of the ghost-world. 'I have no more words in this world,' it said; and the voice and the music stopped.

The fire was slow to catch, but when it burned, it burned for three days, and the smoke rose straight into the sky without bending or drifting. A straight line of smoke between earth and sky – a sure sign that the spirit had made as straight and easy a journey.

The ashes of the pyre were of no importance, and Chingis went into the house on chicken-legs and rode away. So began her life alone, but she was never as alone as the Czarevich was. She read the books her witch-mother had left her, hearing the voices of the dead witches who had written them; and she practised her arts and slowly, sentence by sentence, wrote her own book. And she travelled, in her house on legs, and saw that for every stream there are a thousand streams, all the same and all different: that there are a thousand different trees, but that not even every birch-tree is the same as another; and that nothing in the world is content to be alone.

While the Czarevich, in the dark silence of his nut-like prison, searched inside his head for tawdry, weary trees of silk and sequins, and wooden animals all of the same shape, though painted different colours.

The pearl flowers, singing flames and truthful princesses of his imagination, which had once been so vivid and seemed so glorious to him, now seemed unutterably dreary. They had become grubby, thin and spoiled with over-use, as cloth does, however good the cloth was when first woven.

The weariness, the dreariness of the pictures in his head fed his longing to leave the dome-room. It was stronger than hunger, this longing, for it was never satisfied, or starved. It was stronger than iron, for it never rusted; stronger than bone, for it never broke; stronger than fire, for it never burned out. Every moment, day and night, waking and dreaming, his spirit cried; and circled and circled the dome-room, seeking a way out.

And Chingis heard.

She heard it first as she slept: a strange and eerily disturbing crying. Stepping from her body, her spirit grasped the thread of the cry and flew on it, like a kite on a line, to the Imperial Palace, to the highest tower, to the enamelled dome.

She flew about the dome, and heard the cry from within: she felt the cold and silence rising from the Palace. Then she turned away and stepped into another world.

But she remembered the cry and, when she awoke in this world, she listened for it. She listened beneath the nearby sounds of her house creaking, and the wind blowing; she heard the further sounds of the animals and birds in the forest around the house. Listening deeper, she heard the sounds of people talking in towns far away, and of the sea, still further away. Deeper than that, and she heard the sulky thoughts, the happy thoughts, the jumbled thoughts of a million people. Tilting and turning her head, at last she heard it – that eerie and endless moan, that cry from prison, that loneliness.

She took her drum and set it across her knees; placed the skull at its centre, and asked the question. 'Who is it that cries?'

She beat the drum, and the skittering, scratching, dragging skull slowly spelled out its answer. 'One who was born in a nutshell, and who is in danger.' That was the drum's answer in our alphabet. In the shaman's alphabet it told much more.

'What danger?' Chingis asked the drum.

'Death,' the drum spelled back: but with that one word it told her that the threat of death came from the Palace, that it came from those who should love the prisoner, and the future was not yet set and certain. Death might be turned aside.

Chingis laid aside her drum, and found a brush,

and ink made of soot. On a piece of birch-bark she painted a spell in the shaman's alphabet, and fastened the bark over the door of her house. The spell spelled out who was allowed to see the house on chicken-legs and who was not.

Chingis built up the fire in the stove until it was high and hot. The house began running on its chicken-legs, taking great strides and digging its claws deep. It ran over plains and through forests; it jumped rivers and passed by villages and towns, until it reached the Imperial City.

It strode through the gardens of the Palace, walked by guards, and folded its legs beneath it at the centre of an Imperial lawn. There it hunkered; a house, with a smoking stove-chimney and scaly chicken's-legs; and no one noticed it.

Chingis left the house and walked across the lawns towards the Palace. She was not seen because, as she went, she sang, and her song told all who heard it that she was not there. The gardeners, and the guards, heard a singing pass by them, but when they looked to see the singer, they saw only grass and flowers and sky.

Chingis followed a broad marble path, and climbed wide marble steps, to the massive bronze and gold doors of the Palace. As she climbed the steps she held both hands stretched before her – and the doors shuddered and clanged in their frame, and slowly moved inward, as if her hands were pressing a weight of air against them. 'But you shall see nothing, nothing that I do,' Chingis sang, and the guards on the steps and in the entrance hall did not see the doors opening, though they heard them open, and heard the singing. They heard the crash, too, and felt the floor shake, when Chingis dropped her hands to her sides and let both the bronze doors slam shut. The brazen noise reverberated far through the Palace, and every guard who heard it jumped and brought his pike into the fighting position. But there was no enemy to be seen, and the doors they heard slam had not, to their eyes, been opened. Only a singing passed through the hall and on into the jewel-coloured gloom of the Palace. The soldiers stood to attention, and feared ghosts.

In the corridors and on staircases Chingis passed servants and courtiers and more soldiers, who all seemed to dissolve and melt into frightened shadows of gold and red and deep blue-greens. They had heard a voice boldly and beautifully singing where even whispering was forbidden. People knelt as the voice approached them, crossed themselves, and ran from the haunted place when the voice had gone.

Patiently, Chingis made her way through the city of rooms and stairs. She had never been in such a place, but her life and training had prepared her for surprises. She reached the doorway of the highest tower.

The tower had a narrow entrance to its steep flight of steps. On either side stood guards. Singing, invisible, Chingis stepped between them.

She mounted the steps, spiralling round and round the tower's stones. With every few steps she passed a soldier, and every soldier she passed looked up, down, and all round at the sound of a softly singing woman's voice.

She reached the top of the tower and stood before the arched wooden door of the dome-room. The soldiers at the door looked across at each other with frightened faces.

Chingis stepped up to the door and laid her hand on it. The door leaped and rattled on its hinges, the lock revolved with a skreeking of metal. The soldiers jumped away from the door and stared – but though the door opened before their eyes and Chingis stepped through it, they only saw the closed, locked door they expected to see.

Inside the dome-room was dark, was thick air and a sour, musty smell. It was a sad, bad place.

Chingis stood still, and sang the song that birds sing at dawn. The song brought dawn into the room, brightening, until a clear, thin light lapped round the walls of the room as the light carried by water runs over the underside of a bridge.

Stone steps led from the door to the floor of the dome-room. Chingis climbed them and saw wreckage. From circling walls hung shreds of torn cloth. Tangles of sheet and coverings, cushions and stuffing and rags swamped the floor, hiding sharp splinters of broken wood and shards of dishes. Low tables were crowded to their edges with bowls of uneaten and mouldering food, the stink of it thickening the heavy and unmoving air. The bare walls were daubed and splattered with blackening, peeling food.

Chingis could not see the Czarevich but, as she waded through the mess of cloth and broken things, she stumbled and fell on to a low bed, half-submerged in the feathers, cushions, torn tapestries. On the bed, asleep, lay the Czarevich.

She moved the covers and cushions aside until she could see him clearly; and when she saw him, she thought him beautiful. 'Here is my apprentice,' she said.

She sat cross-legged on the bed, closed her eyes and stepped from her body into the Czarevich's dream. There all was dark and stinking, and the crying of the spirit that longed to leave that place was loud and disturbing. Chingis looked about her and saw a dozen ways out, but the Czarevich knew none of them. He knew only the dome-room.

In the dream Chingis opened the door of the room, and made windows. Light came in.

Safa Czarevich saw the light in his sleep, and, even in his dream, was astounded. He could not understand the light, and tried to make it firelight which he knew. Chingis would not allow it. In the dream the Czarevich moved his hands in daylight he had never seen awake. The light ran over his skin like water.

In the dream, by this new light, he saw a sharp-faced girl with black hair and black eyes. He knew her name, he knew she had come to help him, he knew that he must and could trust her. He did not have to ask, or be told, any of this. That is how it is in dreams.

Chingis stood and held out her hand to him. He rose from his bed, put his hand into hers, and went with her. He neither knew nor wondered whether he was asleep or awake. In the dome-room there was little difference between sleeping and waking.

Down the steps they went to the door and, as they went down step by step, the door opened creak by creak, though no one had touched it. No soldiers came in.

Chingis was singing, and tugging on his hand.

They neared the door, and he could see through it – could see the soldiers, lit by the light that poured from the open door of the dome-room. Yet they seemed not to notice the light or the open door.

The door spread wider as they approached, gaping to let them through, to swallow them to the other side of the door.

Safa stopped, and pulled back towards the surety of his room. He remembered tigers. And he dreaded that, on the other side of the door, was another dome-room.

Chingis took both his hands and pulled him, with a snatch, with a snap, through to the other side.

They stood on a small, grey landing, crowded with two burly soldiers, who looked round, with scared faces, at the sound of the singing, but looked at the singer blindly.

Safa looked back and saw the door of his room

slam shut. He saw a strange blank wall with a blank, flat door set in it, closed. It was something he had never seen before.

He had never walked down such a long and winding flight of stairs before. He looked into the faces of innumerable soldiers, breathed in their faces, and they didn't see him. The stairs and the soldiers went on and on and if the stairs had gone on forever, if the world had proved to be nothing but an everlasting spiral stair, Safa would not have been disappointed or surprised. He didn't know what to expect of the other side of the door.

But the steps ended, and the floor was flat again, and there was no more circling round and round. They were in a corridor that stretched away in either direction. It was wonderfully lit with every dusky colour painted on its stone windows, but what was most wonderful, most wonderful, was that it was long, not round, and its walls and ceilings were flat! How was it not small and round? He would have stood and gaped, but Chingis tugged him on.

They passed a man who was not a soldier, who wore no greatcoat and carried no pike. The man didn't see them, but heard Chingis's singing and shrank away, and ran. Chingis wouldn't let Safa follow him, and she was right, for they passed many more people, both men and women. None of the women was Marien. All the people had different faces, though there were so many of them.

He had wished to see what lay on the other side of

the door, and now he knew. It was all walled and roofed. He had almost guessed that – but that there was so much of the world on the other side, he could never have guessed. Such long walks, such giant square rooms, rooms so huge that ten times five paces would not take you to the other side, corridors so long their other ends could not be seen. He was glad that Chingis held his hand and led the way. He felt so tiny, like a single stitch in the mass of embroidery covering his bedspread, like that single stitch undone.

And the colours! Before Marien had gone away there had been candlelight in the dome-room, showing him, in a dim and smoky way, the colours of cushions and toys – but there had never been these brilliant, gaudy, gorgeous colours that glowed in the windows as crowns and eagles and then, grown soft and feathery, blurred their rose, gold and blue over walls, ceilings and floors.

Now Chingis brought him down another staircase into the Palace entrance hall, and here Safa began to feel faint with the vastness of the world, for the entrance hall was neither square, nor oblong, nor round, but full of alcoves, niches and domes. It was higher and wider than all the other rooms he had seen. Chandeliers hung there; fountains spouted there, and living, scented flowering trees grew there. Safa clung to Chingis's hand, to make her stop. He wanted to know this place, this end of the world, and he needed to rest before his dizzy sight could begin to see it.

Chingis stretched out her hand and made the doors of the Palace open. The doors swung open, and Safa looked through them and saw that the Palace was not the whole world, as he had supposed. There was more.

Through the door – in a light that pained and needled his eyes – he saw green grass – white, blinding light – yellow flowers – scarlet uniforms.

Brighter, more brilliant, more fiery than flames were these colours. The grass was so hot a green that the red of his stove-fire would have paled beside it.

He covered his eyes with his hand. How can there be so much? He would not go towards the door.

Chingis pulled him forward, guided him through the door and down the marble steps. Safa felt the heat of a fire strike him and looked for the fire – but it was the fire in the distant sun he had felt.

He saw lawns and paths stretching so terrifyingly far that he felt his sight should not let him see so far. And then there were trees. And beyond the trees, church towers. And beyond the towers, and above his head, sky. The weight of the space and distance above and all about him pressed him down to his knees. Now he wished to go back to his dome-room, where there had been no light to scald his eyes, no such disturbing colours, and where a few steps had always brought him to a hard, comforting wall.

Chingis stood beside him, and into her song of invisibility, began to weave a call to her house. Across the lawns, on its chicken-legs, came the house, taking pompous, high-stepping strides. Its spell was still nailed over its door, and no one saw it come, except Chingis. Into her song she threaded a permission for Safa to see the house.

When the house was close, Chingis pulled him to his feet. He was not surprised to see a house on legs, and he looked back at the Palace to see what kind of legs *it* had. He could see none, and guessed that it was sitting on them, as the little house sat on its chicken-legs when it crouched to bring its door near the ground. Safa was glad to climb inside it, into a small, walled space again.

Chingis followed him inside. The doors closed, the house stood erect on its legs, and ran away from the Palace at a good speed.

So was Safa Czarevich brought out of imprisonment by the shaman, Chingis.

SIX

The learned cat still tramps about its tree, and there is still much of its gold chain to be wound up.

Chingis, the young witch, and Safa Czarevich, no longer lonely, have travelled away in the house on chicken-legs. Of them I shall tell no more for a while, but only for a while.

I shall tell instead (says the cat) of the Czar Guidon, and of the Imperial Princess Margaretta.

So the cat goes on walking, paw by paw, and the chain goes on winding, link by link.

The Strong and Compassionate, Ever-Ruling, Wise and Just Czar Guidon was sick, in a madness of fever, and not a doctor dared to treat him, for if the Czar died they might be blamed for his death. Round his bed the doctors stood, in twos and fours and sixes, and all of them swore together that nothing could be done, that indeed the best thing that could be done was nothing, and that the Czar's only hope for recovery was the prayers of his subjects. (The doctors, however, were praying that he would die and so never discover that they had refused to treat him.)

But the slaves who worked in the Palace gardens, rooms and kitchens prayed for the recovery of their Czar. They prayed because they were afraid that they might all be killed too, if the Czar died, so that he would not have to lie alone in his grave.

The Czar's courtiers also prayed that he would live, because if Czar Guidon died there would be a new Czar – or Czaritsa. The new Czar – or Czaritsa – might not like them. She – or he – might have them executed. Having Guidon as Czar was dangerous, but having Margaretta as Czaritsa would, for them, be worse.

'If Czar Guidon dies, then we must have Safa as Czar!' said the courtiers to each other. 'Czar Safa, long may he live, is the Czar for us! He is young and ignorant and has spent all his life in one room. Why, if you handed him a sharpened razor, he wouldn't know how to cut himself with it. If he was Czar, we could busy ourselves with cheating and stealing, and doing just as we please. Soon all of us would be rich! And when there were complaints, we could blame it all on our Glorious Czar Safa, and he wouldn't know how to begin calling us liars!'

'Brothers,' said the courtiers to each other, 'we must make sure that Safa, not Margaretta, is our next ruler.' And the courtiers began going secretly to the soldiers in the Palace, giving them money, and saying, 'Be ready, if Czar Guidon dies, to fight for us.'

The soldiers were happy, for a little while later along would come the Princess Margaretta, to give them more money, and rings and cap-brooches, saying, 'Take this and be ready, if Czar Guidon dies, to fight for *me*.' And then the Princess would go to her chapel, to pray that her brother would be taken to his well-deserved rest in Heaven. 'Let me ascend to the Czar-chair, dear God,' prayed Margaretta, 'and I will serve Thee truly and faithfully, and all Thy commandments shall be kept in my Czardom.'

God helps those who help themselves, so Margaretta did not sit in her room eating sweets and waiting for God to bring all to pass. She went about the Palace, saying to the soldiers she had bought, 'When the death-bell rings for Czar Guidon, run, run and arrest the courtiers. Arrest them all and hold them prisoner until I am Czaritsa and give you further orders.' To other soldiers, those whom she was most certain she had fooled with her promises, she gave more precious gifts and said, 'The moment the old Czar dies, run, run to the tower-room, to my nephew, Safa. Take the pillows from his bed and smother him. Tell no one I told you to do it, and when I am Czaritsa, I shall make you all generals.'

They were fools to believe her, because she intended to give them, once they had carried out her orders, a grave each. But no matter how many lies Czars and Czaritsas tell, they always seem to find enough fools to believe the next lie.

Often, when she was on her way through the stained-glass twilight of the Palace to speak to her soldiers, the Princess would pass a courtier who was on his way to speak to the soldiers he had bought for the courtiers' side. And the courtiers whispered into the ears of the soldiers, 'When you hear the bell ring for the Czar Guidon's death, run, run to the tower-room and stand guard over the Czarevich Safa, and protect him from his enemies. You will all be made lords when he is made Czar.'

To other soldiers, the courtiers said, 'The moment you know the old Czar is dead, run, run to the apartments of the Princess Margaretta. Chop her down, kill her. Be very sure you don't leave her alive, and you will be rewarded.'

Czar Guidon died in the middle of the night, much to the relief of his doctors. A doctor opened the door to the Czar's room and spoke to the two guards outside, asking them to give the order for the Czar's death-bell to be rung.

Now one of these guards was in the pay of the courtiers, and the other was in the pay of Princess Margaretta. Both guards set off running – but not to ring the bell.

Through all the long years of the Czar Guidon's reign, a deep silence had been kept in all the miles of passages. The silence was shattered at last, not by the awful ringing of the death-bell, but by excited, ringing shouts, by the fast sound of booted, running feet, by the rattle and hiss of drum-beats, by screams and cries of pain and fear, by laughter, the crash of things thrown down, of doors slammed and doors broken. The silence, that had been so

78

carefully stored for so many years in those rooms and corridors, vanished in a second.

In the passages and rooms of the Princess Margaretta's apartments, a fierce battle was being fought between those soldiers hired by the Princess and those hired by the courtiers. The court-rooms were filling with soldiers battling to defend the courtiers or arrest them.

The narrow stairs of the tower leading to the dome-room were made horrible with the most desperate battle of all – a three-sided battle between Safa's Guard, defending the stairs; Margaretta's Own, who wished to fight their way up the stairs and smother the Czarevich; and the courtiers' soldiers, who wished to take the Czarevich prisoner.

In the midst of the uproar, the panic, the killing, the heavy bell of the chapel began tolling, rolling its weighty noise over the shriller screams and cries of the fighting, announcing the death of Czar Guidon. All the churches of the Imperial City began ringing their bells; and then the churches further away set their bells swinging, until every church in the Czardom was ringing its bells to mark the death of the Czar, though the bells told nothing of the battle being fought in the Palace, and the many deaths in its corridors.

The battle on the steps of the tower was the first to end, though it had been the fiercest. There was so little room that a blow aimed at one man would be knocked aside to injure another. No matter how hard they struggled, or how bravely they pushed forward, the attacking soldiers were always driven back down the stairs into the passage. Dead soldiers were thrown down after them, and made a barricade with their bodies.

All were exhausted, and the fighting stopped. Margaretta's soldiers drew together at one side of the stairs, and the courtiers' soldiers to the other. Safa's Guards blocked the steps.

Sweating, lank-haired, breathless and blood-stained, the soldiers eyed each other. None of them wanted to start fighting again, but they all had their futures to think of.

Out from the courtiers' soldiers stepped a young man, named Vanya. He laid down his sword and held up his hands, to show he meant no one any harm.

'Brothers,' he shouted, in the sound of the bell, 'why are we killing each other? None of us should have been hurt. It's only this Czarevich that needs to be hurt.'

All the soldiers, even those on the stairs, listened.

'Myself, I don't wish the Czarevich any harm either,' Vanya yelled. 'Nor do my brothers in the courtiers' pay, nor do my brothers on the stairs here. It's only you, brothers, fighting for Margaretta, who wish to hurt him.'

'We don't either,' one of Margaretta's soldiers shouted back. 'We only want to smother him.'

'But suppose you win this fight, and you smother him,' said Vanya. 'And then suppose that our brothers elsewhere in the Palace have chopped the

Princess to bits. What will you do then, brothers?'

The soldiers on the stairs and in the courtiers' company laughed, while Margaretta's Own stood red-faced, baffled and angry.

'We should have a Czar-chair and neither Czar nor Czaritsa to sit on it,' shouted Vanya. 'The courtiers would have to fight each other to decide which one of them will be the next Czar. And *you* would all be executed, brothers.'

Now Margaretta's soldiers looked afraid, but Vanya turned sharply to the laughing soldiers of Safa's Guard on the stairs.

'And you, brothers! You are carrying out the orders of a dead man. Don't you hear the bell? Do you think we would be fighting if Guidon still ruled? Maybe the courtiers will win, maybe Margaretta will, but one thing is certain, brothers – your Czar Guidon won't.'

Safa's Guard all looked so crestfallen that the soldiers in the corridor laughed aloud.

'Look at the dead men here. Our brothers – born in the same land, raised in the same poverty – not sons of the same parents, but sons of the same slavery, brothers! And we killed them to please rich courtiers, to please an Imperial Princess, to please a dead Czar! What are we doing, brothers, to kill each other for these rich strangers, who own us and work us like animals?'

Now all the soldiers, no matter whose side they were on, nodded and agreed. 'What shall we do then, Vanya?' one of them called; and from the stairs, from all sides, came the cry, 'Tell us what to do then, little brother.'

'We must join together and not fight each other,' Vanya shouted. 'What is it to us who sits on the Czar-chair? Whoever it is will treat us as slaves just as Guidon did; whoever it is will need soldiers. I'll tell you what we will do, brothers: we will all go up the stairs and take the Czarevich prisoner. Then we will play cards and tell stories until we find out who has won. If the courtiers win, we'll hand the Czarevich over to them safe and sound, and we'll be rewarded. If Margaretta wins, well then, we'll smother the lad and present her with his body, and she'll reward us. So, brothers!'

One of the soldiers on the stairs, an old man with long grey moustaches and a long grey beard, shouted out, 'The Czarevich is a boy, and he's mad. It would be a shame to take him prisoner and then to smother him.'

'A shame, a shame,' Vanya yelled. 'Many things are a shame. Three of my brothers and two of my sisters died of cold and hunger – that was a great shame, but I don't remember the Czarevich, or his auntie, or his dad being too tearful about it. Anyway, Grandfather, the courtiers might win – or, if they don't, you can leave us to do the smothering while you go off and pretend that no prince was ever murdered on his relative's orders.'

None of the other soldiers objected. They were shaking hands, and hugging and kissing; and all together they climbed the narrow tower to the

82

dome-room at the top. The chapel bell still rang for Guidon's death, and the stones of the tower shook beneath their feet.

The soldiers jammed the landing and stairs while the door of the dome-room was unlocked. Then they all crowded forward, shouting for candles and lanterns, which were passed in over their heads. It didn't take many of them to fill the dome-room. Not one of them could see the Czarevich anywhere.

All the wreckage in the room – the torn tapestries and sheets – the ripped cushions and splintered furniture – the smashed toys and dishes, the uneaten food – all this was thrown from the room and kicked down the stairs. The room was stripped to the bare wooden floor and its bare brick wall. The Czarevich could not be found. He was not there.

Now the soldiers began to take sides again. The courtiers' soldiers and Margaretta's Own drew together and said to the men of Safa's Guard, 'You helped his escape. You felt sorry for him and let him go. You should not have done it, brothers, because now you've made danger for us all. What will happen when we have to say that we have neither the Czarevich nor his dead body?'

Safa's Guard shouted back that none of them had helped in any escape. They had kept the door locked and guarded it. No one had come in or gone out . . . But there had been a mysterious singing heard . . . Yes, and the door had *sounded* as if it had opened, though it had remained closed. 'It was a miracle,' shouted the old soldier. 'The Virgin and the saints came and carried him away.'

'Perhaps the saints will do us a good turn, and carry us away when Margaretta wants to know what's happened to her nephew!' yelled another.

'What shall we do?' they all asked, and the questions gabbled in the curve of the dome. No one will believe us, they said. We'll be tortured and executed for helping him to escape, and we didn't! We did our duty, and our houses will be burned as a punishment for not carrying out orders. What shall we do? Vanya, what shall we do? Shall we tell the truth? The truth always saves an honest man. Vanya, is that a good idea?

'The man who tells the truth must be mounted on a fast horse,' Vanya shouted. 'Brothers, we are worrying far too soon. One of us must go and find out who has won, if anyone has yet – the courtiers or Margaretta. Once we know that, we shall know better what to do. And I volunteer to go myself and find out.'

The others applauded, kissed him, hugged him, shook his hands; and they sent him off down the stone stairs while they settled themselves to gambling and gossip and long stories.

Vanya ran down the stairs and jumped the pile of dead bodies at the bottom. The deep, crashing, shuddering bell was still ringing for the death of the Czar, and nothing else could be heard. The noise of the bell so filled the Palace that it was almost as if it was silent again. Vanya met no one as he made his way through the complicated corridors. The servants were hiding.

In the apartments of the Imperial Princess there was the noise of the bell, and destruction. Sword-slashes marked the wooden panelling of the walls and had left the hangings in rags; blood stained the carpets, cushions and chairs. The rooms smelt of blood. Dead soldiers lay underfoot still, but there was no Princess, living or dead.

Vanya left the place, and made his way, through the noise of the bell, to the court-rooms. When he was at the door he could hear other sounds, under the din of the bell – there were voices singing and shouting, and drums beating. He went into the court-room and saw, at the foot of the Czar-chair's steps, a heap of courtiers, all tied together in a bundle. All round them, soldiers were celebrating.

'Vanya, our Vanya!' said these soldiers, and pulled Vanya in, kissed him and poured him drink. 'Drink to our Czaritsa!' they said. 'We are all her soldiers now, and we shall have a palaceful of new courtiers!'

Vanya drank health and long life to the Czaritsa Margaretta, and asked where she might be. No one knew, but she hadn't been killed, and her soldiers had won. Long live Margaretta! A long reign to Margaretta!

Vanya left as soon as he could, and hurried back to the dome-room at the top of the tower. The great bell still rang. No wonder they ring such a loud bell for the death of Czars, he thought: it must ring for the deaths of many others too.

He had to gasp for breath when he reached the

dome; and all the soldiers left off their stories and their card-games to sit up and listen to him. The first words he spoke were, 'Long live the Czaritsa Margaretta!' and then they knew who had won and groaned aloud.

'Brothers,' said Vanya, dropping down among them, and cupping his hands about his mouth to yell, 'Margaretta will want to see the Czarevich's body so she can be sure he's dead. Brothers, we have no choice. We must go to the forests and be bandits.'

At once there was disagreement. Cards and caps were flung down and booted feet stamped.

'Grub in a forest like pigs! Live that miserable existence!'

'What of us, who are old? Forests are cold and wet.'

'They are worse than cold and wet in winter.'

'Brothers, I know the life of a bandit is miserable,' Vanya said, 'but it is a life. I think we should leave at once while we still have unbroken legs to run on.'

They began to argue again, but Vanya got to his feet and shouted, 'Brothers, brothers – we are all soldiers of the Czar, so we know all about being cold and hungry and living a hard life. Why are we whining about a little snow and rain? We are all slaves: that means we could make a life on a small rock in a wide sea if we helped each other. What are we afraid of? Let those who have wives and children run and fetch them, or tell them to follow after, and the rest of you, come with me.'

Almost all of the soldiers rose and followed Vanya. They ran through the Palace kitchens, cramming food into sacks. In the stables and yards they helped themselves to fuel, axes and horses. They ran home to their huts and families.

In less than two hours Vanya's company, with horses, children, wives, and even old parents who could not be left behind, were on their way into the forest, there to live as outlaws, as runaway slaves, and as bandits. Their journey takes them right out of this story for a while, but not for ever.

Of all Vanya's company only three men, three very old men who could not face life in the forest, stayed behind. 'What of the winter?' they said to each other. 'We're more likely to get mercy from the Czaritsa Margaretta than from Old January in the forest.' And these three old soldiers marched off to join the party in the court-room, and very drunk they got there.

Where had the Imperial Princess Margaretta hidden herself to escape murder? No one knew, which is why she was not found; and the day after her brother's death she walked into the court-room, climbed the flight of steps to the peacock-backed Czar-chair, and seated herself on it. As she sat, the rolling, dull, deafening noise of the death-bell stopped. The soldiers gathered about the steps and cheered for the new Czaritsa.

'I am pleased that you love me, my children,' Margaretta said to them, 'but from this day forward, the rule of silence will be observed. God has given me the victory; I am God on earth in female form. My Godhead must not be offended by vulgar noise.'

A deep silence fell, spreading out through the Palace.

'The first act of my reign must be to clear away the rubbish of my brother's.' Margaretta pointed to the heap of bound courtiers. 'The day is before you, my children,' she said to the soldiers. 'Take them and kill them, and bury them out of sight before the sun sets.'

She watched as a troop of soldiers was detailed, and they dragged and bullied the courtiers from the room. Those remaining, soldiers and nobles, were silent, very silent, as the fear of death touched them all. Margaretta looked down on them from the Czar-chair and patted the arm of that magnificent chair with satisfaction.

'I shall replace my ministers when I have had time to consider who shall most please me and most faithfully obey me,' she said. 'But now we have a happier matter to deal with. I wish my poor nephew to be released from his long imprisonment. I sent men to release him. Where are they? Where is he?'

Czaritsa Margaretta waited, with a motherly smile, for someone to step forward and answer her questions. No one did. The three old men who had deserted from Vanya's company began to shake.

'What? Did I not give orders? Where is my nephew?' the Czaritsa demanded.

Everyone looked at the floor and said nothing.

'Bring my nephew before me now!' cried the

Czaritsa, and banged the arm of the Czar-chair.

The three old soldiers whispered in each other's ears, and then slowly went forward to the steps of the Czar-chair. They knelt awkwardly and bowed their faces to the floor, and the bravest of the three cried out, 'Do not punish us, Mighty Czaritsa, but give us permission to speak.'

Margaretta waved her hand, and a captain yelled, 'Speak!'

'Mighty and merciful Czaritsa,' said the old soldier, 'we were among those ordered to smother the –'

'Ordered to *what*?' the Czaritsa snapped.

The soldier was old and his mind muddled. 'Ordered to – ordered to murder the Czarevich, Czaritsa, to smother – '

Margaretta leaned forward in her chair. 'Who gave you orders to murder my nephew? *I* gave no such orders. Tell me who ordered you to do this, and I will have them executed.'

Nothing bewilders a simple man like a deliberate lie which everyone knows to be a lie. The old soldier stammered and muttered to himself. The second old soldier hastily spoke up.

'We went to release the lad, Czaritsa – but we could find no trace of him, alive or dead. The dome-room was locked – but when we unlocked it, it was empty, Czaritsa.'

The Czaritsa was frozen in her chair. Those who dared to look up at her saw her face turn white. 'Those three,' she said, pointing to the three old soldiers, 'they know what has happened to my nephew. He has been kidnapped, and they know where he has been taken. Take them and torture them – let us have the truth from them. I must have my nephew restored to me.'

The Czaritsa then went to the new apartments she had chosen for herself, where the walls were panelled in sheets of amber. The three old soldiers were taken to much larger apartments, the Imperial Torture Chambers, where they told all sorts of stories besides the truth; and remarked several times that they wished they had gone to spend January in the forest. But nothing they said was believed.

All that the three soldiers said was written down and taken to the Czaritsa in her amber-walled apartments. Squads of soldiers searched the Palace and countryside, and threatened and questioned the people, in a search for any sign or news there might be of Safa Czarevich. There were no signs and no news. Sometimes the Czaritsa would find herself believing that there never had been a Czarevich. She had never seen him. Perhaps the dome-room had always been empty. But in the night she would wake in a horror of cold from a dream of that Czarevich taking the crown from her head and throwing her down the steps of the Czar-chair. Whatever she pretended, she wanted to see the Czarevich's dead body and know for certain that he was dead.

The Czaritsa had a proclamation made throughout

the Czardom. The Czaritsa feared and grieved for her beloved nephew, the proclamation said. She feared that wicked people who hated God and freedom and peace had kidnapped the poor boy and were going to try and make him Czar in place of her, the Holy Czaritsa, appointed by God. Then the whole unhappy Czardom would be plunged into a dreadful war. Thousands would be killed; thousands would be driven from their homes; thousands would die from hunger and cold. She begged her loyal people to do all they could to deliver the poor, simple-minded Czarevich into her loving hands. Then there would be no war and no suffering.

A million people throughout the Czardom heard it. Not one of them believed it. 'Who doesn't know where the young prince is?' they asked one another. 'Everyone knows he's in the grave they dug for him after our Holy Czaritsa had him murdered.'

And, but for the witch Chingis, they would have been right.

SEVEN

Round the tree goes the cat on the golden chain, telling its story.

Of course Safa Czarevich is not in a grave, says the cat. He has been taken as an apprentice by the witch, Chingis: and it is of them that I shall tell now.

To Safa, the variety and beauty of the world was shocking; and the shock never ended.

He had spent his life in a dark, small room in a silent palace. Five steps had always brought him against a wall. Now space glowed and spread about and above him, offering distances that could never be paced out. He felt the dust-motes at his finger-tips tingle in companionship with dust-motes that flew – how far? – above his head, buzzing in clouds. The recklessness of the unwalled space about him dizzied him each time he lifted his head.

He had thought Marien unendingly different and absorbing in her moods and expressions. Add Chingis, and all her moods, all her knowledge, all her changeability – and surely that was enough? But no: there were scores of women, more than could be counted or remembered, and they all had different faces, different voices, changing moods, changing thoughts. How could so much difference be?

Not all men were soldiers, or even Palace servants. Not all people were men or women. Some were children, boys and girls, the same, and yet different from the larger animal, and all different from one another. He could not bear to think of it all for long at a time. It exhausted him.

He had been told of forests by Marien, and had imagined them as forests of twining embroidery and glittering sequins. To the eyes of someone bored with real, dusty, dirty, living forests, these frail growths of silk and tinsel might seem pretty and charming – but to Safa the weight, the mass, the smell, the living, upward growth of the real trees overwhelmed all thought and filled him with delight. All the different trees, covering the land for such grand, unknowable distances, heaping the ground with centuries of fallen leaves and branches. The real, the ordinary, outdid all imagination.

Not one kind of flower, but many, many flowers; nor one kind of fish nor one kind of bird – and a fish and bird so wonderfully different that a fish was never mistaken for a bird nor a bird for a fish, though some fish flew and some birds swam! Difference, difference in everything. The light changed from morning, to afternoon, to evening; and even from minute to minute as clouds passed over the sun. The darkness of the open air was different from the darkness he had lived his life in, and it was a darkness that changed as often as light.

The air changed its touch against his face, the scents it carried to his nose, the sounds it brought to his ear. The sound of an axe was different if heard at evening or mid-day; and different if it was distant or close by.

He was a poor apprentice. He was so mad with the variety of things that he could be taught nothing. If the spirit that lived in his head had once called and called for release from the dome, now it babbled to itself in a never-ending song of exclamation. Chingis heard the song always, and learned new music from it – and learned to see anew things which even a witch comes to think of as ordinary.

But listen, (says the cat) and I'll tell you of Kuzma.

Do you remember the shaman, Kuzma, who lived far to the north, and harvested the ice-apples?

He was jealous and fearful of Chingis, because she was so clever a witch, and he often watched her in his shaman's mirror. He hated to see her reading or writing, because he knew she was adding to her knowledge and power, and he feared that she was becoming so great a witch that he could never hope to better her.

He was furious and fearful when he saw that Chingis had done what she was not meant to do, and had taken an apprentice, though she was still so young herself. And had taken a male apprentice! And one who was not new-born!

He could not understand why Chingis had done this, and was angry that she dared to break the custom of witches, but fearful that she might succeed in some way that no other witch before her ever had.

He rejoiced when he saw that the boy was unteachable, and could not learn even the simplest word-magic. But he was suspicious when he saw that Chingis was not angry, and wrote more and more in her book.

Kuzma watched in his mirror until Chingis slept, and he sent his spirit to her hut, where it stood beside her table and blew over the pages of her book. There it read of how much she had learned from her unteachable apprentice; and it read of much it didn't understand. Shivering with apprehension, it whisked back to its body.

The summer passed. Now the days were short, and cold, and growing colder. Frost came, hardened the ground and traced it with white. Ice began to snap in the tree-tops and to squeeze even Chingis's house. It grew colder still, and then the snow came. Flakes of snow fell and fell until they lay so deep that Safa stood knee-deep in them. How could there be so many of the tiny snowflakes that they could lie so deep over the whole world?

The sap froze in trees. Bears had long since gone to sleep, and the geese flown away. And people were hungry. Do you remember the soldiers who ran from the Imperial Palace rather than face the Czaritsa with the news that her nephew had escaped them? Listen (says the cat) and I'll tell of them.

Those soldiers had come, with their families, to

the forest, and they had suffered a hard, bad time of it. They were still alive, but they didn't expect to be for much longer. Rightly fearing the winter, they had put the best of their labour into building houses, three big houses, to shelter all their people from the cold weather. But the work had taken so long that they had not had the time, or the people, to collect enough food to feed them through the cold, dark months. Nor did the stoves in the houses keep them as warm as stoves should, because stove-setting is a skilled trade, not to be undertaken by just anyone. So winter had come too soon for them, and they were starving.

The men and women went out to hunt and snare and grub for what they could, but such work, in deep snow, is cold, hungry and exhausting. Besides, the hunter is not lucky every day. The people grew thinner and weaker, and were not able to work as long. So they came to famine. The three long-houses of their village were dark; and the people lay in them, measuring their remaining time in their own slow heart-beats, and mouthfuls of food.

But though their bodies were weak, and growing weaker, the spirits that lived in many of them were alive, and strong, and furious. They didn't want to lose their bodies; they were afraid. They cried out, continuously, angry and screeching at their coming death. And other spirits, who were old and tired, still kept up a sad and constant weeping beneath the noise of their stronger fellows.

Every witch in the Czardom heard the part-song

of this spirit choir; they could not fail to hear it. But not every witch was inclined to listen.

Chingis heard, and Chingis listened.

She said to Safa, 'Little brother; do you remember that place where you used to live? Do you remember the soldiers who stood on the other side of the door?'

'I remember,' he said.

She caught his hand and said, 'Listen!'

He listened hard, and thought that he caught a sound, unlike the sounds he had learned to know. It was a sound so faint that it was no sound, and yet it made him afraid, and he pulled his hand away from Chingis.

'That's the crying of spirits who know they must die,' Chingis said. 'A witch hears it always – but I am the cause of these deaths. Nothing can be altered without altering everything that touches it. When I took you from your prison, Safa, I drove those poor souls towards their deaths. I think I must help them too.'

'Yes – help them,' Safa said. He had a vague notion that the souls she spoke of were imprisoned in a dark, close place, and were crying to be released. 'Bring them out – let them live with us.'

Chingis roused from her thinking and laughed at him. 'They wouldn't want to live with us, little brother; but yes! We shall help them. Bring me my drum – and a bowl of salt – and we shall find food for them.'

Safa ran after the hut – which had wandered

away, scratching the ground, on its chicken-legs – and fetched from it Chingis's large, flat drum, and a bowl of ground salt from the cupboard. He brought them to Chingis, and she took the salt and, with it, made a wide circle in the snow. The salt melted a deep groove to mark the circle, and they were inside it. Then Chingis sat cross-legged in the snow and set the drum across her knees. Safa knelt beside her. 'Stay within the circle,' she said to him. 'Whatever you see and whatever you hear, do not speak; and stay in the circle.'

Safa nodded. He had learned that what Chingis said, she meant; and what she meant, she said. So he would not speak or move, but became all intent on seeing and hearing whatever it might be that she would call to the circle.

Chingis began to drum. It was not the steady, monotonous drumming she used for questioning, but a rhythmic, insistent drumming that jerked itself away from its own pattern each time he thought he had learned it. Chingis threw up her voice and sent it weaving, rising and falling, through the sound of the drumming. She was calling to something, and Safa twisted his head round, looking into the winter darkness and forest shadows, to see what would answer her call. The touch of the air and darkness on his skin changed, cooled, and something came nearer. He pressed closer to Chingis, though he was well within the circle.

Shapes came gathering to the edges of the circle,

shapes that drifted and brought with them the shining darkness of a night when snow falls thickly. A long, ribboning wolf-shape wound round and round the circle restlessly, and Safa smelt a stink of wolf and felt a cold, cold air touch his face. A bear-shape, high and huge, came prowling, and as its heavy fur rippled there was a glittering, as if snow-stars were trapped in its thickness. There came the shifting, melting shapes of birds and deer. Even fish-shapes came swimming through the air, their flanks glinting with snow-scales.

Chingis began to speak to these spirits, using a language which Safa understood only when he did not try to understand it, and not always then. But she told the spirits of the other spirits nearby who were crying out in terror because their bodies were dying. 'Tell me of your sisters who are trapped in old and painful bodies,' she said to the spirits. 'If they will give their bodies to these starving people, I will give them an easy death. I will lead them to the ghost-world; death need have no fear for them.'

Safa heard, faintly, the sounds of animals, the growling, the coughing and snuffling. Yet the animal spirits were close around him. The bear-spirit raised itself and hung over them, stars of ice – or stars, perhaps – rippling in its fur. It spoke to Chingis in a voice so deep and distant Safa could hardly hear it, and in a language he could not understand. Chingis answered, and the bear spoke again. It seemed to Safa that they spoke sleepily, and he felt sleepy from the cold that surrounded the salt circle, a dry and stifling cold. He rested his head on Chingis's shoulder and was closing his eyes when she struck the drum with loud, sharp blows, like the sudden and unreal noise that wakes you from a dream. His head jerked up from Chingis's shoulder, and he caught so fleeting a glimpse of the animals drifting into the darkness that he might not have seen them at all.

The hut on chicken-legs was not far away, crouching with its door close to the ground. Chingis led the way to it, and they warmed themselves on its stove.

'I must leave you for a little while,' Chingis said. 'I must find an old bear with a broken jaw. I must ease her pain and fear, and lead her to the ghost-world. No!' she said, when she saw that Safa would ask to go with her. 'You may not come near the ghost-world. But I will leave you with a job to do for me. Stay here with my house, and keep its fire alight – never let my house starve or I shall make you sorry! Wait here until a white bird comes and perches on the roof and calls you. It will be a white bird, white all over, and it will call your name. Follow it, and it will lead you to the soldiers who used to guard your room, to them and to their families. Fetch them from their houses, tell them you have food for them. Follow the bird again, and it will lead you to me, and to the bear. Now, repeat what you have to do.'

Safa repeated it all, and Chingis kissed him, took her drum, and left him.

For two long, dark days Safa was alone in the hut.

He kept the fire alight, and amused himself by examining the drums and flutes hung on the walls, and by turning the pages of the books he could not read. He found, at the bottom of a chest, a long shaman's robe, like the one Chingis wore, and a tall, embroidered shaman's hat, and he put them both on. He ate when he was hungry, and told himself stories and sang himself songs. And then he heard his name being sung in the dark outside. 'Safa! Safa!'

He went out into the snow and saw, perched on the carved edge of the wooden roof, a bird so white it shone dimly in the darkness. And it sang, 'Safa! Safa!'

'I hear you,' he said to it, and it flew from the roof and away into the trees. Safa followed, dragging his feet through the heavy snow, often stumbling, often losing himself in the darkness. But then the bird would call out his name from a nearby tree, and he would find it again. And so the bird led him to the village in the forest, to the three long-houses where the soldiers and their families were starving. The bird flew to the roof of the first house, just above its door, and perched there. Safa leaned on the wooden door and pushed, and walked in.

It was so dark inside the house that the fire shining from the open door of the stove could only smear a dim sheen of light over the darkness. The people sitting and lying wearily in that darkness heard the outer door of their home open and close, and wondered dully who could be coming in. Some thought they had dreamed the sound. But the inner door opened, and an upright figure came in among them.

Still some thought they dreamed. In the dim light beads, coins and shells glimmered over the long robe the stranger wore. A woman near the stove poked a stick in the fire until the end flamed, and then held it up as a torch. By its leaping, flaming light they saw their visitor fully for a second, and then not at all – and then the figure would be lit by another flare. What they saw in this flickering way, frightened them.

They saw a figure dressed in the long, beaded, tasselled robe of a witch, with an outlandish hat on its head, and thick mittens and soft, thick-soled boots, all covered in Lappish embroidery. They recognized the clothes of a northern witch.

And then, worse, for an old soldier suddenly snatched the torch, and held it closer to the visitor. This old soldier had guarded the dome-room for many years, and now he said, 'That is the face of Safa Czarevich!'

And others looked, and recognized the face too. 'A ghost,' they said.

'Why have you come here?' shouted the old soldier with the torch.

'I have come to fetch you,' said Safa.

A moan of sheer terror rose from the people. This ghost, this Lappish witch, had come in from the winter darkness to fetch away their souls.

'There is food for you close by here,' Safa said.

'Come with me, and the bird will lead us to it.'

At the promise of food, people struggled to rise, and were dragged down again by others. There was a bubbling moan of fear and hope. How can you trust such a creature, that has taken another's face, people were asking. Others said, 'Never trust and never gain.'

Safa could not understand why they didn't follow him at once, and stood bewildered while they argued over whether they should try to kill him or drive him away; or if they should beg his mercy and pray to him.

Then it was suggested that Vanya should be sent for; and to that everyone agreed. Vanya had led them from the Palace and got them into this danger; let Vanya decide what should be done. A boy was sent to fetch Vanya from another of the long-houses as quickly as possible.

Vanya was told the Czarevich's ghost had come to trouble them, and he floundered through the snow to the house, and stood close to the strange vistor, staring. Vanya's starved face was full of shadowed hollows and sharp, shining ridges of bone. 'Have you come to haunt us?' Vanya asked. 'We didn't kill you. Don't blame us for your death.'

'You need food,' Safa said. 'Come with me, and I'll take you to where there is food for you.'

'What shall we do, Vanya?' the people asked. 'Is it a trick? Shall we kill him? *Can* we kill him?'

'You say you'll take us to food,' Vanya said. 'Why do you want to help us?'

'Because I was in the dome,' Safa said.

'It *is* the Czarevich!' everyone said. 'Did you hear him?'

'Perhaps he has come to help us,' they whispered. 'The dead have been known to return to help the living.'

'Remember, his mother was a slave, like us, before they made her a Czaritsa – and how like her he is!'

'Look at his face,' came other whispers. 'There's nothing wicked there. This isn't an evil ghost.'

'But why is he dressed like a witch?' was asked; and no one could answer it. And all fell silent. They waited for Vanya to decide what was to be done.

Safa took Vanya's hand in his own mittened one and said, 'If you will come with me, I will take you to a bear that you can eat.'

Vanya decided to trust him, and said, 'Everyone who has good clothes against the cold, and a weapon, come with us. Go on, your Imperial Ghostliness.'

So the strongest of those left gathered together their warmest clothes, and whatever weapons they had, and followed Safa from the house. A white bird flew from the roof of the house and, as it flew, it called, 'Safa, Safa, Safa!' Safa followed the bird as it flew ahead of them into the trees, and the people of the village followed Safa. They were more than ever convinced that what led them was a ghost or a witch's devil. A white bird, with not a speck of colour on it anywhere, a bird such as none of them had ever seen – a bird that waited for them, and called them to follow it by crying out a name in human speech! If they had not so desperately needed food, they would have run away.

The bird and Safa led them a long way through the snow and the people, already weak from hunger and cold, were stumbling and falling from sheer exhaustion when the bird suddenly dipped from the air and perched on something large and dark that lay in the snow. It was the body of a bear, just as the witch-boy had promised them.

Several of the people lifted their tired feet and made a dash for the bear, but then stopped suddenly, with spurts of snow from their boot-heels. They had seen the white bird rise from the bear's corpse and fly away. They followed its flight and saw it light on the shoulder of a woman who stood at a little distance from the bear. She was hard to see in the winter dark, but they could see she wore a tall cap, and a long, tasselled robe; and they recognized the shape of the large, round, flat drum slung at her back. This was a witch: the owner of the devil who had lured them to her. And there, still further away and crouching among the trees, was the witch's hut, crouching on its chicken-legs, a light shining in its window. The villagers pressed together in a tight little group, and held each others' hands and arms.

The witch raised her hand and beckoned her devil to her side. She whispered to him while the villagers watched fearfully.

The devil with the Czarevich's face turned to the people and shouted, 'Chingis says, take the bear and eat it, and do not fear that its spirit will haunt you. It was old, sick, and glad to die. She says, do not be afraid of the future; she will see you safely through the winter.'

Hand in hand, the witch and her devil walked away through the darkness to their hut. The devil often looked back and smiled and waved; but the witch never looked back.

Vanya and his companions watched them enter the hut; and they watched the hut rise on its giant, scaly chicken-legs, and walk away. The finicky manner in which the giant legs picked and scratched, with the little hut perched on top of them, was comic, but no one laughed. Many things which are funny to imagine are humourless when they happen before your eyes.

Long after the hut and the glimmer of light from its window had disappeared, the villagers still stood huddled together, not daring to approach where a witch had been. Vanya saw that it was up to him, and he said, 'Come! We can't stand here till we freeze into one block! Let's joint that bear and get it back to our cooking pots as fast as we can!'

But still no one moved.

'Brothers! Sisters!' Vanya said. 'If the witch had meant us harm, we'd be changed into bears ourselves by now. But look at me! Do I look like a bear?'

'No more than usual, Vanya,' they said, and laughed. The skin of their lips split in the cold. But they all hurried to the bear and began to chop it into joints with axes and knives, and then to drag and carry it home across the snow.

Many hungry hours went by before they had the bear back at the village, and cooked, but then everyone ate as much as they could, and some made themselves ill.

And after that, throughout the winter, whenever the village's stocks of food and hope were failing, the doors of one or another of the houses would open, and in would come the witch's devil with the Czarevich's face; and he, and the white bird, would lead the way to the tough and scrawny carcass of some old creature – a deer, a bear, a wolf, a fox.

It made the villagers feel special and protected to be helped in this way by a witch and a devil, but it was alarming too. *Why* was the witch feeding them?

'Ah, that's easy. She's fattening us up for her own cooking pot!'

'Well, I don't see any of us growing fat,' Vanya said. 'So, if we are to be boiled, it won't be for a long time – eat and forget about it!'

And that is all I have to say about the people, the witches and the devils in the forest for a while.

EIGHT

The cat is still circling the oak-tree, telling its tale.

Do you remember the shaman Kuzma, who looked in his brass mirror and saw a greater shaman than he?

And do you remember the new Czaritsa, the Czaritsa Margaretta, who longs to embrace her nephew again, the easier to stab him in the back?

I shall begin (says the cat) by telling of her.

None of the proclamations the Czaritsa sent out brought her any news of Safa Czarevich. From her people, throughout her vast land, came a silence as solemn, but as full of whisperings, as the silence within the Imperial Palace.

Those who had heard her proclamations laughed and said, 'Listen to our Czaritsa asking questions she knows the answers to! If she wants her nevvy back, why doesn't she go and dig him up from where she's buried him?'

But the Czaritsa really didn't know what had happened to her nephew. She suspected that people were hiding him, protecting him, and helping him to plan how to kill her and make himself Czar.

She sent soldiers to search the houses of her people. She sat awake at night, remembering people who had seemed to laugh at her, or people who had seemed sorry for the Czarevich. She wrote their names down in a long list, and soldiers went to their houses and smashed the doors, searched cupboards, tore floorboards up and panelling down.

But no Czarevich was found, however thorough the searches.

This did nothing to convince the Czaritsa that he was not to be found. She was the more convinced that he was being very cleverly hidden from her, and she ordered her army to search *every* house in the Czardom, even the smallest and poorest.

And still the Czarevich was not found. The Czaritsa was terrified. If her nephew was so clever that he could avoid all her attempts to catch him, how could he fail in his plan to murder her? She dreamt of him creeping out of the cold darkness, holding a knife, an axe, a cleaver.

She gave new orders to her soldiers. All those she had ever suspected of hiding the Czarevich would be arrested and executed, one by one, village by village, until her nephew was in her keeping.

Everyone in the Czardom, rich and poor, was afraid. Each of them thought to themselves, 'I don't know where Safa Czarevich is, but perhaps my neighbour does.' And people began to spy on their neighbours, relatives and friends. Was a family building a new room on their house? It must be a room for the Czarevich. People were heard moving about in the middle of the night? They must be secretly admitting the Czarevich to their home. Was there someone who had once been heard to say that the Czaritsa Margaretta was a cruel woman? Then surely that person was helping the Czarevich against his aunt.

Many heads were wastefully cut off before the bear came and ended the confusion.

The doors of the court-room opened, and through them came a bear. No one had seen it enter the Palace, no one had seen it in the passages, but in the court-room it was seen, snaking its head on its long neck, the fiercest of all bears, the white, northern bear.

Courtiers pressed back against the walls as the bear loped by to the steps of the Czar-chair. Its thick white fur ruffled as it moved, and a rank, wild-bear stink drove away the perfumes of the Palace. At the Czar-chair steps the bear suddenly rose on its hind legs and stood six feet tall.

Soldiers edged towards it, anxious not to draw its charge on themselves, but dutifully threatening it with pikes and spears.

The pikes and spears fell to the ground when the bear pushed back its head with its forepaws. The head fell back on its shoulders and the fur sagged away from its body. The bear – which the whole court had seen to be a bear – was now seen to be a burly man wearing a white bear's skin. He climbed the steps to the Czar-chair, and no one tried to stop him. The man was a witch.

The Czaritsa sat quite still and watched the man approach her. She was too afraid to rise from her chair, or to shout orders. Was this her nephew, she wondered, for she had never seen him. Were her nightmares coming true? A rank, greasy and bearish smell drifted to her from the slowly climbing figure.

A mass of hair and beard, all tabby-streaked grey and black, made the man's head seem large, while at the centre of all this hair his face was small, sharp and peering. It was Kuzma.

The shaman stopped in front of the Czar-chair and grinned at the Czaritsa. His sharp little face became all wrinkles; and seemed like a quick, fierce animal peering from a thicket and about to bite. 'I've come to offer you my help in finding your nephew, woman,' he said. 'You won't find him by your efforts, and you'll soon be ruler of nothing but bones and corpses. But I know where your nephew is.'

These were the words needed to help the Czaritsa recover her fear. With a noisy gasp of breath, she asked, 'Where is he?'

'He is under the protection of a shaman.'

'You?' the Czaritsa demanded.

'Another shaman, woman, not I. And if you call up every soldier in your Czardom, you won't be able to search the house of this shaman; and if you could search it, you wouldn't find your nephew, for she would turn him into gold and wear him in her ear, or into a plum-stone and hide him under her tongue. Nor could you kill her, not if you brought up all your cannon. You call yourself Czaritsa, and

111

you have power – but she is a Woman of Power.'
Kuzma grinned his sharp-faced grin. 'No, woman;
if you want your nephew returned to you, you must
have *my* help.'

'Stand back!' the Czaritsa ordered, and Kuzma
stood back while the Czaritsa rose to her feet and
rearranged the folds of her gold-encrusted skirts.
'My private apartments,' she said to her Captain of
Guards, and the Czaritsa and Kuzma were escorted
by armed soldiers through the palace to the
Czaritsa's apartments.

There they sat on low couches by the stove, and
tea was served to them. 'What reward are you
asking for your help?' said the Czaritsa.

'There is no reward *you* can give *me*, woman. I am
a shaman. I want only the death of the shaman who
protects the boy. Alone, I cannot hurt her. She
would smell out my lies. But with your help, I know
a way to kill her. Once she is dead, the boy is easily
taken.'

The Czaritsa ate a small cake, and said, 'But if all
my armies and my cannon cannot hurt her, of what
use is my help? How *can* she be killed?'

'Now, does one Czar tell everyone how easily he
killed his brother-Czars? Do you think I am going to
tell you how to kill another shaman?' Kuzma said.
'But give me a regiment of your soldiers, to
command as I like, and I will kill this shaman.'

'I don't lend my soldiers as a common housewife
lends flour,' said the Czaritsa. 'I must know that you
will succeed.'

'This is all I will tell you,' Kuzma said. 'A shaman can smell lies, and hear an untruth told, like a discord in music. If I set a trap of lies for my enemy, she will not come near it. The cries that draw her to it must be innocent and wholly truthful. Now; in your forests live a company of deserters – '

'Ah, those deserters!' the Czaritsa cried. 'I will have them executed!'

'I will execute them for you – once they have baited my trap,' said Kuzma. 'I will jangle them with fear. That will bring my enemy to me. Will you give me a regiment, woman, or will you not?'

The woman did; and that is all there is to tell of her for a while.

NINE

Round and round the tree goes the cat, its hard button paws treading down the grass.

In the forest, in the winter, says the cat, Vanya and his fellows live in hiding.

I am going to tell how Vanya's friends found an old man, a poor, nearly frozen traveller, in the forest; and took him to their village.

The stranger was lying in the snow near one of the soldiers' snares. They took him for a rich man – his coat was of thick, white bearskin. The fur of it was crusted with snow and rimed with frost. Even the hair of his black and grey beard was twisted into clear icicles, where his breath had frozen.

They tried to wake him, but he could only mutter in his cold sleep; and so they carried him to their village, where they crammed him into the crowded house where Vanya lived, close to the warmth of the stove.

People pushed close, and dragged the ice-covered bearskin from the man's body, for its thickness would keep the warmth from him if they left it on. As they lifted the man up, they heard a chinking, jingling sound coming from him. Vanya reached inside the man's shirt and pulled out a bag. He shook it and it made the sound of money.

While others opened the man's shirt to the warmth, and rubbed his hand and feet, Vanya opened the bag and shook some of the coins into his hand. They were copper coins, and each was stamped with the figure of a soldier, on both sides. One side showed the soldier from the front, and the other side the soldier from the back.

'Our foundling must be a foreigner,' Vanya said. 'I've never seen coins like these before.'

'When he wakes, we'll ask him where he comes from,' said someone.

But when the stranger was warm, and woke, and could talk – he answered no questions. He would not tell them his name, nor where he was from, nor how he had come to be freezing in the forest.

He ate nothing. When they offered him food, he said, 'That is not *my* kind of food.' He did not gossip, or tell stories, or play cards. All he did was to sit and count his copper coins, which he called 'my soldiers', saying, 'One soldier, two soldiers, three soldiers . . . '

He frightened the people. At first they thought him mad, and then they thought he was worse than that. How did he keep himself alive when he neither ate nor drank. *What* did he eat and drink, if not what they did?

The same night that the stranger was brought into the house, Vanya had a nightmare. He woke everyone with his cries, and even when he was shaken awake, he was trembling and sweating. In his dream, he said, he had seen the stranger come to his bedside – had seen it all very clearly! In the stranger's hand had been a knife, and this knife he had stabbed into Vanya's chest, and he had cut Vanya open as someone might split a loaf. It hadn't hurt, in the dream, Vanya said, but he had been terrified to look into his own body and see a glittering red stone, like a ruby, where his heart should have been. The stranger had taken hold of this red stone and had tried to wrench it from its place – but Vanya had woken before the stone had come loose.

No one can be blamed for what they do in other people's dreams, but this didn't make the villagers think more kindly of the stranger. And Vanya was ill the next day. He was weak and dizzy, and never left his bed. On the following day he did not even wake, but lay quite still, his body growing cooler, and his breathing less.

'Perhaps this time, the stone *was* pulled out,' someone said.

Others had the same dream; and others saw the glittering red stone within their own bodies and felt the stranger try to pull it out. And all those who had this dream became ill, just like Vanya.

There were five people lying ill in one house when the stranger came in and sat near the stove. He opened the bag where he kept his copper coins and, taking them out one by one, he counted them into stacks of ten, calling them soldiers. He had over a hundred soldiers. When he had them all piled up, he put his hand in the bag again and said, 'And five hearts.' From his hand he scattered five brightly coloured stones, like rubies, among the stacks of coins. He looked up at the frightened people, laughed, and vanished, popped out of sight like a burst bubble.

But though he was no longer seen, he was not gone. The people heard him in the house with them, counting his soldiers and hearts; and they went on having the nightmares he had brought to them, and more and more people fell sick.

They feared they were being haunted by a ghost or demon that meant to kill them by entering their dreams and attacking them inside their sleep. In fear, they prayed for help; in fear they went about their work; in fear they lay awake at night.

All their fear went out of them and travelled ringing in the air. Kuzma could hear it as he sat invisibly in a corner of the house. And he knew that Chingis would hear it.

TEN

Listen, says the cat. I am going to tell of Chingis again.

Chingis heard the fear of the villagers. As she sat by the stove in her house on chicken-legs, learning from the books her witch-mother had left her, the shrilling of fear in the air was something unheard that made her shudder suddenly, for no cause, and look up.

She had set Safa to study letters. 'Do you hear it?' she asked. Willingly, he raised his head and listened, and there was so much to hear! Their own breathing, softly mixing with the gentle sounds of the fire burning in the stove; the many different creaking joints of the hut, the frost crackling about the roof, the wind in the house-corners and in the trees – but none of these sounds were what Chingis heard.

She came and set a hand on his shoulder and, leaning her head close to his, raised a finger. 'Listen,' she said. He closed his eyes and held his breath, and all that he did besides was to let his heart beat. Still he could not hear what she heard, but suddenly he shook, from head to foot, for no reason. He was not cold.

'Someone has trodden on my grave,' he said, for that was what Marien had always said when she shuddered.

'It is fear,' said Chingis, 'but not the fear of hunger.' She listened, and her tongue poked from between her teeth, as if she tasted the sound. 'It is a fear of death, but not only of death,' she said. 'Something frightens these people – but what? A bear? A ghost?' She slapped Safa's shoulder. 'The drum!'

Safa fetched the shaman-drum from the wall. They sat on the stove-shelf and he held the drum across his knees while she placed the skull at its centre and began the steady drumming.

Safa hardly blinked as he watched the skull slide and skip from symbol to symbol. He guessed at what each jump might mean, but none of his guesses made sense. He had learned some of the symbols' meanings, but not all of them, nor anything of the meanings that connected one sign to another. For him, trying to understand the drum was like trying to read a word when you know the names of the letters but not the sounds they make.

Chingis stopped drumming, and Safa looked to her, expecting to be told what the drum had said. But she said, 'The drum tells me nothing.' She was puzzled, Safa saw. 'It tells me nothing,' she said.

But she could still hear the fear in the air. It thrummed in her bones and crawled over her skin like cold water droplets, drawing shivers from her.

'We shall go to them,' she said; but as she laid the drum aside, she said, 'It tells me nothing. I don't know why.'

The house raised itself on its chicken-legs and walked, carrying them inside it, towards the place where the fear was.

Listen (says the cat) and I'll tell you of Kuzma.

Kuzma sat on the stove in Vanya's house. All around him, on the stove and on the floor, lay the people of that house, scarcely breathing. Some were so cold, and so still, as they stared with dusty, open eyes into the darkness of the roof, that they might have been already dead.

In the other two houses of the village, it was the same. A softly breathed word, now and then, could be heard from someone still warm enough to moan – but they were chilling and freezing and becoming immovable.

In Kuzma's bag, with the copper coins he called his soldiers, rattled many glittering red stones.

Warm and safe as he sat cross-legged on the stove, Kuzma sent out his spirit. It flew about and between the forest trees as fast as snowflakes carried on a gust of wind. It flew to the topmost points of the tall pine-trees as fast as he thought himself there. And it looked about and listened, and looked about – and saw Chingis coming from far off.

Back to its body flew Kuzma's spirit, and Kuzma opened his eyes.

'Quick! Quick!' he said to himself, and jumped from the stove. Out of the house he went, and ran, quick, quick, quick, away into the trees, stumbling in his heavy boots and the deep snow.

Far from the houses he stopped, near an over-hanging bank where snow had drifted. He wrapped himself closely in his coat made of a white bear's skin, and drew over his head the bear's head. He rolled himself into the snow and curled himself up, and sank himself into the deepest of sleeps. Like a hibernating bear his heart beat slower and slower, his body grew cooler. There was so little life in his body that he hardly existed; and his spirit had gone to stand outside the gates of the ghost-world. Was it a man or a bear who slept there in the snow? Or no living thing at all, but merely a snow-covered log?

As the house on chicken-legs approached the village, the sound of fear that it followed dropped and faded. Again Chingis questioned her drum; again it told her nothing. She was suspicious and wary, and the house came to a halt while it was still at a distance from the village. The drum said that the village was empty; that no living soul was there. To Safa, Chingis said, 'Here: hold my hand, little brother, and don't be afraid.' He took her hand and held it tightly; and she closed her eyes and sent out her spirit.

It was in the village in an instant, and whisked in and out of the houses like a draught under their doors. She saw the people, dead, but not dead.

Up the stove pipes, spiralling – out and high into

the cold air – in half a moment her spirit looked down on the tops of the pine-trees – but she neither saw, heard, smelled nor felt a trace of anything that might have caused the people's strange sickness. Kuzma had hidden himself well.

Chingis flew high and scanned far. She came to earth and hunted round the tree-boles like a little, nimble weasel. But, for all her skill, she was a young shaman, and had not grown crafty and wary of such tricks as Kuzma's. He was well hidden and she had overlooked him.

And Safa began to be afraid of her body's white, rolled-back eyes, and its strange breathing and trembling. He began to call her name. Back she went to her body, to make its eyes dark again, and to reassure him that she was safe.

The hut on chicken-legs carried them to the centre of the village; and they left it and went into the three legless houses.

Kuzma heard them, deep in his sleep. His heart began to beat faster; warmth once more spread through his body. He stirred and rose, snow-covered, from the snow where he had hidden. Quickly he made his way back to the village, knowing that Chingis would be thinking only of the people in the houses, and would not be on her guard against him.

In Vanya's house, Chingis said to Safa, 'These are bodies without souls – they are not dead or dying.'

'Give them their souls back,' Safa said.

'But why have their spirits left them?' Chingis

122

said. She looked about, and listened. 'Or have they been stolen? Little brother – we may be in danger!'

Outside the house, in the milky darkness, stood the shaman, Kuzma.

He opened the bag he carried and took out the copper coins. He walked round the village, scattering the coins on the snow. The soldier stamped on the coins stamped, and became a real soldier. Every soldier had a trumpet, as well as weapons, and every soldier had bunches of bells tied round his waist, ankles and wrists.

The hut on chicken-legs began to stamp its taloned feet, and to make strange cackling, crackling noises, like a chicken, or like a fire. It raked up the snow and banged its outer door. Chingis heard it, and she came out of Vanya's house, leading Safa by the hand. As soon as she appeared, the soldiers began to blow their trumpets, or to yell; to stamp their feet and set their bells jangling.

The noise they made was so loud, nothing else could be heard – and the soldiers could hear nothing anyway. Their ears were plugged tight.

A shaman's power is all words and music. If she cannot be heard, her power is niggling.

Chingis raised her voice and yelled so loud that the words scraped her throat raw on the way out. She yelled words that would have locked the soldiers' limbs as solidly as so many statues, if they had been able to hear her. But they could not hear her, and they had swords and knives.

Safa didn't understand what he was seeing. Here

123

were more soldiers like those who guarded his dome-room – but they were noisier than other soldiers. He could see Chingis shouting at them, but could not hear what she was saying. He knew that knives were sharp and drew blood, and these soldiers were holding long knives – but he had little understanding of the harm people can do one another. He stood and watched, and while he watched five soldiers came to him. They pushed him face down in the snow and tied his hands. All the while the bells tied to them jangled and rang in a patternless din; and trumpets and yells added to the row.

When the soldiers pulled him to his feet, he looked for Chingis, but couldn't see her. Soldiers were in his way. Between their bodies and legs he saw red snow. The noise was less now; no trumpets and yelling, but only the thrashing of the bells as the soldiers moved. Safa watched the scarlet colour creep rapidly through the snow-crystals, losing colour as it ran, until it was no more than white touched with pink. And then, with a din of bells, a party of soldiers ran up, bringing a long pole, sharpened at one end. The other soldiers scattered to make way for them, and Safa saw, through the gap, Chingis lying at the centre of the scarlet and pink stain. He called to her, called and called, as his spirit had once called, but she didn't move or turn to him.

Then he saw a man in a white bearskin coat take the pole and set its sharpened end on Chingis's chest. The man took a hammer from a soldier, and raised it to drive the sharpened pole home. Safa yelled and told him no, he must not – but the sound of the hammer blows banged dully through the light tingling of the bells the soldiers wore, and the pole was driven in, fixing Chingis's body to the ground.

'Now she won't come walking after dark, following after us,' said the man in the white bearskin, and the soldiers laughed, and took a few steps as they laughed, so their bells rang again.

'Now you may be the greatest shaman in the ghost-world,' Kuzma said to Chingis, 'but I won't be in the ghost-world for a while yet!' To the soldiers, he said, 'Tidy up this place, lads!'

The soldiers fetched fire from the houses, and used the fire to set the houses burning. With ropes, they tripped the house on chicken-legs, set fire to its shingle-roof and destroyed it. When the village was ruined and flaming, the soldiers left, taking Safa with them. The ringing of the bells they wore amused them as they marched along and Kuzma sang them songs in a loud, deep voice. After they'd heard his songs, they forgot why it was they were wearing the bells and carrying trumpets, and how they had killed the witch. All they could clearly remember was that they had destroyed a village of traitors that had been hiding the Czarevich; and now they had recaptured the Czarevich and were taking him back to the Imperial City, where their Holy Czaritsa would reward them.

At the end of their journey the soldiers escorted Safa Czarevich into the Holy Presence of his aunt. She sat, waiting, high on her Czar-chair, her guards and courtiers gathered below. The Czaritsa rose from her chair and descended its steps in a cascade of gold-shot silk and shining jewels. She came down almost to the level of ordinary people, put her arms round the dirty boy in his feather-decked robe, and kissed his face.

'Safa, darling,' she said, pinching his cheek, 'you shall never again wander out of my reach. But you need clean clothes and a long rest. Guards! Escort the Czarevich to the apartment prepared for him.'

As soon as the Czarevich had been taken away, and Margaretta had climbed back to the Czar-chair, Kuzma pushed his way through the courtiers and mounted its steps. He had a leather bag in his hand, and when he reached the Czaritsa he up-ended the bag and emptied the contents into her lap. Out fell many bright, red, glittering stones.

Without a word, Kuzma vanished. He had gained what he wished – the death of Chingis.

The Holy, Compassionate Czaritsa Margaretta was much taken with the red stones Kuzma had given her. They were a darker and richer crimson than any rubies she had ever seen, and glittered in the candlelight with the intensity of frost crystals.

'Now that my beloved nephew is being taken care of,' said the Czaritsa, 'and I have no more reason to fear the traitors within my Czardom, now I can truly celebrate my coronation. In the Cathedral of the Czaritsa of the Sorrows I shall be crowned with a new crown, that no Czar or Czaritsa has worn before me. I shall have it set with these stones.' And she held up one of the red stones so that all might see how it glared when it caught the light.

It is strange that, being so untrustworthy herself, the Czaritsa trusted Kuzma, and accepted his gift: perhaps she thought he had recaptured Safa for love of her.

The crown was made, a magnificent thing, and was set with the red stones by slave-craftsmen. It was placed on the head of the Czaritsa Margaretta in the Cathedral, near the tomb of her dead sister-in-law. At every state occasion the Czaritsa proudly wore it – the crown set with the souls of her subjects.

But what had happened to the Czarevich?

The apartment prepared for him is the dome-room at the top of the highest tower in the Imperial Palace. There are guards outside the locked door, and guards on the stairs, and guards at the foot of the stairs.

Nothing has been done to the dome-room since Vanya and the other soldiers tore it apart. It is dark, and utterly bare. It holds nothing but the stove, the floorboards, the brick of the walls – and the unfortunate, the lonely Safa Czarevich.

But Safa's spirit has learned the ways out of the dome-room.

It often happens that you understand what was said to you only long after it was spoken; or that you remember clearly things you saw, but never noticed, while they were before your eyes.

Safa had been an unteachable apprentice, unable to learn the simplest word-magics while he had been surrounded by the clamour, glamour and clutter of our world.

But in the dark, empty silence of the dome-room, he remembered what had been said to him; and saw what had been shown to him. In the long silence, he put word to picture, and picture to word, and made a whole of them.

In long dreams his spirit travelled, to places in this world, and to places in other worlds. It turned back only from the gate of the ghost-world. He was as afraid to step through that gate as most of us are.

Safa was no shaman – but he was learning to be a witch.

ELEVEN

The cat stops pacing round the tree, and sits and licks its paws.

Is this the end of the story? asks the cat. With Chingis dead and Safa captured, with Margaretta crowned and celebrated as All-Powerful Czaritsa, how can the story go on except with Safa's execution and Margaretta's ruling for ever and ever?

The story goes on (says the cat) by telling more of Chingis, dead though she is.

When we sleep, the eyes of our body close, and we see this world no longer. But the eyes of our spirits open wide, and let in all the sights of other worlds.

When the eyes of Chingis's body closed in death, the eyes of her spirit started open, as from a nightmare. All the senses of her spirit tingled sharp and clear.

She looked into a darkness barred with the trunks of trees. From the darkness came a singing – perhaps of birds, but it was unlike birds – a singing of such slow, distant sadness that it slowed the heart and chilled the skin.

(For Chingis still felt a heart beat within her, and a covering of skin over her, just as we all do when we dream.)

From the darkness of the trees, with the singing, came drifting the deep-toned sea-scent of rosemary and thyme, and a darker, ashy stink of burning.

She was alone. All the noise and din of the soldiers, the companionship of Safa, all had vanished. Chingis turned and found a high gate behind her. She knew it; she knew it for the gate of the ghost-world.

Always, before, she had come to the gate, and opened it with words, and gone in; but now she was already on the other side of the gate. It was closed and locked behind her. No words would open it.

So Chingis knew that she was dead.

She had travelled to the ghost-world many, many times, but when the gate would not open for her, and she found herself trapped there, she felt the sickness of fear. But she said aloud, 'I am a shaman!' And she said to herself the shaman proverb that her witch-mother had taught her: 'Whenever you poke your nose round the door, take courage with you.'

The forest ahead of her was Iron-Wood, which is not a good place or a bad place, but good or bad, according to how you travel it.

Chingis walked forward, came among crowds of people, women, children, and men, people sitting, lying, standing, all gathered at the edges of the Iron-Wood's heavy trees, afraid to go further. The trees of that wood shone dimly, reflecting the dullest of iron-grey light. Their leaves, when they moved, clanked together like iron keys on iron locks. Their branches were cold and clung to the skin like freezing metal; and the scent that came from these trees was not a smell of earth or sap, but the cold, dull smell of metal things. Most frightening of all was the singing which wove through the iron trees, too fine to be that of birds, too unknowing to be human.

The people saw Chingis pass through them and walk among the trees. Some of them took courage from her, and followed, but they soon lost sight of her and of each other. Iron-Wood has no paths. A way must be chosen between the trees – this way, now that, now this, with no guide.

But Chingis knew who and what she sought, and her way through Iron-Wood was marked as plain as if a road had been cleared. She could no more wander than a magnet can wander on its way to the iron that pulls it; at each tree she could no more doubt the way to turn than the magnet can doubt where the iron lies. She passed so swiftly through the wood that her feet hardly touched the iron leaves that piled the forest floor, and the only sound of her going was a faint one, like the slow settling of iron nails in a box.

When she came where she meant to be, she saw the hut on chicken-legs crouching under the pressing, heavy shelter of iron branches and iron leaves. Standing outside it was her witch-mother, who saw her coming and held open her arms, warm arms that folded about Chingis and hugged her tightly; warm hands that drummed lovingly on Chingis's back.

'When my old house came to me here, I knew you would soon come following after,' said the old witch. 'I have questioned the drum – I know all that happened – it was Kuzma! It was Kuzma, the traitor, who taught the soldiers how to kill a shaman.'

'Grandmother, did you question the drum about my apprentice?'

'You have no apprentice,' the old witch said.

'I have: I took him from prison. He was not chosen as you chose me, and he is not teachable, but I care for him. Was he killed too, Grandmother? Is he here, lost in Iron-Wood?'

'He was not killed,' said the old woman, 'but I know nothing more of him.'

'Then question the drum again, Grandmother.'

The old witch's shaman-drum lay on the iron leaves near the house on chicken-legs. The old witch sat on a rusting iron log and set the drum across her knees. She began drumming and Chingis, crouching beside her, watched the movements of the weasel's skull.

Chingis's sight was darkened by the darkness of Safa's prison, though he was worlds away. She felt the looming closeness of the dome-room's enclosing wall; the silence of the prison swamped her hearing as if she sank in water. She felt, saw, sensed all this faintly, but clearly – just as we, reading a book, see the scene painted thinly and faintly between our eyes and the page.

When the drumming stopped there were four women gathered round the drum in the dull, iron light of Iron-Wood, beneath its heavy branches. There was the old witch and there was Chingis. And there was a third, a worn and anxious woman; and a fourth, a tall and beautiful woman with long dark hair and large dark eyes. They were Marien, the nurse, and Farida, the slave-Czaritsa. Chingis looked at them, and knew at once who they were, and that the drum's talk of Safa had brought them there.

'Grandmother, I must leave this world and go into the old one again,' Chingis said.

The old witch shook her head. 'You are dead now, daughter.'

'I come and go between the worlds as I wish!' Chingis said.

'A fish lives in water, but in air it dies,' said the old witch. 'A spirit can live in the spirit-worlds, but on earth a spirit is soon blown to pieces unless it has a body to creep back to and take shelter. Your body is dead and turning to dust, Chingis.'

'I'll go back into it.'

'It will be cold by now, and too heavy to move. Kuzma has pinned it to the ground.'

'I must and shall go back to earth,' Chingis said. 'If I cannot go into my old body, I'll go into another.'

'Into what body?' asked the old woman. 'Whatever living body you enter, you will have to fight with the spirit that already shelters there. That spirit will never rest while you are in its home. You will waste your strength in battling. It's no use, daughter. Even a shaman, once dead, must wait until another body has grown to house her. At the centre of Iron-Wood you may see them growing, on the ash. This Safa you call your apprentice will have been dead for centuries before you see earth again.'

Chingis's head drooped, but Marien the nurse and Farida the slave-woman each laid a hand on her shoulders.

'If I can help you – ' said Marien.

'And if I can help you – ' said Farida.

Chingis raised her head and said, 'Grandmother, if four spirits went into my old body, could they raise and move it with the strength of them all?'

'If none of those spirits has eaten the Iron-Wood fruit,' said the old witch.

'I have eaten nothing in this place,' said Farida. 'I left my child in a prison, and thinking of his poor life keeps me full with grief.'

'I was more a mother to him than his mother,' said Marien, the nurse, 'and through my foolishness, I left him alone in the dark . . . Do you think I care to eat?'

'And you've drunk no water from these rusty streams?' the old witch asked.

The two ghosts shook their heads.

'And you, Grandmother? Have you eaten? Have you drunk?'

The old witch sighed, and smiled, and put a hard,

creased hand on Chingis's cheek. 'I have missed my daughter,' she said, and shook her head.

'Then you will help us find the way through the Iron-Wood and back to earth, Grandmother!'

'We cannot return through the gate now,' said the old witch. 'It's locked against us. We must find our way through Iron-Wood at its wildest . . . and if we lose our way we may never find it again.'

'Whenever you poke your nose out of doors, pack courage, Grandmother, and leave fear at home.'

The old witch smiled. 'Leave the drum, leave the house. We can take nothing from here except courage. Take my hands – we must all hold hands and never be parted, for only two of us can find our way. Chingis – my strong daughter, Chingis – you must lead. If you cannot make this journey, then none of us can. And I will come last, and when you lose the way, I will call it out to you.'

And so Chingis, and Marien, and Farida, and the old witch, began the long travelling through Iron-Wood, through iron thorns and steel briars, from the ghost-world to earth.

TWELVE

Now I shall bring my story back to this world, says the cat, and tell of the All-Compassionate, Ever-Ruling, Newly Crowned Czaritsa Margaretta.

Her thoughts often climbed the stairs of the Czarevich Tower to the room where her nephew was imprisoned, but, wherever her thoughts went, the Czaritsa remained seated on her Czar-chair, wearing her crown set with crimson and scarlet stones. And always she saw, to the side and behind her, white pillars, white figures, standing too close.

No one should be standing near the Czar-chair; no one was allowed to climb the Czar-chair steps. No one had been allowed. Yet there those white pillars stood; and when she rolled her eyes far to the side, she saw they were people. When she turned her head to see them clearly, they shrank back, crumpled and vanished, as reflections in a distorting mirror crumple and vanish when you move.

The Czaritsa knew that these vague figures at the edge of her vision were not real, solid people: so she did not order her soldiers to remove them. She did not mention them, but sat upright and still, her red-glittering crown on her head, peering from the corners of her eyes.

As she walked through the Palace with her escort of soldiers, the Czaritsa passed mirror after mirror; and in those mirrors she saw naked people standing closer to her than any of her soldiers stood. Naked, starving, snow-white men and women; reflected, starving children. As her eyes turned to the mirror, their eyes turned to hers. But these naked souls could not be heard or touched, or seen outside the glass.

I see ghosts, thought the Czaritsa to herself, but she determined to ignore them. Ghosts can stare and ghosts can hate, but mere spirits without body can do no harm in this world.

The ghosts took her thoughts away with their staring. She thought they must be the ghosts of people she had ordered to be executed – she had not realized there had been so many executions.

The Czaritsa had every mirror in the Palace taken down and smashed to pieces, even those in her private apartments. The broken shards of glass she had ground into powder; and the powder she had poured into jars and put away in the Palace storerooms, for sprinkling on the food of her enemies. Though a Czaritsa, she was a thoughtful and thrifty housewife.

No longer seen in the mirrors, the ghosts were still there, and the Czaritsa could not prevent herself from rolling her eyes sidelong to see them, any more than we can keep from touching a sore place in our mouths to see if it is still sore. The ghosts no longer shrank back from her sight. They advanced and stood plainly before her eyes even as she sat on the Czar-chair in her court-room.

At night she was alone with them in her apartments. However long she kept her maids and her slaves about her, at last she must send them away, or admit that she was afraid to be alone – and what God on earth can admit that? With her wig taken off and her grey hair let down; with her heavy, spreading, bejewelled dress packed away and only a thin nightgown to cover her spongy old limbs, she must crawl over the width of the Imperial Bed, like a lost traveller crawling over a snow-plain, to huddle in the middle of its expanse and stare back at the staring skeletons gathered all round her.

The Palace was always silent: at night there was not the slightest breath of sound to distract or encourage. The Czaritsa was at her weakest, and could no longer look into the ghosts' hunger-bruised eyes. She hid her face, she wept, she prayed for them to be taken away – but when she looked again, they still stared.

'If I ordered your deaths, then that is how your deaths were fated,' she said. 'I have a mandate from God! Nothing I can do is wrong!'

The ghosts stared.

'You are commanded to forgive me,' the Czaritsa told them. 'Great folk like me must often do dreadful things – they must, you know they must, to make the world go. So, you see, you are not to blame me.'

The ghosts did not seem to hear her. They were with her the next day and the next night. Their faces did not blame. They only stared their hunger.

Why had they not gone away, the Czaritsa wondered. Were they such unchristian ghosts that they had no forgiveness? Or were they not haunting her for revenge at all?

There are a thousand stories of ghosts returning to this world to tell the living of treasure buried, or to beg for some wrong they had done during life to be put right. And, remembering these stories, the Czaritsa understood at once that the ghosts had not come to blame her, but to beg her to do something she had left undone.

And what had she not done?

She had not killed her nephew.

High in the dome-room at the top of the Imperial Palace's highest tower, Safa Czarevich still lived. In darkness, in loneliness, but still he breathed and his heart beat.

Who knew what plans he was making up there, whispering to his guards through the keyhole?

She had not been as thorough as a Czaritsa should be; and the ghosts of her beloved people had come to warn her of her danger.

Tears filled her eyes at this proof of how much her people loved her. There were a few treacherous, twisted, unnatural people among her subjects who hated her and worked against her – but most of her people, thank God, were true, loyal and decent, and loved her so much that they returned from the dead to warn her against danger, and to beg her to take action to save herself.

'Thank you for your care – I bless you!' the Czaritsa said to them. 'I promise you, I shall do as you advise. I shall kill him. Yes, I shall send him to join you. He can stand among you and stare at me too. Axes and knives draw blood. A stare never made anyone bleed.'

The ghosts showed no pleasure or displeasure. They merely stood and stared.

'When he is dead,' said the Czaritsa, 'I shall give him such a funeral that everyone will say, "How she must have loved him! How she must have suffered when she was forced to order his death!" They will make songs about it – the Suffering of the Czaritsa Margaretta!' She sighed as she thought of the beautiful coffin she would have made; of the songs and the ceremony – and the magnificent tomb she would build for the Czarevich between the tombs of his mother and father. There she would go daily to weep for her nephew. How pitiful she would look! How her people would grieve for her when they saw her sorrowing.

The ghosts stared at her without any sorrow.

When a poor woman wishes a troublesome relative dead, it is rarely more than a passing wish, however sincere.

But when a Czaritsa has the same wish, you may be sure the wish will come true.

THIRTEEN

Now, what shall I tell next? asks the cat.

In the silent, lacquered, gilded, half-lit maze of the Palace, the Czaritsa sits awake at night, and tells her funeral plans to unlistening ghosts. She orders solemn music to be written; she orders tomb-makers to work; she orders a gown for herself, to be so closely sewn with jet beads that it will seem made of coal, not cloth. She does not say whose funeral she prepares for: but everyone knows.

Far above the Palace, wrapped in darkness by the brick of the dome, like a mite in a nutshell, is Safa, though he is not always there in spirit.

But now I know what to tell, says the cat. The story shall go on with the bear-shaman, Kuzma, and the dead shaman, Chingis.

Kuzma's house stood on chicken-legs too, but the legs were bones.

Kuzma was in his house, was in his bed, asleep and dreaming. In his dream he saw a river of scarlet water which drove along bones instead of driftwood. He looked across the width of the river to the dimness of its other bank, where the grey and clanking trees of Iron-Wood were reflected, red and black, in the river.

In his dream Kuzma walked by the river and watched its other bank. He watched it fearfully, as someone alone in darkness fearfully watches the trees about him for something he dreads to see, but is more afraid of not seeing. And something came out of the Iron-Wood and stared over the river at Kuzma.

Kuzma peered through the darkness. He saw four figures under the iron trees, and the leading figure was Chingis, made ragged by steel thorns. She had a bow slung on her shoulder, and a quiver of arrows. Fitting an arrow to her bow string, she came wading into the river, aiming at Kuzma. When the red water was about her thighs, and the drifting bones were catching against her hip, she shot her arrow. It flew high over the river, but curved down, and plunged into the red water.

Kuzma woke into this world, still feeling the cold, creeping dread which had come to him in the dream. The meaning of it was clear: Chingis was dead, but she would harm him if she could. She was at the borders of the ghost-world, and she was seeking a way to leave it.

Kuzma knew that no spirit can come safely to earth without a body to shelter it. Chingis would try to reach him in one of the other worlds, where her spirit would fight against his while his body slept.

That Kuzma would not allow. He was afraid to meet Chingis spirit to spirit. He feared her strength and anger. He would not fight Chingis unless she was in such difficulties that he could not fail to win.

Kuzma was an old man. He needed little sleep. From the rafters of his house he took herbs and roots and made distillations of them, to keep himself from sleeping. If he never slept, then his spirit could not wander in dreams, and Chingis would be forced to meet him in this world; and to do that she would have to enter a body. Then she would have two fights: the fight with Kuzma, and the fight against the spirit whose body she had stolen.

Kuzma's dread faded as he grew sure of winning. He drank his wakeful drink and shouted aloud, 'Come then, Chingis, and I'll make an end of you, world within world!'

For a whole month of nights, Kuzma kept his house in the same place, drank his wakeful drink, and watched and listened for any creature that might approach him. A thousand times he thought the wait was over and leapt up to save himself. A thousand times he found the battle was not yet.

Even Kuzma began to tire. He added other herbs to his wakeful drink, and it gave him strength for a few hours. Those few hours over, he was more weak and tired than before. Every sip of his drink took a year off his life, and it seemed that Chingis was killing him without coming near him.

He feared there was some cleverness in Chingis's delay that he could not guess. He could only hope that she would come soon, in some shape he could trap, or maim, or kill.

When the house around him began to scream and cackle, then he knew that someone was near. He poured a bowlful of wakeful drink, drank it all, and went to the door.

In the snow outside stood Chingis's dead body, upright, walking. In its dead hand, it carried an axe.

Kuzma's heart squeezed small and tight with such fear as he had not known for a hundred and fifty years. Here was why Chingis had been so long in coming. The corpse had risen from the place where it had died and had walked over the land, step by heavy step, in search of Kuzma. Kuzma had thought only shamans in legends had spirits so strong.

But Kuzma smiled and sat on his doorstep, as if corpses with axes visited him every day. 'Well, well, little daughter,' he said. 'You know a way from the ghost-world that I don't know.' Kuzma hoped to win by cunning if he couldn't win by strength; he hoped to trick Chingis into telling what she should keep secret. 'You are a greater shaman than I knew,' he said. 'How is it possible that you come here, dressed in the dead?'

Chingis answered him, and Kuzma listened gladly. Her words slithered and slobbered from her body's cold, rigid mouth. 'I stood at the borders of the ghost-world and earth, where the spirits slip by and enter thoughts and dreams. I could see my body lying where you had pinned it to the ground, and I saw wolves and birds come to it, to eat it. I was angry, and I slipped easily into the angry minds of

144

those gobblers – but before they knew I was in them, I slipped out again and into my old body. Oh, it was a cold house, Kuzma – cold and lightless. Before I could force open the eyes and see the light of this world – look! the wolf had eaten my arm.'

Chingis made her body hold out its right arm, which was nothing but bones and shreds.

'And it was hard work, Kuzma, to make the tongue in here beat on the teeth like a wooden paddle on rocks. To raise the head was as easy as raising a boulder on a blade of grass. What labour! But I am strong, Kuzma. I raised up the head, I made the tongue speak, and I drove away the wolf and the birds. Then I made these hands, these arms, drag out the stake you had driven through me. I raised this body, this long, tall body – I raised it to its feet. Easier to make a necklace of rocks stand upright! I thought it would end me – but the thought of telling you this, Kuzma, drove me to succeed . . . I took this axe from the village you burned. See, its edge is a little spoiled by the fire, but it is still sharp. This dead body has not stopped or lain down since I raised it up. It has done nothing but turn its nose towards you and put one foot before the other. My grandmother advised me to tell you all this, Kuzma. She said it would make your blood almost as cold as mine – and I see by your colour that it has.'

'You have your axe,' Kuzma said. 'Let me go inside and fetch mine.'

He rose and went into his house. The corpse let him go.

Inside his house, Kuzma took his axe and stuck its shaft through his belt; took a shaman-drum from the wall and slung it on his shoulder. From a shelf he took a jar and filled his mouth with the powder it contained – a powder which filled him with strength. Over himself – over the drum and axe and all – he drew the white bear's skin, while he muttered a pattern of words. His body twisted under the bear skin and became a bear's body. In bear-shape he sprang from the door of his hut, sprang past Chingis, and loped away over the snow with long, heavy strides. Kuzma hoped to save his life for another day.

But as the bear leaped away from the hut, a small, spiked seed-head, trailing a length of dried stick, drifted into the bear's fur and clung there. Chingis had crushed her corpse and all its indwelling spirits to this seed, and the stick the seed trailed was the axe.

She could not stay so small for long, and had to change her shape: and she changed it to a leech, a big leech, that reached through thick fur to the bear's skin and sucked on its blood.

Kuzma had not felt the bur catch or the leech bite, and he ran on, thinking himself safe. The weakness which sickened his heart and trembled in his bones, he thought mere weariness.

As Kuzma grew weaker, Chingis grew stronger; and the powder that had made Kuzma strong now flowed in his blood from him to Chingis. The leech swelled. The bear's legs ceased to move and shook beneath the bear's weight; its head dropped to the snow. Now Chingis reappeared in her own shape, sitting astride the bear and raising the axe above her head.

Kuzma cowered under the blow that killed him. The two bodies, the one dead, the other dying, fell and rolled in the snow. As Kuzma rolled, the bearskin opened and showed the man inside. Chingis leaned over him and put her mouth to his, as if she kissed him.

Kuzma's spirit rose to leave his dying body; but its way was stopped and it was overwhelmed by the entrance of spirits from Chingis's kiss.

Those four long-travelled spirits who had found their way through Iron-Wood pounced on the spirit that only wished to escape. They trapped it, wrapped it, in nets of hair and air, in words and music. They carried it, prisoner, far into another world. They made it prisoner in a cage of wooden sticks, in a cave blocked by a boulder, in a bottle stopped by a cork, in a coffin of glass. The spirit of the old witch was left to guard Kuzma's, while the others filled their new spirit-house and joined their strength together to move it.

Kuzma's body was still warm and fresh. It moved easily to the will of the new spirits that inhabited it. Rising, it looked down on the dead body of Chingis.

Kuzma's body walked, with only a slight clumsiness, a short distance away. Turning, it looked back with Kuzma's eyes, but Chingis's sight. From the trees a wolf came scuttling to the corpse.

Kuzma's house, on its skeletal legs, knew that Kuzma was coming home to it, but sensed that it was not truly Kuzma. It began to cluck and cackle, and shut its doors, but opened them again when Chingis, speaking through Kuzma's mouth, ordered them to open. The house was only a house. It could do nothing to prevent its master's dead, but walking, body from entering.

Inside the rafters were hung with herbs, the shelves stocked with jars, the walls hung with drums, with flutes, with mandolins. On the table lay a large, plain wooden box. Curious, Chingis opened it with Kuzma's hand.

The box held ice-apples. Their cold rose from them in a chill, apple-scented mist. The apples seemed made of glass. Their skins were transparent and so pale a green as to be colourless.

The flesh was transparent, though the light trapped within the apples made the transparency milky. Juice sparkled in droplets, like frost.

At the heart of the apples, hanging in space, could be seen the flower-tracery of the cores, and the black pips.

Chingis lifted an apple by its stalk – in Kuzma's fingers – and turned it. The dark pips whirled. The apple gathered to itself all the light there was, and shone without heat; shone dimly and softly, like light seen through water, a light coloured with the faint, barely visible green seen in snow.

Ice-apples are rare. Compared to them, diamonds are as common as sand grains on a beach. Unicorns

are more easily found than ice-apples. Yet here was
a box of them, shining like moonlight on a night of
rain.

Kuzma's hand moved and placed the ice-apple it
held inside the white bearskin coat, laying the ice-
apple against the icy heart.

FOURTEEN

Now I'll tell of a funeral procession, says the cat.

The Imperial Palace was a city with one roof; but most cities are full of noise and lights. The Imperial Palace had always a breath-held silence, and twilight.

Through this dim silence soldiers came marching. Was it day or night? In the Palace, day and night came according to orders. Candelight turns many rich colours to black, and the soldiers' uniforms seemed black on black with belts of black. To the stealthy sounds of candles burning, to the creak and clink of belts and swords, and the shush of thick-soled boots on carpets and stone, the soldiers climbed the stairs of the highest tower and opened the dome-room door.

Safa Czarevich was waiting for them. His eyes were dazzled by even so feeble a light as candlelight, but he went with them willingly and, as he went, he nodded his head and glanced about as if he followed the rhythm of music. The Palace was silent. There was no music. But the Czarevich was mad, as everyone knew.

Down the stairs and by silent corridors they

marched, until they reached broader corridors where dragons and flowers were painted over the walls and ceiling, glowing a sudden rich red and green where they were close to a stand of candles. Here the soldiers met priests in tall hats and stiff black robes; and boys dressed in white, swinging gold fire-cans of burning incense on gold chains. Here was the executioner, his heavy axe on his shoulder. His clothes seemed brown, but flared suddenly into scarlet when the full light of the candles fell on them. Beside the executioner was carried the coffin, reflecting everything near it, as dark water does, and shimmering along its length each time it was carried beneath a clump of candles.

Through other corridors, as silently, came the Czaritsa Margaretta and her guard, and her ghosts. The Czaritsa's black gown was so closely sewn over with jet beads that it clashed as she walked, and seemed to have no cloth in it. The ghosts were so close to her that they trod on the hem of the beaded gown – but their tread had no weight.

The Czaritsa peered sidelong at them, but would then remember the execution she was going to attend, and pause to sob and wipe her eyes. Quickly she would look about her to see if her loving soldiers were admiring her grief, and would tell others of it later. She could already hear the story they would tell being told in her own head: how the compassionate Czaritsa was so filled with love and care for her people that she had her own nephew executed, though she loved him, to save her people from his wicked treachery. What a sacrifice! What a strong, loving mother to her people she was, hiding her pain and sorrow for their sake. And she wiped her eyes again, and peeped again at her soldiers.

In the court-room the courtiers waited for the arrival of the Czaritsa, and of the Czarevich who was to be executed. The courtiers stood staring up at the Czar-chair. Smoke from the candles curled and drifted gauzily through the candlelight, and hung in clouds under the dark roof. The painted windows showed their darkest, deepest colours; and the wreaths, vines and forests painted on the walls faded to grey in the gloom and smoke, or blazed red, blue, green and gold if they were near the light.

Through one door came the soldiers, the executioner, the priests, the coffin and the Czarevich. And the procession stopped in astonishment, with soldiers bumping into priests, and priests stumbling back into soldiers. They stopped at the sight of the Czar-chair.

The Czarevich Safa, who didn't know how to behave at executions, even his own, wandered forward to the very foot of the Czar-chair steps. There he stopped and looked up, and he alone, of all the people in the room, seemed unalarmed.

At the other door came the sound of the Czaritsa's coal-sewn dress clashing its swinging folds together; and in marched the Czaritsa's procession.

Not a courtier, not a soldier, not a priest, glanced at their Czaritsa. Their faces were all lifted towards the Czar-chair.

The Czaritsa herself looked up at it – and stopped. Even her breathing stopped, and her great sucking of breath an instant later was heard throughout the room.

With that breath she screeched, 'You lied! You lied! *This* is the reward you wanted for bringing my nephew to me!'

For, in the Czar-chair sat Kuzma, the shaman. His hands rested on its either arm. His black and grey hair, in its badger stripes, spread over the thick, yellow-whiteness of the bearskin he wore. From the thicket of hair his sharp face peered out, whiter than the bearskin.

He looked down at the Czaritsa and said, 'I did not bring my apprentice to you, and I have come to take him from you.'

Now the Czaritsa saw Kuzma in her chair – Kuzma who had brought Safa to her – and she was outraged that he should tell such lies. Such plain lies, to her face! Her face as scarlet as the stones in her crown, she raised both clenched fists and pounded them in air. She couldn't speak for rage.

Kuzma smiled, and stood. The thick, heavy softness of the bearskin fell from the Czar-chair's seat and tumbled about the shaman's Lappish boots. Kuzma lifted his hand and beckoned to Safa, and Safa started forward to go to him.

But the Czaritsa Margaretta reached out, snatched at Safa's wrist and held it.

'Make him Czar?' she cried. 'You won't make him Czar! Executioner!'

And the executioner swung his heavy, sharp-edged axe at Safa's head, though Safa stood upright.

There was a shout from everyone in the court-room, as some struggled to turn away from the sight of the axe-blow; and some struggled to see it.

Safa started back and raised his hand, as if to protect himself from the blow – but then dropped his hand and lifted his head to meet the axe's edge. The axe dashed in his face as a slap of cold water, the drench of a wave.

The executioner stepped back and held up his empty, dripping hands. The steps, the floor, the Czaritsa, were all splattered with the salt-water spray. The Czaritsa released Safa as she spread her own wet arms and looked down in amazement at her wet dress.

Safa ran up the steps to stand beside Kuzma and wipe his wet face with his hands.

Kuzma took something from a pocket of his heavy coat and threw it down to the court-room floor. It fell with a loud noise, and rolled – it was a hard, round, smooth pebble of quartz, so hard that it could have been thrown from a much greater height without cracking or chipping. 'On that stone,' said Kuzma, 'I have spelled words. You cannot read them, you cannot see them – but until you can take these words from that stone, you can do my apprentice no harm.'

People – even the armed soldiers – began backing away from the Czar-chair and the witch, the shaman, who stood before it.

Kuzma drew the collar of his thick bearskin coat up around his neck, and set the bear's head on his own. 'As for me . . . I am already dead; so I have no fear of death.'

And Kuzma jumped down from the Czar-chair steps.

People shouted, and people laughed aloud, to see the shaman throw himself down, head-first, as if he would somersault, like an acrobat-clown.

But the shaman turned no somersaults. A man jumped from the topmost step, but a long, snake-necked bear struck the lowest step with its outstretched legs and clawed feet.

The Czaritsa led her people – she led them in determined flight from the terrifying bear. To every door the crowds pushed in a solid, flowing band, like a rushing stream.

Every door from the court-room was blocked; and the pressing people blocked the bear's way to the Czaritsa. The bear roared.

At the roaring of the bear, courtiers, soldiers and priests pushed open the doors of rooms – any door, any room – and crowded in, slamming the doors after them.

Past the closed doors the bear ran, intent on the heels of the screeching Czaritsa – and no matter that she opened doors and slammed them after her. The thing that pursued her, though toothed and clawed like a bear, was a shaman; and no door stays closed against a shaman.

So into rooms by one door and out of them by

another ran the Czaritsa, the glassy folds of her dress clashing and ringing about her legs. And more and more, as she ran, she came upon doors that were closed and locked; and when she hammered on them for admittance, the people inside were silent and pretended they had not heard.

In one long corridor the Czaritsa fell with a thump against every door, and banged with her fist and cried, 'Let your Czaritsa in!'

And from behind the doors came the answers:

'Oh, Czaritsa, we would open the door, but the lock has jammed and we can't!'

'Oh, we are trying to open the door, Czaritsa, but it has warped in the wet and is stuck, stuck fast!'

'*I* would open the door, I *want* to open the door – but these others here won't let me!'

Before any answer was finished, the Czaritsa had seen the bear, and had run on to another door, with a crash of her jet-gown.

Pressed against the doors of those locked rooms, the hiding people listened to the passing rattle and rush of the Czaritsa's dress – and that sound and her screeches had no sooner dimmed than they heard the heavy tread of the loping bear, its claws striking on the stone floor even through the carpets, and the sigh of air through its thick fur.

And the people cowered to the floor, glad of the door between them and it, but listening eagerly for the end of the chase.

The steps of the tallest tower in the Palace were unguarded for once, all the soldiers having gone to the execution; and here the Czaritsa ran. But she could not climb the steps in her heavy gown. They were too steep, and she was too old, and had run too far already. On the steps she collapsed, and the bear came closer – and the Czaritsa sat up and faced it, and began to talk. While she talked, she went backwards up the steps on her jet-covered backside – and the bear followed, slowly now, step by step, grinning its big teeth in her face.

The Czaritsa offered the bear land, and she offered it a fortune; she offered it titles, a place in her government, a post in her army. She promised to appoint an Imperial Commission to inquire into the Czarevich's arrest and discover who was responsible. Shuffling backwards before it up the stairs, she told it every lie her tired and frightened brain could invent, and made it every offer. If it would only leave her and let her live, it could have her nephew Safa, to do whatever it liked with: if a meal was what it wanted, then it could have the choice of any of her subjects, prepared in whatever manner it chose, each day of its life. But still the bear slowly climbed the steps after her, and gave no sign of being persuaded. What else could she offer? Did the bear want a fellowship at a University? Did it fancy the captaincy of a ship? Could she bribe it with a place in the Church?

But, at last, the Czaritsa despaired of there being a human spirit in the bear. It must be a real bear, that did not understand speech – for it could not be deceived.

Up the steps, round and round, the bear and the Czaritsa went, to the top of the tower.

Once there, the Czaritsa ran into the dome-room, into its darkness, its windowless, imprisoning circle.

After her, through the little door, into the little room, went the big bear.

And where was there to go from there?

Nowhere, but out and down again. The bear came out, in a little while, and loped down the stairs. Behind it came rolling, falling, banging, the Czaritsa's crown; and at each bang a scarlet stone broke from the crown and lay on the dark steps, all its colour and sparkle gone. A breeze, rising and growing stronger, ruffled the bear's fur and followed it down the steps and through the corridors, rushing draughtily past closed and locked doors, lifting the fringes of carpets, shaking hangings.

In the corridors, in the jewelled light from the high windows, the bear rose upright. There were black stains about its mouth – who knew what colour those stains might have been by daylight? The bear pushed back its own head and revealed the head of Kuzma. The bear's hide fell open like a coat to show the shaman's robe beneath. The wind that had arisen with the fading of the scarlet stones still blew, tossing Kuzma's hair and beard, and growing so strong that it even lifted the heavy bearskin he wore and shook it as if it had been cloth.

Kuzma's body walked back through the Palace to the court-room, and met no one. All were in hiding.

When Kuzma's body entered the court-room, the wind entered with it, whooping round the door-posts and slapping the hangings against the painted walls. The room was empty of people, except for the Czar-chair. In that sat Safa.

Kuzma stopped at the bottom of the Czar-chair's steps and, looking up, said, 'Are you the Czar now? Is that what you wish?'

Safa said, 'Where are you going, Chingis? I want to go with you.'

'Why do you call me Chingis?' Kuzma asked.

'I can see you, Chingis! And I see Marien – and two others . . . Chingis: teach me to be a shaman.'

'To be a shaman, you must travel the ghost-world.'

'Let me go there with you!' Safa said.

'We are going there – but we won't be returning this hundred years.'

Safa rose from the Czar-chair and started down the steps. 'Whatever world you are in, Chingis, that is the world where I want to be.'

From Kuzma's coat Chingis made Kuzma's dead hand take the ice-apple. It shone and increased its shining as it gathered light. Its soothing, cold, apple-scent reached out to Safa; and hungry ice-water jetted in his mouth.

He took the apple from Kuzma's hand, but from Chingis's giving. It clung to the skin of his hand, like freezing metal.

He put it in his mouth, and it froze to his lips, and to his tongue.

159

He bit, and the apple shattered between his teeth with a snap, a crack, a split, like ice breaking. He swallowed winter; and followed Chingis through the gate into the ghost-world.

But what exactly became of the Czaritsa? Nothing was ever found of her except – when a lantern was taken to the dome-room – an enormous quantity of jet beads.

I am a learned cat, and I can say with authority that the digestions of shamans and white bears are strong, and able to cope with whale-meat and even small bones. But they can't cope with fossilized coal.

And the Czaritsa's spirit? Like Kuzma's, it entered the ghost-world in captivity.

What became of the Czardom, left without a Czar? What you might expect became of it. The rich and the powerful went to war, to decide who would be the next Czar.

The winner took the Czar-chair, the Palace and the crown. This new ruler was, or became, cruel, secretive, sudden, and unreasonable beyond reason. This is the nature of Czars and Czaritsas, or it is what Czardoms make them.

If the world were well rid of every Czar, then the most greedy, the most cruel, and the least truthful of those left would call themselves Czars – and the rest would let them do it.

But we need not love Czars, and we need not become them.

FIFTEEN

Now, says the cat, I must tell the end of the story. One more drop and the cup is full.

It is midwinter: the midnight of a darkness half a year long. Five hundred years have passed, but winters are still the same. A while ago the snow fell deep: now it has frozen to a sharp crust of ice. Far overhead the sky-stars glitter white, bright, in their darkness; underfoot the snow-stars glitter white in whiteness. Between the sky-stars and the snow-stars hangs a shivering, milky curtain of twilight.

In an emptiness of snow and darkness there is a village, half buried, with frost snapping and buzzing from roof to roof. In this village on Midwinter Night, in one and the same hour, five children were born.

Never before had five children been born so close in time, and the villagers were afraid. It was unnatural: they feared there was bad luck in it.

One of the babies had an old woman's grey hair to go with her newborn wrinkles; another had a thin mark on her neck, like the first cut of a blade. The villagers learned these things as they trudged over the snow from house to house. They wanted to celebrate, and drink and sing to the arrival of the new children, but instead they were forced to be sad. It was not wise to raise these children, they said. Their mothers should lay them naked on the snow and leave them to cry themselves to death.

But before any of the children were more than an hour old, another omen was seen, though whether for good or bad no one could tell. The curtain of twilight that hung from the bright stars was parted by a bobbing, pouncing light that travelled nearer and nearer.

Wrapped in shawls and blankets, the villagers stood in the snow, watching in dread and hope the thing that approached them. It brought, they felt sure, some great event – the destruction of them all, perhaps. And they could not escape.

After a long time of watching, when they were chilled and shaking, they saw that the moving lights came from the candlelit windows of a house which trotted over the snow on its cat's legs at great speed. A witch's house. A witch come to do them harm.

People stumbled on cold-stiffened legs to fetch crucifixes and knives, icons and scythes, and stood ready to defend themselves against witchcraft.

When it reached the other houses, the witch's house stopped. Mewing, it folded its legs and brought its door close to the ground. The doors opened and out came an old woman, dressed in the outlandish manner of a shaman.

She laughed at the saints' pictures and crosses the villagers held towards her. 'I haven't come to hurt you tonight,' she shouted. 'I've come for the children who were born here an hour ago. Wrap them well and bring them here!'

And the old witch sat on her doorstep, holding her staff between her knees.

The villagers ran, scattering into the houses and returning in five jostling groups, each with a woman at their centre, carrying a baby wrapped in whatever shawl, or shirt, or rag had come to hand.

The first to be carried up to the witch was the grey-haired baby. 'My sister,' said the witch, and took the baby and kissed it. Gently she laid the baby on the floor of her house, and turned to see the next.

This second baby she also kissed, saying, 'That one was married to a Czar. May her luck be better this time! – Let me see that other child!'

The third baby was put into the crook of the witch's other arm, while her carved staff stood upright by itself. 'Ah, yes,' said the witch, '*this* one once nursed a Czar's child. May she meet no Czars and nurse her own children!' And the witch sang an old, old song and sang the babies to sleep. 'Take these two back,' she said. 'Don't fear them; they have nothing of the witch about them, but they will be fortunate in their lives – Give me the others! They are the children I've travelled to find.'

When the last two babies, a girl and a boy, were put into her arms, she said, 'Yes! This is the little witch who will soon be teaching me – and this is the

Czar's son whose birth has been luckier than before. These, and my sister, I shall take into my keeping and out of your knowing.'

The witch rose and carried the two babies into the hut, where the first already lay, and she closed her door on the villagers. The hut rose on its cat's legs and made its jerky, jumping way over the snow until the shimmering, flickering curtain of starshine and twilight closed over it and wiped it from their eyes.

The villagers remembered the night for centuries; but never saw a witch again. And of those witches who choose to take no interest in the short lives of ordinary men and women, what can even such a learned cat as I tell? I dare know nothing of them; I dare tell nothing of their ways – but now he is a shaman and not a Czarevich, I think there are no doors closed against Safa that he cannot open.

The babies left behind in the village were given the names Farida and Marien. They grew in the usual slow way; they were loved, and lived lives of such ordinary peace, of such ordinary hardship, of such unremarkable loss, gain and happiness, that I can only wonder at such a miracle, and find nothing more to tell of them.

But the spirits of Kuzma and Margaretta were carried, imprisoned, into the ghost-world. Did they return to this world again?

I will tell you, says the cat, of a place in this Czardom I speak of, where rusty stone is broken from the earth; and smashed; and heated; and from the heated stone runs molten iron.

This iron is used to make every kind of tool – hammers, for instance. Every size of hammer.

There was once a blacksmith who bought two of the biggest hammers, two great fists of iron, and had them carried to his forge in a wagon.

At the centre of the blacksmith's forge stood an anvil, made of iron from the ground beneath the blacksmith's feet. The blacksmith loved the anvil. It was his work-table and his seat. Its horns and its holes shaped his work. Without it, he wouldn't have been a blacksmith.

He fixed his new hammers over the anvil on long, springy poles of ashwood. A tarred rope tied the ash-poles to see-saw planks on the floor. When the blacksmith rocked the planks with his feet, down came the hammers – kang! pang! on the anvil – and flew up into the rafters again.

The blacksmith grew to love his new hammers. They were so obedient to him. When he had work on his anvil, he had only to touch his foot to the see-saw planks and – k-rang! dang! dang! – the hammers willingly beat their heads on the iron for him. He loved their tin-pots-and-pans singing as they danced together, passing each other by in mid-air. He came to think that, when his work was good, it was because his clever hammers had worked so hard to help him, forgetting that they only worked because he made them. He grew so fond of them that he gave them names. The names slipped into his head, and he didn't know why he thought of those particular names, but the hammer on the right he called 'Margaretta', and the other he called 'Kuzma'. To the singing of the hammers he called out their names – 'Come down, Kuzma! Down, Margie! Kuzma! Margie!'

To the anvil he gave no name, though he would often affectionately follow its shape with his hand. The anvil never moved, and so never seemed alive.

Every day, the hammer Margaretta, and the hammer Kuzma worked. Every day, every week, every month, every year, they beat their heads on the iron the blacksmith shaped. Often the smith's children would hop on and off the planks, and make the hammers leap and ring for a game.

On the day of the blacksmith's death, the hammers were made to ring a carillon on the anvil as a mark of respect – and the next day, the blacksmith's son set them hammering to earn his keep.

They lasted to sing their tin-pots song for the son of the blacksmith's son too, but nothing lasts for ever. On the same day, at the same moment, both hammers cracked and broke.

The anvil had stood and received their blows, with no means of returning them; but in the end the anvil always outlasts the hammers.

The spirits of hammer Margaretta and of hammer Kuzma flew free to the ghost-world. Had their years of labour, the hammering of their heads, their breaking on the anvil, taught them anything, or made them change in their iron natures?

Not by one whit. Iron may be pitted, broken,

rusted, twisted – but it is never anything but iron.

And that is the end of the story, says the cat. It was all true – I know it was true, because I was at the Czaritsa's funeral and wet my whiskers in the beer drunk there. They haven't dried yet.

Open the windows and let the lies fly out!

If you thought this story tasty, then serve it to others, says the cat.

If you thought it sour, then sweeten it with your own telling.

But whether you liked it, or liked it not, take it away and let it make its own way back to me, riding on another's tongue.

The cat lays herself down among the links of her golden chain and tucks her forepaws beneath her breast. Head up, ears pricked, she falls asleep under her oak-tree, and neither sings nor tells stories.